AVES SIN NIDO

Clorinda Matto de Turner

AVES SIN NIDO

Prólogo de

LUIS MARIO SCHNEIDER

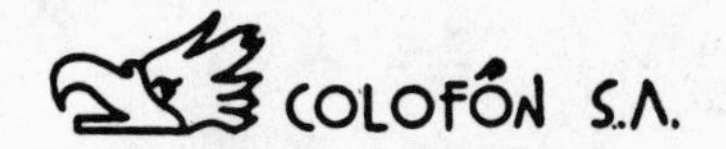

Quinta edición en Colofón S.A.:2001

Prolongación San Antonio, 139
Col. Carola
01180 México D.F.
Teléfonos: 515 88 93 - 572 53 48
Fax: 273 75 35

ISBN 968-867-084-7

Impreso y hecho en México
Printed and made in Mexico

Clorinda Matto de Turner

Grimanesa Martina Matto Usandivaras, conocida en la historia literaria con el nombre de Clorinda Matto de Turner, nació el 11 de noviembre de 1852 en la ciudad del Cuzco, en la casa número 66 —actualmente 310— frente a la plaza de San Francisco.[1]

Su madre, Grimanesa Concepción Usandivaras, de ascendencia argentina, era hija de José Usandivaras, militar nacido en la provincia de Salta, que llegó al Perú con el ejército emancipador de José de San Martín y fue a residir al Cuzco donde contrajo nupcias con Manuela Gárate, dama de la sociedad cuzqueña.

El padre de Clorinda, Ramón Matto, era hijo del jurista Manuel Torres Matos, quien fue vocal de la corte de justicia del departamento del Cuzco por varios años.

La infancia de la escritora transcurre entre la ciudad de su nacimiento y la hacienda de popiedad paterna, Paullu Chico, próxima al Cuzco y que fue durante años equivocadamente atribuida como lugar de nacimiento de Clorinda.

Muy joven, todavía no contaba diez años, pierde a su madre el 22 de septiembre de 1862, e ingresa como alumna becada en el Colegio de Nuestra Señora de las Mercedes, actualmente Colegio Nacional de Educación, del Cuzco, dirigido por la educadora Antonia Pérez. De esta época de estudiante solamente se conoce un documento del año de 1865 donde aparece registrado un examen de urbanidad que aprobó la novelista. También por este tiempo la crítica biográfica deduce que la escritora comenzó su vocación literaria, escribiendo sus primeros versos, los cuales jamás llegaron hasta nosotros. Es posible que así

[1] *La localización de la partida de bautismo de Clorinda Matto de Turner por Manuel E. Cuadros E., e incluida en su libro* Paisaje i obra, mujer e historia: Clorinda Matto de Turner, *resuelve definitivamente la fecha y el lugar de nacimiento de la escritora, así como también la grafía del apellido Matto en vez de Matos, que era el originario, y que fue modificado por el padre de Clorinda y no por ella como opinan varios críticos. A pesar de que en el documento no aparece registrada con el nombre de Clorinda no es de extrañarse por cuanto muchas veces el apodo o nombre familiar suele reemplazar al legal.*

sea, pero es también posible que no fuera una producción considerable, puesto que en *Leyendas y recortes*, obra de sus años maduros, confiesa: "Poquísimas veces *he hecho versos* (el subrayado es de la propia Clorinda), por la idea que abrigo de que la poesía es inspiración divina en ciertos momentos lúcidos del alma." Los biógrafos suelen afirmar que durante su vida de interna en el colegio se despertó su interés por el periodismo, llegando a publicar un periódico manuscrito de distribución interescolar.

Cuando cumple dieciséis años, en 1868, abandona el colegio y se entrega al cuidado de sus hermanos menores Daniel y David, los cuales van a ser con el tiempo figuras destacadas dentro de la actividad militar y profesional del Perú; el primero pierde la vida en la batalla de Puno, en la guerra con Chile. El segundo, David, fue un médico e investigador de relevancia.

Con el propósito de estudiar en los Estados Unidos, Clorinda Matto se entrega al aprendizaje del idioma inglés; y aunque no realizó los deseos de viajar, el destino atemperó en parte el fracaso: conoce al inglés José Turner, entonces domiciliado en el Cuzco, con quien contrae matrimonio el 27 de julio de 1871. Casi no existe ningún dato referente al esposo de la Matto; el único que menciona algo es el mexicano Francisco Sosa, autor de un estudio sobre la escritora inserto en *Escritores y poetas sudamericanos*, que cuenta que Clorinda contrajo una enfermedad de los ojos y fue asistida con éxito por el doctor inglés José Turner, quien "prendado se unió a ella en matrimonio".[2]

Los primeros años de casada vive en el pueblo de Tinta, en la provincia de Canchis. Este lugar tiene singular importancia en la obra de la Matto, puesto que va a servir de ambiente, con el nombre de Killac, de su novela más célebre, *Aves sin nido*. Igualmente, la casaquinta que habita aparece descrita en *Indole*, otra de sus novelas. Además, Tinta tiene un apreciable valor histórico puesto que allí tuvo lugar la trágica muerte de Tupac Amaru y de sus familiares y compañeros de rebelión, temas que aprovechará Clorinda Matto de Turner en algunas de sus tradiciones y como asunto de su única pieza teatral, *Hima Sumac*.

Si bien alrededor de 1869 había comenzado a colaborar en algunos periódicos regionales, será en Tinta donde su espíritu creativo encuentra la verdadera vocación literaria, a la vez que las direcciones defini-

[2] Luis Alberto Sánchez, pienso que equivocadamente y al pretender traducir José por John y no por Joseph como es lo correcto, es el único crítico que afirma que el esposo de la Matto era mister John Turner.

tivas que se observan en toda su producción; la reivindicación de la mujer en el mundo moderno y el tema indígena de protesta social.

Desde Tinta envía colaboraciones a El Heraldo, El Ferrocarril, El Mercurio, El Rodadero *y* El Eco de los Andes, *textos que firma con los seudónimos de "Lucrecia", "Mary", "Rosario", "Betsabé" y "Adelfa". La mayoría de los escritos son de descripciones de la naturaleza y de ambientes indígenas o coloniales, donde es evidente la influencia de la literatura de Ricardo Palma.*

En 1875 la revista El Correo del Perú, *de general orientación romántica pero donde comienzan a darse a conocer los autores que van a iniciar el realismo peruano, publica en el número del mes de diciembre "El tambo de Montero", tradición de Clorinda Matto de Turner, la que firma con el nombre completo con que pasaría a la historia literaria.*

A principios de 1876 fija su residencia nuevamente en el Cuzco y allí dirige El Recreo del Cuzco, *que lleva por subtítulo "Revista de la literatura, ciencias, artes y educación", cuyo primer número apareció el 11 de noviembre y donde colaboran escritores cuzqueños y de la capital del país.*

Su labor de periodista, que destaca la prensa nacional, así como sus escritos en diarios y revistas peruanas y extranjeras —El Semanario del Pacífico, El Correo del Perú, la Ondina del Plata, El Porvenir, El Obrero, La Ley, el Album, La Cartilla Popular, La Bolsa *y* La Autonomía— *testimonian el rápido y merecido ascenso hacia la fama de Clorinda Matto de Turner en aquellos años.*

En el mes de febrero de 1877 realiza junto con su esposo un viaje a Lima, donde fue recibida y homenajeada por los grandes escritores limeños.

A semejanza de la moda fancesa y de un innegable valor para el proceso social y político de hispanoamérica en el siglo xix, tenemos las veladas literarias, cuya más célebre en Lima era la de Juana Manuela Gorriti, argentina radicada en el Perú, que funcionaron entre los años de 1876 a 1877.

En la reunión del día 28 de febrero de 1877 fue coronada Clorinda Matto de Turner, velada de que dieron cuenta los principales periódicos de la capital.

El doctor Joaquín Lemoine, cónsul belga en Lima, describe con lujo de detalles ese acto de homenaje a la Matto: "A las 9 de la noche se presentó una joven vestida de riguroso luto, acompañada de un caballero inglés que tenía toda la distinción del gentleman *de la antigua*

Albión; hirió la atención de todos los concurrentes; todas las miradas se fijaron sobre ella. Era Clorinda Matto de Turner y su esposo.

Algunas ejecuciones musicales rompieron la escena.

Las siguientes personas dieron lectura a los trabajos cuyos epígrafes van a continuación de sus nombres: la conocida literata peruana, Mercedes Cabello de Carbonera; un artículo titulado «Necesidad de una industria para la mujer». El monarca de las letras peruanas, Ricardo Palma: «La procesión de ánimas de San Agustín», tradición digna de su autor. La señora Manuela Villarán de Plasencia: unas «Estrofas» dedicadas a Clorinda Matto de Turner. El notable bardo ecuatoriano, Numa Pompilio Llona: un «Saludo» a la misma distinguida escritora peruana. Simón Martínez Izquierdo; otro «Saludo y despedida», en muy sentidos versos, inspirados por ella. Esteban Camilo Segura: un «Artículo de carnaval». La señora Gorriti: un «Perfil divino de Camila O'Gorman». Lorenzo Fraguela: un «Soneto» interesante. El popular poeta Abelardo M. Gamarra la poesía «Nada puedo ofrecer».

Dos composiciones de Clorinda Matto de Turner fueron leídas después: una tradición *titulada «Al fin pasada de negro» y un* discurso *final que significó todo el calor de su gratitud por la honra de que le hacían objeto los concurrentes. Ambas lecturas fueron interrumpidas por aplausos nerviosos y ardientes que colmaron de entusiasmo a la reunión. Todos los corazones latían con un solo sentimiento: la admiración por la escritora cuzqueña.*

Tras la ejecución de algunas piezas de canto y música instrumental llegó, por fin, la hora en que comenzó para Clorinda el reinado de la gloria literaria, la coronación de su frente en los dominios imperiales del espíritu, mil veces más grande que las regias coronaciones; su verdadero advenimiento al trono sin lacayos, pero con cetro, del imperio de las letras.

La señora Gorriti, como la sacerdotisa del arte, como el heraldo de la fama, ciñó con aire delicado la frente inclinada y ruborosa de Clorinda, con una magnífica guirnalda de laureles de filigrana. Puso también en sus manos una palma de oro. ¡Qué bien simbolizados la corona del talento y el instrumento de oro de la palabra humana!

Las señoras que estaban presentes le obsequiaron una elegante botonadura de carey engastada en oro".

En 1880 el doctor Rafael Sánchez Díaz, fiscal de la corte de Huarez, publica como homenaje a Clorinda Matto de Turner dos folletos, Hojas de un libro y Cusicoillor, *que contienen algunas tradiciones y* leyendas de la escritora cuzqueña y que, en parte, son ambas obras la primera ordenación de las Tradiciones cuzqueñas, publicadas años después.

El 3 de marzo de 1881 fallece José Turner, dejando a su esposa en una apremiante situación económica que la obliga a abandonar la ciudad de Cuzco para radicar en Tinta y administrar directamente los negocios.

Abelardo Gamarra, "El Tunante", que la visitó por entonces, narra en sus "Apuntes de viaje" como "la joven escritora sin dejarse abatir por la desgracia se había puesto al frente del comercio de su casa y vivía consagrada al trabajo con la constancia, fe y talento de una verdadera norteamericana: así nos fue menos grato, a nosotros que la habíamos visto coronada en los salones de la señora Gorriti, encontrarla en su escritorio rodeada del libro mayor, del borrador y de la caja, pluma en mano, haciendo el balance de partidas numéricas, como pudiera haber estado registrando antiguallas para encantarnos con una tradición".

A la sazón el Perú atravesaba por uno de los momentos más graves de su historia republicana y la guerra con Chile asolaba toda la nación. Clorinda Matto de Turner desde Tinta colaboraba decididamente en la liberación. No sólo había contribuido a la promoción de una suscripción para adquirir el vestuario y el equipo del batallón "Libres del Cuzco", sino que en su casaquinta albergaba y era sanatorio de las fuerzas y de los heridos de la "Campaña del sur". Allí, alojó a Nicolás de Piérola cuando iba fugitivo de los chilenos, hecho que recordará la escritora, años más tarde, al referirse a la inhumana actitud del dictador, cuando por su causa tiene que abandonar el país.

Al parecer la legitimidad de los bienes de su esposo cayeron en manos de "un mercader leguleyo y un abogado mercader", y despojada y arruinada marcha a vivir a Arequipa en 1883. Conocida dentro del ambiente del periodismo le fue fácil conseguir trabajo y entró como jefe de redacción del diario La Bolsa, del cual era colaboradora.

Un año después, en 1884, publica el "tomo primero" de Tradiciones cuzqueñas. Leyendas. Biografías y hojas sueltas. El volumen se imprime en la misma prensa de La Bolsa y está dedicado como "homenaje de respetuoso cariño a mi padre señor Ramón Matto y a la memoria de mi madre señora Grimanesa Usandivaras".[3]

[3] Los dos ejemplares consultados —"primer tomo" y "segundo tomo"— de Tradiciones cuzqueñas, propiedad de The New York Public Library, están dedicados de puño y letra de la autora, en el "primer tomo" se lee: "Al señor doctor

El libro que recoge escritos aparecidos en revistas y periódicos entre los años de 1870 a 1882 lleva un importante "Prólogo" de Ricardo Palma, fechado en Lima, en diciembre 1º de 1884; importante no sólo porque representa el definitivo espaldarazo que da el maestro del género a Clorinda Matto de Turner, sino porque en él desarolla su teoría sobre las tradiciones.

Después de formular la "más viva satisfacción" sobre el libro que mi excelente amiga y muy querida discípula "ha decidido dar a la estampa" y que "afortunadamente para mí, en esta ocasión, no tengo que fatigar mi cerebro ni entrar en transacciones con mi conciencia literaria para tributar entusiasta aplauso al libro de la escritora cuzqueña. El aplauso es de justicia y no de obligado compromiso" y de dejar "a los zoilos de pacotilla y a los envidiosos de aldehuela en su derecho, para amargar con la ponzoña de una crítica intemperante toda la miel que mi alma destila". Palma expone su propia teoría. Dice: "En el fondo, la tradición no es más que una de las formas que puede revestir la historia; pero sin los escollos de ésta. Cumple a la historia narrar los sucesos secamente, sin recurrir a las galas de la fantasía, y apreciarlos, bajo el punto de vista fisiológico-social con la imparcialidad de juicio y elevación de propósitos que tanto realzan a los historiadores modernos Macaulay, Thierry y Modesto de la Fuente."

Seguidamente realiza un paralelo entre el límite de lo histórico y de la tradición y nos dice que a esta última le es lícito "sobre una pequeña base de verdad edificar un castillo. El tradicionalista tiene que ser poeta y soñador", mientras que "el historiador es el hombre del raciocinio y de las prosaicas realidades".

Palma manifiesta notoriamente su entusiasmo por la obra de Clorinda Matto. No sólo señala "que ha sabido explotar el rico filón de documentos escondidos en los empolvados archivos"; sino que "es una concienzuda escritora" puesto que "rarísima vez deja de citar la crónica, el documento, la fuente, en fin, de donde bebió, revelando conocimiento sólido de la historia patria".

Sobre el estilo manifiesta que "es humanístico, su locución castiza e intencionada y libre de todo resabio de afectación o amaneramiento, tal como cuadra a la índole de sus narraciones. Viveza, fantasía, ati-

---

Mazzei: Usted que da luz a los ciegos que viven muriendo en la oscuridad, y da paz a los corazones enfermos, acepte este pequeño recuerdo de la amistad de La Autora. Lima, diciembre 7 de 1887." En el "segundo tomo": "Al distinguido facultativo doctor Mazzei, homenaje de gratitud por sus bondades para con su atenta Sa. Sa. La Autora. Lima, diciembre 7 de 1887."

cismo de buen gusto, delicadeza en las imágenes, expresión natural a la vez que correcta y conceptuosa".

Al "Prólogo" de Palma sigue "La señora Clorinda Matto de Turner" (Apunes para su biografía), firmado por Julio Sandoval y fechado en Lima en el mismo año de 1884, trabajo biográfico de especial importancia histórica, puesto que fue durante varios años la única fuente de esta naturaleza que existió sobre la escritora.

Veintinueve naraciones forman el primer grupo denominado "Tradiciones cuzqueñas", la mayoría de asuntos puramente históricos, de política colonial, de religión y relaciones sociales durante la época de la conquista y la colonización. Cuando el tema posibilita la crítica ya sea en el orden moral o por determinadas situaciones creadas por el carácter del español sobre el mestizo o el indígena, Clorinda Matto de Turner no desperdicia la oportunidad de enjuiciar y mostrar su simpatía por los oprimidos.

De todo el conjunto, bastante dispar en cuanto a calidad temática y de estilo, sobresale "El tambo de Montero", de la época del marqués de Moncera, dedicada "A mi maestro señor don Ricardo Palma", que había sido publicada en El Correo del Perú *y que trata de la historia del judío Pedro Montero de Espinoza, jefe de una sinagoga que azotaba un Cristo todos los viernes por la noche; "Vaya un decreto", donde defiende los derechos del indio "paria en su propia tierra y esclavo en sus propios bienes"; la titulada "El claustro" en la que arremete contra el enclaustramiento de la mujer en los conventos, de "preciosas ilusiones marchitas al nacer para encerrar sus despojos en el ataúd de los vivos"; otra bastante original es "La mala Carranza" sobre la condena de la monja Angela por la Inquisición y donde la autora cuestiona el problema del fanatismo religioso.*

No menos interesante son "Así paga el diablo a quien bien le sirve" y "Mi compadre y el diablo, por ahí se van", historias de hechicerías, de nigromancias y muertes.

Al segundo grupo del volumen titulado "Leyendas" le antecede un trabajo de Manuel Rafael Valdivia, "Apreciaciones íntimas", escrito el 23 de julio de 1882 cuando recibió una copia de la leyenda "Cchaska" que le envió la autora, leyenda que se incluye en el conjunto. Valdivia, admirado de las capacidades estéticas de la Matto, reconoce "descripciones políticas de primer orden, episodios novelescos de admirable efecto, caracteres bien presentados y mejor sostenidos; todo lo cual, en conjunto, no sólo es harto difícil para cualquiera que se proponga trazar un cuadro de esa clase, sino lo que es aún más difícil, revela aptitudes especiales para la poesía, el drama y la novela".

Las cinco leyendas, todas de asunto indígena, tienen por marco histórico, al igual que las tradiciones, la época de la conquista y la colonia. Además de la nombrada anteriormente, Cchaska, que trata de los amores de la india del mismo nombre con el mestizo Osvaldo en el ambiente del lago Titicaca, sobresale "Cusicoillor", que narra el infortunado amor de otra india con el español Alejandro de Villacosta.

"Apuntes de viajes" por Abelardo Gamarra, fechado en Arequipa el 17 de agosto de 1883, abre la sección "Biografías". La primera de éstas, publicada originalmente en El Recreo de Lima, *es un estudio de la vida de "La Mariscala", Francisca Zubiaga de Gamarra, y está dedicada "A mi segunda madre Juana Manuela Gorriti" y lleva como epígrafe un pensamiento de la propia Clorinda Matto: "Las mujeres se acercan entre sí; por eso coloco el tuyo glorioso, al frente de este trabajo aunque pobre, significativo para ti y tu hija de adopción."*

La segunda biogafía es la del obispo que fuera del Cuzco, Antonio de la Raya, y a quien la autora elogia por su misión en favor de los indios. La tercera sobre María Centeno de Romainville, "ejemplar matrona que supo enriquecer su país no sólo con el ejemplo de las virtudes que practicó, sino también con un hermosísimo museo de antigüedades peruanas, el mejor sin disputa que posee nuestra patria". Al coronel Manuel Suárez, jefe militar del Perú, le es ofrecida la cuarta biografía, donde la autora utiliza la figura del héroe como pretexto para lamentarse de la suerte del país por los sucesos de la guerra de 1879. La quinta cuenta la vida de Toribio González, escritor de acrósticos que vivió un tiempo en el pueblo de Tinta donde la escritora tuvo oportunidad de tratarlo y a quien le llama "loco literario".

La cuarta sección de Tradiciones cuzqueñas. Leyendas, biografías y hojas sueltas *la forman una colección de once artículos de diferentes temas y valores desiguales publicados la mayoría de ellos en periódicos y revistas. Uno de los más importantes lo es sin duda el titulado "El periodismo" donde la autora expone las ideas éticas que deben tener presente los escritores que utilizan esta forma de "sacerdocio de la enseñanza". Otros textos lo constituyen impresiones o emociones sobre la naturaleza, "Recordando"; sobre "La mujer, su juventud y su vejez", algunos de carácter religioso como "Tardes de mayo" o bien patrióticos como el titulado "28 de julio".*

El volumen se cierra con un "Yaraví", dedicado a Miguel A. Za-

pata, escrito en quechua, lengua que Clorinda Matto de Turner dominaba a la perfección.

Dos años más tarde, en 1886, aparece el "segundo tomo" de Tradiciones cuzqueñas, crónicas, hojas sueltas, *pero esta vez el libro se publica en Lima en la imprenta de Torres Aguirre.*[4]

La continuada devoción de la Matto por Juana Manuela Gorriti vuelve a manifestarse al dedicarle el volumen como "prenda de cariño y gratitud", y no sería difícil creer que fuera la propia Gorriti quien sirviera de intermediaria para la publicación de la obra en la capital del país.

Uno de los pocos retratos que se conservan de Clorinda Matto es el que aparece impreso en ese libro de 190 páginas y que fue realizado por el artista E. San Cristóbal.

Esta vez el "Prólogo" lo escribe José Antonio Lavalle "ya que su inteligente autora, nos honra exigiéndonos con amistoso empeño, que le sirviéramos de introductor".

La presentación de Lavalle no aporta ningún juicio de valor sobre los escritos de la autora; más bien constituye una generalidad respecto al "cultivo de las letras" peruanas del momento presente, sobre la condición del escritor y la vocación literaria de la mujer que como la religiosa "tiene solicitaciones irresistibles".

Al "Prólogo" siguen "Juicios de la prensa" sobre el "tomo primero" de las Tradiciones cuzqueñas. *Las notas y los artículos bibliográficos fueron tomados de* El Progreso *de Cuenca, Ecuador; de* El Comercio *y* La Paz *de Bolivia; de* El Comercio *y* El Perú *de Lima; y de* La República *y* La Bolsa *de Arequipa; este último recoge completo el "Prólogo" de Ricardo Palma.*

Las quince tradiciones de este "segundo tomo" no se diferencian fundamentalmente de las del "primer tomo". Los asuntos de historia colonial prevalecen sobre los de la época de la independencia política. Entre los primeros, quizás sea la más lograda "Caer a hora" de tiempos del virrey príncipe de Esquilache; y de las de temas de la emancipación, la titulada "Un doble y un repique", que narra cómo las campanas del Cuzco tomaron parte en las guerras de independencia. El mundo indígena y la opresión del indio por el español están admirablemente descritos en "Pobre importuno saca mendrugo", cuyo argu-

[4] *De* Tradiciones cuzqueñas *existen tres ediciones. "Primer tomo", Arequipa, Imprenta La Bolsa; "segundo tomo", Lima, Imprenta de Torres Aguirre, 1884 y 1886, respectivamente; Cuzco, Editorial Librería e Imprenta de H. G. Rozas, 1917; Cuzco, Editorial H. G. Rozas, S. A., 1955.*

mento son los disturbios ocurridos en las minas de Laicacota en el año de 1668. Más próxima a la leyenda y no a la tradición es "Ccaltahueque", donde la autora investiga el nombre de la célebre cueva que está situada cerca del pueblo de Tinta.

Tampoco "Hojas sueltas", la otra sección del volumen, se diferencia de la homónima del tomo de 1884. Es una colección de veintidós artículos, impresiones y de motivaciones personales que Clorinda Matto recopila de sus colaboraciones en revistas y periódicos de los años de 1883 a 1885. Algunos constituyen homenajes como "Sonrisa de Dios" sobre Santa Rosa de Lima en su tercer centenario; otros, desahogos líricos, como "Nocturno"; "Entre dos luces", recuerdo de un carnaval; "Para ellas", en donde se cita a Rousseau y Stendhal y se cuestiona la educación de la mujer; "Amor de redondel", una historia de amor de un torero; y "El oráculo del indio", basado en las supersticiones indígenas alrededor de la figura de Condori, cuidador de ganado de la hacienda del padre de Clorinda.

Las Tradiciones cuzqueñas *siguen bastante cerca el molde de las* Tradiciones peruanas *de Ricardo Palma. Sin embargo, dos elementos distinguen sobremanera el resultado que logra uno y otro. Por un lado el estilo demasiado serio, solemne, de las de la Matto, se opone al juego satírico e irónico de las de Palma. José Gabriel Cosío ha visto con claridad esta diferencia cuando afirma que en las tradiciones de Clorinda Matto "son más las verdades que las mentiras, faltando a la discípula e imitadora aquella gracia y socarronería, aquella sal muy criolla y aquel donaire muy andaluz que dan a las tradiciones del maestro ese encanto y sencillez de las leyendas patriarcales". Luis Alberto Sánchez repite con cierta variante el juicio de Cosío y opina que la mayor diferencia está en el "Temperamento dramático" de la Matto, "incompatible con el modo zumbón del género palmesco".*

A pesar de la carencia total de humor de Clorinda Matto de Turner en el manejo de la tradición, ésta tiene, por otro lado, una ventaja o mejor una significación más real en cuanto el enfoque, por el hecho de haber aprovechado con cierta regularidad el tema indígena que es descuidado y ocasional en la obra de Ricardo Palma.

El año de 1886 es de gran actividad en el orden de las publicaciones en la vida de Clorinda Matto; además de haber publicado el "segundo tomo" de las Tradiciones cuzqueñas, *da a conocer un estudio biográfico del poeta y orador sagrado* Don Juan de Espinosa de Medrano o el doctor Lunarejo, *folleto que fue tenido durante muchos años como la única fuente para el estudio de este escritor, que fuera comprovinciano de la autora.*

También publica en Arequipa un texto de literatura con el título de Elementos de literatura según el Reglamento de Instrucción Pública. Para uso del bello sexo, *libro orientado a la educación de la mujer, que como afirma en el "Prólogo" "no está llamada al púlpito, ni a la turbulencia de la tribuna, sino a la enseñanza de la familia, a la paz del hogar y al embellecimiento de la sociedad, por virtudes unidas a educación esmerada".*

En 1887 Clorinda Matto de Turner fija su residencia en Lima. En noviembre de este mismo año inaugura sus veladas literarias, las que se llevan a cabo en su domicilio situado en los altos del número 58 de la calle Calonge, a la vuelta de la plazuela del Teatro Principal, y que recordará con pinceladas trágicas en su libro Boreales, *a raíz de los acontecimientos políticos que la obligan al exilio.*

Las veladas literarias de la Matto se diferencian fundamentalmente de las de su predecesora Juana Manuela Gorriti. A pesar de no mediar diez años entre una y otra, son radicalmente distintas y ello se debe a la situación política por la que atraviesa el país y que va a rematar con la guerra del Pacífico, hecho que transformará la vida cultural del Perú.

Tamayo Vargas afirma respecto a estos años que vive el Perú y al estado espiritual que produce la contienda: "En ella el Perú pierde la hegemonía de este lado de América y aprende a observarse dentro de una exacta situación continental, a la vez que toma sobre sí la angustiosa tarea de plantearse problemas de solución política dentro de un nuevo concepto del Estado. Las horas de crisis producen reacciones de orden intelectual y así, en las veladas literarias de la Matto, se aprecia que los escritores respondan ya a una acentuación del estudio nacional y a un crecimiento vigoroso del realismo."

En cuanto a la cultura, se observa el triunfo de las teorías positivistas que echan por tierra la lenta agonía del romanticismo nacional que se había vuelto exacerbadamente retórico e idealista. Las discusiones no giraban alrededor de doctrinas conservadoras o liberales, sino que como bien asienta Manuel E. Cuadros, las veladas de Clorinda Matto de Turner "trajeron en primer término la representación de una nación, que no era sólo Lima, sino que la constituían las muchísimas poblaciones costeñas y serranas, desparramadas en los arenales y en las cumbres y valles cordilleranos; así como los miles de kilómetros unidos por propiedades de hacendados aventureros, por comunidades in-

dígenas, por tamberos de barba larga y por bosques de ignoradas riquezas. Junto a esa visión, las reuniones en la casa de Clorinda Matto, trajeron la respuesta al crecimiento del espíritu popular que culminó en las jornadas del 95".

Barajando las noticias de los periódicos de la época pueden extraerse los programas de algunas de las veladas patrocinadas por Clorinda Matto de Turner. Por ejemplo el 2 de junio de 1888 se rindió un homenaje a la poetisa Lastenia Larriva de Llona, donde intervinieron Ricardo Palma, Carlos Amézaga, Carlos Rey de Castro, Alberto Ureta y la propia Clorinda, que leyó su leyenda "Las dos partidas"; otra, del 3 de septiembre del mismo año, una exposición de pintura de Nicolás Palas con retratos de San Francisco de Paula, Francisco Pizarro y Ricardo Palma. La del 17 de noviembre se dedicó enteramente a rendir homenaje a Juana Manuela Gorriti en reconocimiento a su labor cultural en el Perú.

El "Ateneo de Lima", fundado en 1885, que tenía entre sus más activos socios a Manuel González Prada, entonces el más potente ideólogo nacional, acoge a la Matto como miembro el 6 de enero de 1887. En tal oportunidad la escritora lee un trabajo titulado "Luz entre sombras" (Estudio filosófico-moral para las madres de familia) donde expone su desprecio por la mujer que "despojándose de los encantos propios de su sexo quiere hacerse varón" y de la "tristeza que siento por la beata, así como por la mujer incrédula", para defender que "la misión que Dios le ha señalado" es "eligiéndola para la maternidad".

Igualmente, el "Círculo Literario", creado en 1886 y que era el centro del radicalismo en el Perú, impulsado en especial por las ideas que declaraban Luis Enrique Márquez, Carlos Rey Castro, Pablo Patón y Carlos Amézaga, acepta como socio a Clorinda Matto de Turner. El día de la recepción pronuncia una conferencia titulada "Costumbres peruanas", donde analiza no sólo ciertas formas de vida de la sociedad, sino que también apunta reacciones psicológicas del comportamiento del hombre peruano.

Ligado íntimamente al "Ateneo de Lima", al "Círculo Literario" y a las veladas está la importante publicación periodística El Perú Ilustrado, *fundado por la empresa periodística dirigida por el angloamericano Peter Bacigalupi en 1887. Este semanario cultural, en el que colaboraban firmas nacionales y extranjeras de la talla de Carlos Guido Spano, Jorge Isaacs, Leopoldo Díaz, Ricardo Palma, Mercedes Cabello de Carbonera, Juan Manuel Gorriti, Rubén Darío, Vicente Riva Palacio, Salvador Díaz Mirón, Manuel Gutiérrez Nájera, Guillermo*

Prieto, Manuel Puga y Acal, José Antonio Lavalle, Manuel M. Flores, Juan C. Rossel, José Peón y Contreras, Emilio Castelar, era el vocero de la más señalada producción literaria del momento, a la vez que daba a conocer las figuras del realismo en prosa y el modernismo en poesía.

Para sustituir el binomio formado por Zenón Ramírez y Jorge Miguel Amézaga, redactores de El Perú Ilustrado, es nombrada el 1º de octubre de 1889 Clorinda Matto de Turner como directora redactora.

El número 126, correspondiente al 5 de octubre es el primero que cae bajo la responsabilidad de la Matto, la que imprimirá a partir de entonces a El Perú Ilustrado un marcado sello peruanista y como resultante el definitivo triunfo de una literatura acorde con la realidad y el progreso científico.

El número citado trae después de un "Saludo", en que la nueva directora rinde gratitud a la prensa y a los amigos por el nombramiento, un importante artículo de fondo donde la escritora discute sobre algunos aspectos de "literatura y los inconvenientes de su cultivo y desarrollo entre nosotros". Luego de plantear tres principios alrededor de la difundida opinión que "sostiene que las letras no son una necesidad social en el Perú, porque no teniendo literatura propia el escritor nutre de prestado su vida literaria y no puede sostener con el producto de sus labores la vida material", declara: "El que no tengamos literatura propia, no es razón bastante para que dejemos de crearla, como anhelamos el riel y la locomotora para nuestras incultas montañas, y las rarísimas flores de otros climas para nuestros jardines."

El artículo termina con un imperativo: "Es exigencia de la época tener literatura original: hagamos escritores nacionales, escritores de raza, como perpetúa Menéndez y Pelayo, primeros educadores de su pueblo, fundamento de su orgullo, con la idea levantada de que el escritor del siglo llamado el grande, tiene que ocuparse de todo, desde el altar donde se quema el incienso y la alcoba nupcial donde nace la humanidad, hasta el telar y la lanzadera."

Es indudable que el nombramiento de la Matto en El Perú Ilustrado representa su triunfo definitivo en su carrera de escritora y va a constituir, junto con Manuel González Prada, el denunciador de un Perú desgarrado y el alentador y redactor de una campaña en pro del indio, y Mercedes Cabello de Carbonera, iniciadora de la novela realista de comportamiento social y de ambiente citadino, la trilogía más célebre y fecunda de la generación de finales del siglo.

En este mismo año de 1889, y casi simultáneamente puesto que aparece una edición en Lima y otra en Buenos Aires, Clorinda Matto de Turner publica Aves sin nido.[5] Al parecer la edición peruana salida de la imprenta de Carlos Prince se adelanta unos meses a la de Buenos Aires que se imprimió con el sello de la librería de Félix Lajouane. Esta deducción está apoyada en el "Suelto" que se inserta en El Perú Ilustrado del día 5 de abril de 1890, y donde se da cuenta de la llegada de la edición argentina, por una carta que Juana Manuela Gorriti envía a la Matto. También, por el hecho que consta en una serie de anuncios que se publica en el mismo semanario a finales de 1888 a efectos de la propaganda para la venta de la novela.

De una manera general la crítica ha exagerado la importancia de Aves sin nido como la primera novela latinoamericana de tema indígena de reivindicación social. Es innegable que esta obra es la más totalizadora del problema o la de mejor enfoque, pero es injusto hacer partir toda esta corriente de la novela escrita por la Matto. En el Perú existen antecedentes legítimos que de una manera u otra se anticipan a las reivindicaciones del indígena. El padre Horán, de Narciso Aréstegui, la primera novela peruana, publicada en 1848, es indudablemente una novela romántica en cuanto a la expresión, a la composición y a la ideología, pero casi realista en cuanto al manejo de ciertas situaciones, que provienen más de la intención costumbrista. La fuente de la novela de Aréstegui la constituye un acontecimiento en que tomó parte fundamental el propio abuelo de Clorinda Matto de Turner. Trata del hecho verídico del asesinato de Angela Barreda por su ex confesor, el fraile Eugenio Oroz, ocurrido en el Cuzco en 1836, y en el que Manuel Torres Matos, entonces prefecto, interviene en el proceso criminal.

El padre Horán está cargada de interpolaciones y el autor sostiene en una de ellas la necesidad del casamiento de los sacerdotes —"más vale casarse que abrazarse"— que nos recuerda inmediatamente una de las problemáticas más sobresalietnes de Aves sin nido. Además, en la obra de Aréstegui se critica la situación del indígena en manos de la legislación tributaria: "En el reparto de la porción del terreno de un distrito, los indios que pertenecen a él, llegan a optar por un trecho de escasas varas cuadradas: nada más que el que su cacique les ha

[5] De Aves sin nido se han hecho cinco ediciones: Lima, Imprenta del Universo de Carlos Prince, 1889; Buenos Aires, Félix Lajouane, 1889; Valencia, Sempere y Cía., 1906; Cuzco, Universidad Nacional del Cuzco, 1948; Cuzco, Primer Festival del Libro Cuzqueño, 1958. El ejemplar que consulté de la obra, la primera edición, propiedad de The New York Public Library, lleva la siguiente dedicatoria: "Al distinguido literato mejicano don Francisco Sosa, con toda la estimación de la autora. Lima, abril 23 de 1890."

señalado. Además de las faenas a que se les obliga, como son el cultivo de las chacras del cacique, el de la pertenencia del alcalde, el de la iglesia tal, la chacra señalada para dar cultivo al santo cual; tiene que separar en quincenio de sus escasos productos, fuera de las primicias." Esta crítica directa, que no es la única que se observa en toda la novela, nos acerca a otra de las tesis de Clorinda Matto.

En 1885, treinta y siete años más tarde que la novela de Aréstegui, José T. Torres y Lara, publica con el anagrama de José T. Itolararres, su novela La trinidad del indio o costumbres del interior. *Históricamente, entre la obra de Aréstegui y la de Torres y Lara media la guerra del Pacífico, y por supuesto el fin del romanticismo y el triunfo de la filosofía positivista. Por lo tanto,* La trinidad del indio *no está apoyada en una historia determinada que entreteje los principales elementos novelescos, en hechos derivados o marginales; todo lo contrario, el conflicto consiste en perseguir una misma y única dirección hasta poder presentar un cuadro totalizador y escalofriante de la historia en que se origina. Es decir, evita todo elemento lírico y la concepción apriorística del bien y el mal como categorías simbólicas, para solamente apoyarse en el descubrimiento y el análisis de las causas y los efectos de la historia misma. Más todavía, Torres y Lara busca el remedio que solucione la enfermedad social que narra, el cual no será otro por la época que el "bienaventurado" concepto del progreso.*

La trinidad del indio *muestra las ambiciones e intrigas de las autoridades políticas y eclesiásticas en el apartado pueblo de Cashcanca. El cura, el gobernador y el juez de paz —la clásica trilogía— mancomunados por la codicia mantienen a la población indígena en la mayor ignorancia, explotando sus supersticiones, propiciando la embriaguez, todo con el fin de repartirse sembradíos, ganados y hasta las mujeres indígenas.*

Si bien Manuel González Prada no incursionó en la novela, su personalidad de ideólogo y su prédica en favor de la causa indígena, hacen que se lo recuerde en este proceso por encontrar los antecedentes y la problemática que concurren en Aves sin nido. *En una célebre conferencia, en el Teatro Politeama de Lima, el 29 de julio de 1888, y cuando incitaba al estudio y al análisis de un Perú total y no solamente visto desde la ciudad capital, afirmaba: "La nación está formada por la muchedumbre de indios diseminados en la banda oriental de la cordillera", y agregaba: "Trescientos años ha que el indio rastrea en las capas inferiores de la civilización, siendo un híbrido con los vicios del bár-*

baro y sin las virtudes del europeo . . . que se adormece bajo la tiranía del juez de paz, del gobernador y del cura."

Establecidas así las coordenadas que informan la génesis de Aves sin nido, *y creado el clima histórico para el total desarrollo de ciertas ideas, se comprende mejor la obra y se la sitúa con mayor justeza y justicia dentro del proceso evolutivo de la literatura peruana. Por un lado, tenemos la novela romántica representada por* El padre Horán, *y por el otro* La trilogía del indio *y la prédica de González Prada, a la que se debe agregar ahora* Aves sin nido *de Clorinda Matto de Turner.*

El análisis de estas obras nos muestra que cuando un romántico juzga los vicios o fracasos de una realidad social, no lo hace buscando las causas o tratando de objetivar el origen del desequilibrio, sino que sólo los enjuicia por apartarse de un tipo ejemplar de belleza; por el contrario, el realista, carente de todo tipo de belleza ideal, dirige su flecha y su empeño al rastreo y a la dicotomía causa-efecto, es decir se preocupa en señalar, demostrar y desenmascarar las culpabilidades.

Planteado así el problema y aplicándolo a Aves sin nido, *podemos decir que sí es la primera novela en que el indio deja de ser un accidente estético para transformarse en una entidad social, mostrando la situación del indígena dominado y explotado por el poder político y clerical.*

Dos propósitos manifiesta Clorinda Matto de Turner en el "Proemio" con que se abre Aves sin nido. *Primero, realizar literatura con el fin de mostrar "los vicios y virtudes de un pueblo, y segundo, utilizar como método "cuadros del natural", es decir una fórmula fotográfica de la realidad. En síntesis,* Aves sin nido *participa de una íntima fusión de la moral con el costumbrismo.*

Sin embargo, esta relación escapa de todo elemento abstracto puesto que lo aplica a la realidad nacional, no sólo con "la idea de mejorar la condición de los pueblos chicos del Perú, cuando recuerda "que en el país existen hermanos que sufren, explotados en la noche de la ignorancia, martirizados en las tinieblas", sino "de observar atentamente al personal de las autoridades, así eclesiásticas como civiles, que vayan a regir los destinos de los que viven en las apartadas poblaciones del interior del país". Avaluadas por "quince años" de compenetración con "multitud de episodios" y regida "en la exactitud" de los mismos, Clorinda Matto de Turner emprende en la literatura hispanoamericana la primera gran batalla en favor de la causa indígena.

La acción de Aves sin nido *tiene lugar en el villorio de Killac, que la crítica biográfica ha asociado al pequeño pueblo de Tinta donde vivió parte de su vida la autora.*

Aunque no es posible determinar claramente cuál es el tema central de la novela, puesto que la intención del cuadro costumbrista y la orientación moral-sociológica demasiado enérgicos aturden el asunto, parece ser los amores de Manuel y Margarita, hermanos que desconocen su parentesco. Los jóvenes, hijos de amores ilícitos del antiguo sacerdote del pueblo y más tarde obispo de la diócesis, Pedro de Miranda y Claro, con doña Petronila Hinojosa —en la actualidad casada con el gobernador Sebastián Pancorbo— y con la india Marcela, esposa del indio Juan Yupanqui.

El título de la novela en una manera simbólica proviene precisamente de la necesidad de justificar el origen de este incesto espiritual entre dos hermanos, entre dos aves sin nido; aunque también, y en una apreciación más general, podría significar la situación de toda la raza indígena "que después de haber ostentado la grandeza imperial, bebe el lodo del oprobio" y que "plugue a Dios la extinción, ya que no es posible que recupere su dignidad, ni ejercite sus derechos".

Aves sin nido *es una obra de más interés sociológico que artístico, puesto que el costumbrismo, que fija y moraliza, unido a la sociología, que analiza y denuncia, supeditan, considerablemente, los valores estéticos de la composición.*

Carente un tanto de individualidad, los personajes son ideas, son instituciones o actitudes del mecanismo social, los que unidos a una concepción ética se dividen en dos grandes grupos: los buenos y los malos. Entre los primeros, por supuesto, el indígena fatalmente presionado, aniquilado por el poder político y religioso, representado por la familia del indio Yupanqui y de Isidro Champi; los blancos con educación recibida en el ambiente citadino que en la obra lo constituyen los esposos Lucía y Fernando Marín y Manuel. Los malos, el cura Pascual, quien supedita los valores de su ministerio en función de un desenfreno sensual; el gobernador Sebastián Pancorbo, el juez de paz, el tinterillo Benites y el cobrador. La simpatía que la autora siente sobre los buenos y el rechazo sobre los malos, es tan patente que se advierte hasta en el retrato físico que de ellos realiza.

Esta concepción maniqueísta llega a ser tan escrupulosa que cuando la autora no puede señalar una imperfección corporal, va a presionar entonces sobre la vestimenta o la ridiculez de algunos gestos en los personajes del segundo grupo. La mujer en Aves sin nido *es siempre personaje virtuoso y honrado, tanto que si alguna cometió un acto reprochable en su vida, la novelista insistirá en una justificación en el plano moral.*

La estructura de la novela posee un sinnúmero de deficiencias que se observan principalmente en la falta de equilibrio del ritmo narrativo, apresurado en la primera parte y demasiado lento en la segunda. Este desequilibrio es notable cuando se investigan las unidades narrativas de la novela. La pretensión de sostener situaciones distintas por simultaneidad temporal a efectos de lograr el punto de vista más enjuiciador, está debilitado por falta de una rigurosa orientación cronológica. Otro defecto consiste en que por necesidad de dramatizar para realzar un conflicto, inventa acontecimientos nuevos totalmente artificiosos, en cuanto no tienen justificación en la estructura general. Además, suele caer en unidades secundarias que no hacen al desarrollo novelesco, pero que ayudan en la obra en su pretensión de cuadro general.

Ya Emilio Gutiérrez de Quintanilla, el primer crítico que tuvo Aves sin nido, *en un extenso artículo publicado en* El Perú Ilustrado *días después de la aparición de la obra, comentaba con ejemplos directos algunas de las deficiencias que se anotaron anteriormente. El académico censuraba ciertos episodios y la construcción de determinados personajes que a su parecer debilitaban el conjunto. Parte de esa crítica dice así: "La muerte de Yupanqui y Marcela al comenzar la acción y cuando iban ganándonos todo nuestro afecto, nos causa dolor que algo participa de la sorpresa, y nos inclina a pedir por ellos; aun cuando sea hermoso el sacrificio de un corazón agradecido, por más que aquella muerte nos revela el fatal destino que aguarda a los pueblos a quien intenta proteger al indio. Declárola prematura; tanto, que el curso ulterior de la acción reposa en la historia de Champi exclusivamente, cuando pudo y debió vigorizarse aún más con la creciente desgracia de ambos personajes.*

Creo que el propósito dominante de la novela estaba por la vida de Yupanqui.

El tata cura *se nos va también escapando, merced a un simple accidente, de la sanción humana que merecían sus imprudencias.*

El soliloquio en que se hace pública y terrible confesión de sus culpas ante el cadáver de Marcela, carece de antecedente hasta allí, y también de causa en el curso ulterior de su papel. ¿Por qué dice que es mal padre de hijos que no han de conocerlo, cuando los únicos que vemos figurar penden del obispo Claro? Las revelaciones de Marcela no le atañen bajo ningún aspecto personal para motivar tamaña contradicción.

La prisión del gobernador y demás cofrades no debió realizarse en casa de Marín y con ocasión del almuerzo que les ofreció éste, porque la lealtad del invitante y la cortesía del caballero los amparaban contra todo daño. Tan desagradable emergencia pedía otro momento.

No he pasado por la desdicha de conocer a los alcaldes mayores *de pueblo, pero se me antoja que algo recargado está el tipo de Vermejo. El papelista es buen peine en todas partes.*

El asedio de la honesta y simpática Teoco *debió involucrarse en el asunto principal de manera que de él se derivase con más estrecho lazo."*

Las enumeraciones continúan y es bastante importante la apreciación que Gutiérrez de Quintanilla hace respecto a elementos accesorios donde la "exageración del detalle enfría fatalmente los efectos del conjunto".

Existe por otro lado, en Aves sin nido, *una evidente pretensión didáctica manejada por el narrador que orienta, explica y asocia explícitamente el desarrollo de las distintas acciones, no permitiendo al lector ninguna posibilidad de reconstrucción personal de la obra.*

Estas interpolaciones formales están asociadas a una acumulación de interferencias ideológicas que suelen no siempre fusionarse directamente al estilo discursivo.

El lenguaje ajeno a toda elaboración presenta la gama completa de una dirección lírica y donde, como consecuencia, no faltan muchas veces el toque de humor involuntario. Esto último acontece cuando Clorinda Matto de Turner pretende entremezclar el lenguaje emotivo o sentimental a una terminología de indudable raíz cientificista, propia del positivismo imperante. Además, comete fallas visibles de sintaxis y concordancias y un manejo desmedido de la función adjetiva que conduce inevitablemente al lugar común de ciertas descripciones.

Luis Alberto Sánchez afirma con acierto que Clorinda Matto, "dueña de un temperamento esencialmente romántico, reclama quizás demasiado a propósito de la azotada raza indígena, pero eso mismo revela su valentía, su sincera pasión, al propio tiempo que su reto a los prejuicios reinantes y especialmente de la Iglesia". De aquí resulta que el realismo de Aves sin nido *se sostiene no en las tres o cuatro situaciones que Clorinda Matto de Turner logra manejar a través de toda la novela, sino en sincera agresividad y en el riesgo que corre al presentar algunas tesis atrevidas para su tiempo.*

Una de ellas es la de proponer el casamiento de los sacerdotes católicos "como una exigencia social". Es decir que considera que el mal ministerio que éstos realizan obedece a la falta de un vínculo esta-

ble con la mujer, la vida matrimonial que es la encargada de frenar y controlar no sólo los impulsos sexuales sino de posibilitar reacciones y sentimientos más humanos. Parte de la base de que la solución fisiológica sexual que el sacerdote católico tiene que realizar a escondidas, manejando situaciones de subterfugios y chantajeando por ello los principios religiosos, lo llevan a reaccionar cínica y despóticamente sobre el grupo social.

Otra de las ideas fundamentales de la novela consiste en una urgente necesidad de educar al individuo y por lo tanto la colectividad como única fórmula de "acción civilizadora". En un momento de la obra dice: "Juzgamos que sólo es variante de aquel salvajismo lo que ocurre en Killac, como en todos los pequeños pueblos del interior del Perú, donde la carencia de escuelas, la falta de buena fe en los párrocos y la depravación manifiesta de los pocos que comercian con la ignorancia y la consiguiente sumisión de las masas, alejan cada día más a aquellos pueblos de la verdadera civilización."

La importancia y el valor de Aves sin nido *estriba no sólo en el trágico testimonio que logra pintar de la situación real del indio, sino en mostrar con un arraigado espíritu nacionalista, haciendo "literatura peruana" como manifiesta, los problemas que aquejan a un vasto sector del país que estaba olvidado y por lo tanto descuidado. Ya en el "Proemio" decía: "¿Quién sabe si después de doblar la última página de este libro se conocerá la importancia de observar atentamente el personal de autoridades, así eclesiásticas como civiles, que vayan a regir los destinos de los que viven en las apartadas poblaciones del interior del Perú."*

Aída Cometta de Manzoni ubica con acierto el lugar que corresponde a Aves sin nido *dentro de la historia literaria tanto del Perú como de Hispanoamérica, cuando observa que "por primera vez en América la novela enfoca los problemas más urgentes que sufre la masa indígena, pintándonos, con toda crudeza, una realidad que hasta entonces no se había considerado digna de llevar a la literatura, o se había presentado deformada y estilizada".*

Si hoy Aves sin nido *es ya sólo un dato de la cultura latinoamericana, puesto que nuevos métodos de enfoque e interpretación, tanto estéticos como científicos, permiten valorar la denuncia de Clorinda Matto de Turner desde otras perspectivas, sería injusto dejar de señalar en cualquier estudio que de ella se realice, la conmoción y la repercusión que tuvo, que alentó y alertó por espacio de varios años. Desde el primer momento de su aparición no sólo la crítica literaria, sino la política, la sociológica y hasta la religiosa fijaron su atención en la novela. Sirva de ejemplo la carta siguiente que el entonces presidente de la República peruana, Andrés Avelino Cáceres, envió a la autora y que está fechada el 8 de febrero de 1890: "Mi distinguida amiga: Con el interés que me es muy natural he leído su novela* Aves sin nido, *que refleja con una exactitud digna de encomio lo que ocurre en la sierra y que yo en mi larga peregrinación, he podido observar y alguna vez hasta reprimir. No hay duda que se siente profunda indignación cuando se pasa la vista por aquellas líneas en que pinta usted, con todo su colorido, el sacrificio del indio a manos del gobernador, del juez o del párroco. Y lo más grave es que las autoridades llamadas a defender al ciudadano, sean los explotadores del indígena, en cuya protección he dictado, durante mi gobierno, medidas que han abolido los servicios de pongo, mitas y otros abusos de este género; pero, para que la acción del Gobierno alcance en aquellas apartadas regiones la eficacia civilizadora, es necesario que los llamados a recibirla y secundarla, sepan colocarse en su puesto de abnegación. No hay, pues, duda que para conseguir la obra de la regeneración del indio, sería preciso hacer una peregrinación de pueblo en pueblo, estancia por estancia, aldea por aldea, a fin de corregir esos abusos, teniendo una mirada investigadora y la firme convicción de hacer el bien. Convencido de que el único medio de cortar los vicios sociales inveterados y que vienen desde la época del coloniaje, es atacar el mal de frente, cortándolo en su origen, esto es, fomentando la instrucción, que es la única independencia del indio, como será la base de la futura grandeza del Perú. He preparado el terreno fundando las escuelas-taller en los departamentos. Me ha faltado tiempo para completar mi obra; pero abrigo la convicción de que, cualquiera que sea el ciudadano que me suceda en el poder, continuará empeñado en ella principalmente si, como yo, conoce la defectuosa organización social de las poblaciones andinas. Por lo que a usted respecta ha cumplido su deber como escritora denunciando graves delitos, muy especialmente de los servidores de la Iglesia, sobre los que yo llamaré la atención de su jefe el arzobispo. Dirigiendo a usted una palabra de felicitación y aliento en su noble tarea de escritora, soy su atento amigo y S.S."* [6]

[6] *La carta se publica en* El Perú Ilustrado *el día 3 de mayo de 1890. Sin embargo, cuando en el mes de enero se realiza una recepción a la Matto por la aparición de su novela, el presidente Cáceres le envía de obsequio un brazalete de brillantes que "figura de carcaj guarnecido de ocho brilantes en el que van cinco plumas y un pincel, todo artísticamente abrazado por una media luna que tiene 21 brillantes*

En 1890, pocos meses después de la publicación de Aves sin nido, *Clorinda Matto de Turner edita* Bocetos al lápiz de americanos célebres, *obra que se imprime en la Imprenta de Bacigalupi, la misma de* El Perú Ilustrado.

El volumen es una reunión de biografías, muchas de las cuales habían aparecido en libros anteriores, como la de "La Mariscala", la del obispo Antonio de la Raya, la de María Ana Centeno de Romainville y la de Manuel Suárez, en el "primer tomo" de las Tradiciones cuzqueñas; *otra, la de Juan Espinoza Medrano, publicada por separado y la de José A. Morales Alpaca, que había visto la luz el año anterior formando parte de* Flores y lágrimas, *una corona lírica que se publicó en homenaje y tributo al doctor y senador por el departamento de Lima muerto en 1889. Las restantes, estudios sobre la vida de Gregorio Pacheco, escritor boliviano; Andrés A. Cáceres, presidente del país; Ladislao Espinar, amigo de infancia de la escritora; la del sacerdote Ignacio de Castro y la de José Domingo Choquehuanca, célebre por su discurso en honor a Bolívar, parecen ser las únicas inéditas.*

Después de una breve introducción de los editores y de algunas notas biográficas sobre la autora, tomadas de "Apuntes de viajes" de Abelardo Gamarra, aquélla explica los propósitos que ha emprendido con esta publicación, que no puede ser otro que "avivar el patriotismo" y despertar "en la juventud americana recuerdos sagrados y respetos merecidos". La historia como enseñanza y la elección del héroe o personaje inmaculado como ejemplo tiene en Clorinda Matto su mayor defensora: "Enemiga soy, por carácter y por educación, de buscarle la tilde al personaje que descuella a respetable altura en el escenario de la gran comedia humana, donde me tocó también papel y que, en ocasiones dadas, me concede el derecho de pasar a término codeando las comparsas para abrirme paso."

Bocetos al lápiz de americanos célebres, *ilustrado con retratos de los biografiados por los artistas E. San Cristóbal, Garay y Lozano, libro escrito con la "fe puesta en los futuros y buenos destinos del Perú" tiene también una significación política puesto que la autora suele hacer referencia a los acontecimientos de la guerra del Pacífico, en relación a la alianza peruana-boliviana, cuantas veces la figura del personaje estudiado le permite.*

---

de magnífico tamaño y pureza de aguas, como lo es el que va en el mando del pincel", según la noticia y descripción que se da en El Perú Ilustrado, *con fecha 1º de febrero de 1890.*

Indole, la segunda novela de Clorinda Matto de Turner, aparece en 1891, también editada en la Imprenta de Bacigalupi, está dedicada "A mis queridos amigos y colegas Ricardo Palma, Emilio Gutiérrez de Quintanilla y Ricardo Rossel."

De cierta manera esta obra continúa a Aves sin nido, no en cuanto al ambiente y a los personajes, sino respecto a la afirmación y desarrollo de algunas tesis que había planteado en la primera novela. En Indole, la escritora presiona más en mostrar la sensualidad y el abuso de los curas representado en la obra por el padre Pascual, verdadero "cuervo de los cementerios vivos, dueño y señor de nuestros hogares, dominador de las esposas".

El tema central lo constituye la desgracia que azota al matrimonio formado por Eulalia y Antonio López y que obedece a la pasión sexual que siente el sacerdote Isidoro Peñas por aquélla y a la interesada amistad y ambición de Valentín Cienfuegos, amigo de la familia.

Los mismos defectos en cuanto a la estructura que se observaban en la primera novela son válidos para Indole. Diálogos interminables que alargan innecesariamente las escenas; sobrecargazón de detalles y minuciosidades descriptivas que no persiguen otra cosa que insistir sobre cuadros costumbristas; estructuración carente de rigor cronológico donde el tiempo narrativo no sólo es confuso, sino también ilógico; creación y retratos de personajes que responden más a valores éticos que a verdaderas individualidades; y un desarrollo de acciones generales totalmente marginadas a la historia y a los hechos centrales.

A pesar de estas similitudes formales, existe una notable diferencia en las dos obras en el manejo del lenguaje. Clorinda Matto evoluciona ahora hacia un realismo más ortodoxo al utilizar con cierta libertad el vocabulario erótico, fisiológico, unido a veces al científico. Además, y aunque lo que sigue suele ir en detrimento de la obra en general, acumula y enfoca relaciones humanas ligadas a reacciones sensoriales y no sentimentales como se visualizaban en Aves sin nido.

Indole es también en última instancia una novela costumbrista y moralista. La Matto no desperdicia ocasión para realizar prédica moral: moral educativa, religiosa, social y política, siempre dentro del orden del cristianismo primitivo y no institucional. Pueden servir de ejemplo las palabras de Antonio López en los momentos finales de la obra: "—¡Pobre esposa mía! La humanidad se regenera por el conocimiento del supremo Bien, que es Dios; por el arrepentimiento de los errores y por la práctica de la virtud. La religión, Eulalia mía, no es la sierpe que se arrastra gozando en las tinieblas, obligándonos a mirar abajo, siempre abajo; es el águila caudal que cruza el espacio azul, que nos hace levantar la frente alta, siempre alta para fijar la mirada en los cielos y escuchar la dulce voz que dice: fe, esperanza, caridad."

Que Clorinda Matto de Turner va conquistando la corriente realista-naturalista es indudable, puesto que teoriza sobre ella, aunque siempre está invalidada por su temperamento moralista. Léase el párrafo siguiente que inserta en la novela: "¿Quién podría fijarse en nimiedades en una sociedad donde se rinde culto al éxito, donde la virtud, que no descansa en la aparatosa forma de carruajes, sedas y lacayos, ni aun merece el nombre de tal? Nadie sino el novelista observador que, llevando el correctivo en los puntos de su pluma, penetra los misterios de la vida, y descorre ante la multitud ese denso velo que cubre los ojos de los moradores ciegos y fanatizados a un mismo tiempo. En el Perú no existe, sin embargo, el temor del correctivo retocado por el romance, porque todavía la novela trascendental, la novela para el pueblo y para el hogar, no tiene ni prosélitos ni cultivadores. Y a juzgar por el grado de los adelantos morales ¡ay de aquella mano que, enristrando la poderosa arma del siglo, la tajante pluma, osara tasajear velo y tradición! Los pueblos se moverían para condenarla en nombre del cielo prometido a los pobres de espíritu."

El sentimiento nacional siempre presente en toda la obra de la Matto se manifiesta no solamente en elementos costumbristas —fotografías de paisajes, formas de vida, vestimentas, alimentación, donde hasta incluye recetas de platillos típicos, etcétera— sino que aprovecha cuestiones políticas que ocurren durante la gestación de la obra, como es el de incluir en Indole la revolución del general Ramón Castilla.

Esta obra, como la precedente, son las responsables directas de una severa reacción de las autoridades de la Iglesia Católica, reacción esta que culminó con la excomunión de Clorinda Matto de Turner. A partir de este hecho, de indudable importancia en la evolución de su vida, la Matto asume una responsabilidad más directa con la realidad sociopolítica del Perú, comprometiéndose con el Partido Constitucional, dirigido por el general Andrés Avelino Cáceres. Y es de esta época (1892) que constituye la Sociedad Matto Hermanos la que adquiere una imprenta para editar el periódico liberal Los Andes, dirigido por ella misma, cuya principal intención era la de sostener las ideas caceristas.

En tres actos y en prosa, la única pieza teatral que escribió Clorinda Matto, Hima Sumac, se publica también en este año de 1892. Aparecida en la Imprenta La Equitativa, Hima Sumac tenía entonces nueve *años de haberse presentado por primera vez en Arequipa en 1884, realizando el papel de la heroína la actriz María B. de Pérez, dato comprobado por el artículo "Los artistas", incluido en el "segundo tomo" de las* Tradiciones cuzqueñas, *que está dedicado a "esta artista nacional que fue la que interpretó el papel de Hima Sumac en el estreno del drama de este nombre".*

*El volumen se abre con "Un momento lector", escrito por la propia Clorinda y fechado en Lima el 16 de julio de 1892. Este prefacio manifiesta los propósitos que la animaran para escribirla: "*Hima Sumac *es un ensayo en el género dramático y nada más. Basada en las tradiciones que como el* Tesoro de los incas, *de la escritora argentina señora Gorriti, corre de boca en boca en mi país, y de cuyo relato he tomado algunos parlamentos, con venia de su autora;* Hima Sumac *recuerda una de las épocas gloriosas para el Perú que subyugado por el poder castellano tuvo la inspiración de libertad en el cerebro de Tupac Amaru. Tal vez este es el único mérito que pueda tener mi tentativa en el difícil arte de Calderón, y éste, indudablemente, el motivo por el que ha sido aceptado con muestras de aprobación por el público en cuyo seno están vivos los gérmenes del patriotismo. Las tradiciones de este género son innumerables en el Cuzco y es rica la veta que pueden explotar los ingenios patrios. Sin pretensiones, pues, de elevar a* Hima Sumac *al rango de una obra dramática nacional, la ofrezco impresa a los que alientan la literatura peruana, y siguiendo al pedido que me ha hecho persona para quien guardo fina amistad."*

Al contrario de lo que piensa Gerardo Chaves en su "Crítica de Hima Sumac, *drama histórico", inserta después del prefacio de la autora, para quien "el fin de la poetisa ha sido pintar el carácter de la indígena peruana en su más alta expresión", soy llevado a ubicarme del lado de los críticos que, según las propias palabras de Gerardo Chaves, creen que "el propósito de la escritora ha sido exhibir la avaricia española". Por lo tanto no estamos de acuerdo en que esta apreciación última "no es más que un resorte hábil de que se vale la autora para poner de relieve la evaluación de la índole nacional". Para tal razón nos apoyamos en una interpretación global de la obra de Clorinda Matto de Turner en la que se encuentran innumerables veces el ataque al concepto de la ética del conquistador, por falta de comprensión que éste ha manifestado siempre frente a la cultura indígena.*

La trama, elaborada con principios dramáticos muy artificiales, cuenta la historia de la princesa Hima Sumac, nieta de Ollanta e hija de un famoso cacique, que está enamorada del ambicioso español Gonzalo de Espinar, a pesar de estar prometida en matrimonio con el joven guerrero indio Tupac Amaru. Durante el desarrollo de la obra, el español trata de seducir a la protagonista robándole el secreto del tesoro de los incas con el solo propósito de pagar una deuda de juego. Al perder su vida Gonzalo de Espinar, en manos de Kis-Kis, mientras el levantamiento indígena, será entonces el intendente de Cuzco, conocedor de los detalles, quien aprisiona a Hima Sumac y a su familia. Torturada y sacrificada la protagonista no revela jamás el secreto, llevándose a la tumba uno de los misterios de los incas.

Para la historia de la literatura peruana, Hima Sumac *tiene un apreciable valor por cuanto después de* Ollantay *y de alguna que otra pieza esporádica, la obra de la Matto continúa el escaso desarrollo del teatro nacional de tema indígena. A pesar de cierta pintura relativamente exacta de los personajes, en especial de la propia heroína y del retrato del inescrupuloso joven español, de la ideología que muestra la fortaleza de la mujer indígena,* Hima Sumac *adolece de una estructuración teatral, de un tono dramático y de frecuentes dilaciones que acarrean a un opaco final.*

En 1893 Clorinda Matto de Turner publica Leyendas y recortes, *editado en la Imprenta La Equitativa y patrocinada por la Sociedad Matto Hermanos. La obra está dedicada "A mis queridos amigos los literatos Martín García Merou, Manuel Nicolás Arizaga y Pedro Pablo Figueroa". Con el título de "Clorinda Matto de Turner", firmado por Joaquín Lemoine se abre el volumen. Este trabajo, ahora inserto en* Leyendas y recortes, *fue una conferencia "hecha por el autor, en el Palacio de la Exposición de Lima, en el solemne aniversario de la instalación del Círculo Literario". La admiración del crítico por la obra de la Matto raya en todo tipo de retórica: "En la solemne publicación de esta actuación literaria, extiendo la mano, trémula, por la timidez de mi incompetencia, no para arrojar una guirnalda banal a los pies . . ." y siguen las frases.*

Al trabajo de Lemoine siguen "Las tres Américas", reproducciones del artículo de Nicanor Bolet Peraza, director de la revista Las Tres Américas, *que se publicaba en Nueva York y que apareció por primera vez en la sección "bibliográfica americana" en el mes de octubre de 1893. En él se comenta gran parte de las obras de Clorinda Matto de Turner, lo mismo que de su actividad de periodista, en especial como directora de* Los Andes.

Dos secciones bien definidas constituyen Leyendas y recortes. *La primera la forman tradiciones y leyendas propiamente dichas y es la más pequeña del volumen. Empleando la misma forma, pero de contenido distinto, estas nuevas narraciones tratan de los tiempos de la guerra de Independencia y hasta hay algunas, como la titulada "El arcade Satán", que son de ambiente foráneo.*

"Recortes" está constituido por 23 textos politemáticos en prosa y poesía, escritos y publicados entre los años 1887 a 1893. También algunos son conferencias, como "Luz entre sombras", leído por la autora al incorporarse como socia al "Ateneo de Lima", y "Costumbes peruanas" cuando se asocia al "Círculo Literario".

Se puede intentar, dentro de cierta anarquía temática, una clasificación de los distintos textos. Los hay de tipo imaginativo, como "Pálida . . . ¡pero es ella! novela homeopática con pretensiones espiritistas"; de tipo fantástico, como "¿Por qué?" y "Lengua maldiciente, historia que parece novela"; de temas fúnebres, como "J. A. Pérez Bonalde", sobre la muerte del poeta venezolano que fuera redactor y propietario de La Revista Ilustrada, *de Nueva York, o como los sentidos artículos sobre su gran amiga y consejera Juana Manuela Gorriti, cuya muerte había acaecido el 7 de noviembre de 1892, o el necrológico de "Trinidad María Enríquez", la primera mujer cuzqueña que se matriculó en la Universidad del Cuzco y de quien la Matto dice: "Nosotras disentíamos en muchos puntos de sus ideas filosóficas."*

Pero el grupo más interesante está formado por aquellos ensayos, literarios o críticos, históricos o sociológicos, donde Clorinda Matto de Turner expone sus teorías sobre problemas culturales.

Así el denominado "Estudios históricos" se refiere directamente a la importancia del quechua como elemento del idioma nacional. Afirma en la primera parte del trabajo que "los que abogan por la extinción del quechua lanzan una blasfemia contra la antigua civilización peruana y la moderna necesidad de conocerla, y esos no saben lo que dicen o no conocen el idioma, y en tal caso se colocan al nivel del escritor de mala fe juzgando y fallando sin conocimiento de causa". Este sentido de apreciación lingüística va a ser completado por el punto de vista nacional y universal puesto que al proceder de la manera anterior "en daño de la historia patria, desmoronando la base sobre la cual descansa el momento americano", que "al correr de los siglos está llamado a ser el libro de los estudios científicos del viejo mundo, ante el que se ostentará con elementos propios de raza, idioma, arquitectura, costumbres, literatura, en fin todo diferente de los pueblos europeos".

La defensa que del quechua realiza Clorinda Matto no sólo está apoyada en factores lingüísticos históricos, antropológicos, sino tam-

bién estéticos. Con relación a lo último, es interesante señalar que termina el artículo incluyendo la transcripción en español de una poesía quechua, "El indio errante, al sol de su vida", precedida del comentario de que "la ternura inimitable encerrada en este idioma que, ya lo dije otra vez, es el de la poesía".

Otro ensayo que no carece de importancia es "Mezclilla", título irónico que utiliza para exponer sin reservas el "amor mal entendido al terruño". Le duele sobremanera "la imitación a las naciones europeas" que vive la sociedad peruana y se refleja en las bellas artes hasta alcanzar calidades que llegan al "ridículo". Para Clorinda Matto de Turner toda manifestación artística es el resultado íntimo y la consecuencia de la evolución cultural de un pueblo. A menor desarrollo, menor arte. Observa que "si en nuestro país engrandeciéramos la esfera de acción de las industrias, si nos ocupáramos algo más del comercio y de la fábrica, multiplicando relativamente las escuelas, nacería por sí el arte, robusto, altivo, con vida propia". Estos conceptos de avanzada lucidez para su tiempo, pero justificados por el clima positivista que envuelve sus ideas, están coronados por la siguiente frase: "Si antes no colocamos los cimientos para el gran edificio nacional, preocupándonos de la holgura del pueblo por el ensanche del comercio, estaremos condenados a representar el tristísimo papel de pobres tísicos, contemplando seres raquíticos, incapaces de producir hijos con dotes inmortales."

Es solamente por Leyendas y recortes *donde podemos conocer la producción poética de Clorinda Matto que según la crítica biográfica la hacía provenir de su adolescencia, pero la cual, como se dijo con anterioridad, no ha llegado hasta nosotros. Seis poemas recoge* Leyendas y recortes*, de los cuales sólo uno está fechado en 1887 y los cinco restantes en 1893. Indudablemente existe un patente desacuerdo entre las líricas de la Matto y su obra en prosa. Todo parte de su concepto de poesía relacionado demasiado con el orden moral y la vida religiosa, como se advierte en sus propios comentarios, incluidos en "Carta literaria", dirigida al poeta Teobaldo Elías Corpancho: "Por mi parte, detesto al poeta que nos habla de la aridez de la bacante, que hace estremecer nuestras carnes con el lápiz de la bestialidad colorista o arranca a la lira sólo la nota del supremo dolor, para quitarnos las ilusiones, dejando en cambio la roca donde no brotan florecillas, ni corren manantiales, ni se posan aves de vistosos plumajes y cantos de amores, ni revolotean mariposillas de matizado color, pues todo huye de la presencia del ateo en su negro manto de escepticismo."*

La correlación entre la estética, el vocabulario y las ideas cientificistas, como se nota en toda su obra, lleva a Clorinda Matto de Turner a escribir una narración sobre los peligros del uso del corsé. Según ella esta prenda tan femenina suele ser causa del mal aliento que tienen ciertas mujeres.

Poco a poco Clorinda Matto de Turner va evolucionando hacia un total naturalismo que se observa en el estudio del comportamiento de los personajes en situaciones de choque y en la fusión del lenguaje fisiológico y energético para describir reacciones. En Leyendas y recortes *esto es patente en "Lengua maldiciente": "...y él, presa de un ataque de histerismo, sintió agolparse las lágrimas en coagulones que anudaban su garganta; afluir la sangre en borbotones al corazón, crisparse los nervios como sierpes eléctricas; y los ojos le brillaron con resplandor siniestro".*

Editada por la empresa Matto Hermanos e impresa en la Imprenta Macias aparece, en 1895, Herencia, *tercera novela de Clorinda Matto de Turner.*

La obra lleva por subtítulo "Novela peruana" y estaba anunciada desde 1890 con el título de La cruz de Agata. *El cambio de título está explicado en "Rebautizo", prefacio a la obra y fechado en Lima el 26 de enero de 1893. En él la novelista explica después de hacer notar que "el nombre poco o nada significa en las obras y en las personas": "*Cruz de Agata *es nombre demasiado poético, dulce y hasta consolador con los espirituales consuelos cristianos, pues esta hija mía, que, lejos de reunir la palidez romántica, la flexibilidad de las aéreas formas limeñas que llevan el pensamiento al azul de los cielos ha salido con todo el realismo de la época en que le cupo ser concebida; con toda la aspereza de epidermis y el olor a carnes mórbidas, llenas, tersas, exhibidas en el seno blanco y lascivo que bien, y sólo a veces, convida al hombre pensador a reclinar en él la frente, como en nidos de plumones de cisnes, en cambio, casi siempre parece estar hablando del pecado a los hombres vulgares. No quiero que con mi libro escrito para señoras y hombres, sufra ninguna señorita el chasco de la devota que fue al templo llevando* La caridad cristiana *de Pérez Escrich. Pongan ustedes en los originales* Herencia, *que si con ello no alcanzo a decir mucho de lo que digo en el libro, por lo menos algo significaría para mis lectores acostumbrados ya al terreno en que suelo labrar, y a la dureza de mi pluma."*

Herencia, *dedicada al "señor general don Nicanor Bolet Peraza, director de* Las Tres Américas *de Nueva York" en forma de carta,* donde la autora afirma que la obra es "fruto de mis observaciones sociológicas y de mi arrojo para fustigar los males de la sociedad, provocando el bien en la forma que se ha generalizado". A continuación la novelista explica el sentido ético de la obra, cuestiona la evolución del género ligado al gusto del lector moderno y justifica la corriente realista. Observa: "El paladar moderno ya no quiere la miel ni las mistelas fraganciosas que gustaban nuestros mayores: opta por la pimienta, la mostaza, los bitters excitantes, y de igual modo, los lectores del siglo, en su mayoría, no nos leen ya, si les damos el romance hecho con dulces suspiros de brisa y blancos rayos de luna: en cambio, si hallan el correctivo condimentado y con todos aquellos amargos repugnantes para las naturalezas perfectas, no sólo nos leen: nos devoran."

Los dos párrafos anteriores definen categóricamente a Herencia como una novela casi prototipo de todo el realismo-naturalismo latinoamericano que en la mayoría de los casos es atrevido en componer situaciones, pero que en última instancia es frenado por el concepto de la moral burguesa. En apariencia no existe esta contradicción, sin embargo en el fondo el realista o el naturalista latinoamericano siente demasiado cerca la moral cristiana.

Herencia continúa de alguna manera a Aves sin nido e Indole. Las continúa y las supera. A la primera en cuanto maneja personajes que habían aparecido en Aves sin nido; a la segunda en cuanto a las formas expresivas y a la composición, puesto que Herencia está realizada dentro de ciertos moldes del mayor naturalismo costumbrista.

La acción de la obra ocurre en la ciudad de Lima y tiene como personajes a las dos familias, la de los Marín, formada por Fernando, Lucía y Margarita, la hija adoptiva de Aves sin nido, y la de los Aguilera, constituida por José, su esposa Nieves Montes y Montes, y sus dos hijas Camila y Carmen.

La lectura de la obra recuerda directamente a La Quijotita y su prima, de José Joaquín Fernández de Lizardi, y a En la sange, de Eugenio Cambaceres. A la primera por la técnica del contrapunto de personajes, aplicada a Margarita y Camila, logrando la primera, por consecuencia de una recta educación familiar el triunfo social, al contraer matrimonio con un también honesto y recto hombre, Ernesto Casa-Alta. Por el contrario, Camila, hija de un padre débil y de una madre liviana y vanidosa, es víctima de una "herencia fatal de la sangre". Fracasa en su matrimonio con el inmigrante italiano Aquilino Merlo, elevado a falso conde, para justificar ante la sociedad limeña un enlace hecho a la fuerza entre dos clases sociales diferentes.

Luis Alberto Sánchez ha observado ya las afinidades de la vida del protagonista de la novela de Cambaceres con la de Aquilino Merlo, de la novela de la Matto. El citado crítico comenta el hecho de la participación del inmigrante europeo dentro de una sociedad ya organizada.

La técnica del contrapunteo está también aplicada a los ambientes, todos de pretensión costumbrista. Barrios elegantes y barrios populares, residencias aristocráticas y casas de vecindad, fiestas de salón y fiestas callejeras. Es notable la descripción de la vida mundana de Lima, ciudad que la novelista designa "la engreída sultana de Sudamérica".

Dueña ya de un estilo naturalista, Clorinda Matto fusiona más la ideología a los personajes y a las situaciones, y aunque no evita totalmente la interpolación, ésta disminuye de manera considerable. Los personajes expresan por sí mismos las ideas que antes se colocaban en boca del narrador. Como ejemplo pueden servir las palabras de Fernando Marín cuando interroga al prometido de Margarita sobre sus antecedentes familiares: "Comprenderá usted señor Casa-Alta a qué punto se dirigen mis investigaciones. Los preciosos descubrimientos de la ciencia, cuyos progresos son cada día más milagrosos, se preocupan grandemente del hombre futuro, tratando de aseguar la felicidad humana. La ciencia ha demostrado y patentizado la herencia directa de los males que ha enunciado, así como la herencia peruana de la hembra, y toca al hombre honrado precaver su descendencia, pues, crimen, y crimen inaudito es el de dar vida a hijos enfermos, con la conciencia de su desgracia perdurable y trasmisible, crimen que los ortodoxos le cuelgan al buen Dios y que sostienen no sólo las mujeres dispensadas de sus errores en consideración de su ignorancia, sino los hombres aviesos que echan a los cuatro vientos las pomposas frases de progreso e ilustración."

Con respecto a la estructura, Herencia *supera a las novelas anteriores, a pesar de que en ciertos momentos se observan desequilibrios narrativos, la detención minuciosa sobre hechos secundarios, la demasiada insistencia en descripciones colectivas.*

El lenguaje más centrado a los propósitos naturalistas apunta sobre sensaciones, muchas de las veces utilizando comparaciones de reacciones científicas para precisar la sensibilidad humana. El párrafo siguiente ilustra: "Camila estaba transformada. Sin voluntad para repeler los brazos que la sujetaban, ni apartar los ojos de los ojos que la envolvían en una corriente lujuriosa, ni siquiera comprendida por ella, sintió en su cuerpo virgen, al rozarse con el cuerpo de él, algo que la conmovió de una manera extraña, oscureciéndole la vista, despertando en sus sentidos sensaciones y deseos que no podría nombrar, pero que sacudían su organismo con el poder de una pila de volta."

Es indudable que Herencia *es la mejor de las tres novelas que escribiera Clorinda Matto de Turner. Superior en lo formal y en lo ideológico. Esto último por apreciarse con más claridad, con más evidencia el propósito de su literatura, que en definitiva tiende a suprimir el dogmático concepto del naturalismo orgánico por un naturalismo educativo. Define con precisión este concepto los párrafos finales de* Herencia: *"En el curso de la vida, a través de los sucesos, Margarita y Camila habían entrado en posesión de lo que les legaron sus madres, su educación, su atmósfera social, más que su sangre era, pues, la posesión de la* herencia."

En 1895 hace crisis la situación política en el Perú. El gobierno del general Andrés Avelino Cáceres que se desarrolló desde 1886 a 1890, se caracterizó por una administración pacifista a la que respondió el pueblo peruano, deseoso de armonía y tranquilidad después de los funestos desastres de la guerra con Chile. Al gobierno del general Cáceres siguió el del general Remigio Morales, que continuó en parte los pasos del anterior, pero a raíz de la muerte del presidente acaecida en abril de 1894, antes de expirar su mandato, desencadena una serie de conflictos administrativos para la sucesión. Después de la renuncia del doctor Pedro de Solar, a quien correspondía la presidencia del país por ser el primer vicepresidente, asumió el gobierno el coronel Justiniano Borgoño, segundo vicepresidente, quien convoca inmediatamente a elecciones generales. Sin embargo, días después de haber renunciado a la magistratura, que por ley le correspondía, el doctor Del Solar pretende regresar como jefe del poder ejecutivo. Como consecuencia de esta situación engorrosa, ciertos grupos comienzan a levantarse en rebelión en el interior del país.

Resultado de la convocatoria a elecciones obtiene la victoria el ex presidente Cáceres, líder del Partido Constitucional de reconocida tendencia liberal. A pesar de los deseos de normalidad a que aspiraba el pueblo peruano, los intereses clericales y de política extranjera, mancomunados en la persona de Nicolás de Piérola, militar de mediocre y dudosa actitud cuando la guerra del Pacífico, encuentran pretexto para invadir a Lima el 17 de marzo de 1895.

Clorinda Matto de Turner, cuyo compromiso con el Partido Constitucional era evidente —recordemos que no sólo había escrito una biografía del general Cáceres, sino que dirigía el periódico del partido—, va a recibir directamente las consecuencias de esta situación política.

Su obra Boreales, miniaturas y porcelanas, publicada en Buenos Aires años después, es el mejor documento para conocer las desventuras de su vida a partir de entonces. La parte titulada "Boreales" se inicia con un extenso artículo titulado "El Perú (narraciones históricas)" donde Clorinda Matto registra los antecedentes y el desarrollo de la política peruana desde el primer gobierno del general Cáceres hasta su propia expatriación. Allí está marcada su admiración y su "lealtad para con el señor general Andrés A. Cáceres", por el Partido Constitucional y su justificación de que si alguna vez "cometimos el pecado de mezclarnos en política, fue por el derecho que existe de pensar y expresar el pensamiento".

El dolor que siente al comentar los trágicos días de la invasión pierolista y las consecuencias de la misma le hacen exclamar: "Habríamos querido trazar una línea roja en este punto del original, pero, estamos narrando episodios históricos, es decir estamos fotografiando cuadros y la cámara ha copiado la pústula con la misma precisión con que se retrata un encaje." Su domicilio personal de la calle Colongue, situado en pleno escenario de los hechos armados; fue invadido y saqueado y los comentarios de este tipo de bandolerismo están narrados con detalles copiosos y no exentos de tristeza y de lamentación.

El artículo no desperdicia ningún acontecimiento de los tres días que duró el combate en plena calle y cuyo resultado final fue la renuncia del general Cáceres, presionado no sólo por los hechos armados, sino por la política eclesiástica y de las representaciones diplomáticas de algunos países. Las interpretaciones de Clorinda Matto no solamente están basadas en sus emociones por un golpe que tanto perjudicaba el orden y la paz nacional, o por condolerse de la situación familiar o de los soldados, sino que están apoyadas en varios documentos que ella cuida muy bien de reproducir.

Las anotaciones y los comentarios de los hechos y de los personajes de estos dramáticos momentos están realizados en todos los niveles. Es evidente el odio por Piérola y sus "correrías y hazañas femeniles". Ternura por el hambre que padece la población. Desesperanza cuando describe la destrucción que cometen las fuerzas invasoras de su imprenta situada en la calle Lartiga: "Las calles de San Agustín, La Fuente, Lartiga, Plateros estaban sembradas de tipos de imprenta, rotas las puertas del local, inutilizadas las máquinas. Habíamos perdido la última fuente de vida que nos quedaba para la honrosa labor de buscar el pan con el sudor de la frente."

La mayoría de los biógrafos de Clorinda Matto de Turner cuando escriben sobre este momento de su vida, afirman que el exilio de la escritora se debió a una expulsión oficial por parte del gobierno de Piérola, sin jamás presentar un documento que lo certifique. Es innegable que las relaciones entre la escritora y el nuevo poder ejecutivo no podían ser cordiales, pero a falta de una indicación precisa de la propia autora que no hubiera desperdiciado tal oportunidad, creemos que su alejamiento del Perú se debió a una determinación personal.

En el segundo artículo de "Boreales", titulado "En Chile (de viaje)", afirma concretamente: "Permanecer en el Perú era algo más que difícil, la inspiración del espíritu nos señalaba la playa extranjera, no para ir a llorar la derrota, sino para vigorizarnos en la triple escuela del trabajo, de los viajes y del patriotismo.

El 25 de abril de 1895 se embarca en el vapor Maipo rumbo a Santiago de Chile y con destino final a Buenos Aires. Tristes son los párrafos que cuentan la separación familiar y de amigos, más dramáticas las páginas que describen los puertos de escala y que le recuerdan directamente los días de la guerra. Es tan minuciosa que hasta estampa los libros que lleva en el viaje —El Laocoonte, de Lessing, y la Historia del Perú, de Clemente R. Markham. Entre sus compañeros de viaje figura el escritor argentino Eduardo Wilde y su esposa.

En Chile esperaban su arribo. Desde la salida del Callao el periodismo chileno venía informando de su llegada. Al desembarcar en Valparaíso es recibida por un grupo de periodistas y se le rinde un homenaje. Sin embargo, nada logra calmar la depresión de su espíritu al encontrarse en el país invasor del suyo, e indirectamente responsable de la actual situación por la que atravesaba. "Era un corazón peruano respirando en tierra enemiga de su patria."

Al ver el monumento de Prat no puede disimular la contrariedad y casi gritó: "Sentimos algo como una mordedura de áspid en el seno." Lo mismo cuando llega al parque municipal de la ciudad y descubre los dos leones en piedra que guardaban antes las puertas de la exposición de Lima: "Devuelvan todo eso."

Una breve estancia en Santiago en donde se hospeda en el Hotel Meloci. Visita la biblioteca pública, donde reconoce libros que antes eran propiedad de la Biblioteca Nacional de Lima, asiste a una sesión *de la Cámara de Diputados y tiene una entrevista con el liberal chileno Pedro Pablo Figueroa.*

El tercero y último artículo de "Boreales" es "En la Argentina", que se inicia con una descripción de la ciudad de Mendoza, la primera que conoce de este país; y donde se hospeda primero en el Hotel Club y más tarde en casa de la familia del cónsul peruano, Carlos L. Lagomaggiori. El 15 de mayo de 1895 arriba a Buenos Aires en compañía de otro escritor argentino, Roberto Payró, entonces corresponsal de La Nación. *Por motivos sicológicos fáciles de explicar, se entrega a reflexiones violentas contra Chile por la situación delicada que acontece entre este país y Argentina en los momentos en que llega a Buenos Aires, y que la hacen escribir: "Como peruana habría deseado ver, por fin, castigada la osadía del invasor, pero sobre este anhelo legítimo se levanta la voz de la razón."*

Desde el primer momento, Clorinda Matto de Turner se fusiona a la vida cultural de Buenos Aires y comienza a publicar en La Nación *y* La Prensa. *El 14 de diciembre del mismo año de 1895 dicta una conferencia con el título de "Las obreras del pensamiento en América del Sur" en "El Ateneo" de Buenos Aires, invitada por su presidente Carlos Vega Belgrano. El texto, dentro del concepto feminista, trata de hallar las causas del porqué de la situación inferior de la mujer dentro de la sociedad: "Los obscurantistas, los protervos y los egoístas interesados en conservar a la mujer como instrumento del placer y la obediencia pasiva, acumulan el contingente opositor, la cámara obscura para lo que ya brilla con luz propia, sin fijarse en que, de la desigualdad absoluta entre el hombre y la mujer, nace el divorcio del alma y del cuerpo en lo que llaman matrimonio, esa unión monstruo cuando no existe el amor."*

No sólo defiende la cultura en la mujer por reclamo de la naturaleza y de las condiciones sociales de la época, sino también por perfección de la sociedad. Para ilustrar tal concepto estudiará a un gran grupo de mujeres de la literatura hispanoamericana.

En 1897 funda la revista bimensual, El Búcaro Americano, *patrocinada por el Consejo Nacional de Mujeres de la República Argentina y por la Asociación pro-Patria; publicación donde seguirá bregando por la liberación de la mujer en la sociedad moderna.*

Paralelamente a su labor de periodista se dedica a la enseñanza, oficiando de profesora en la Escuela Comercial de Mujeres y en la Escuela Normal de Buenos Aires.

Jamás pierde de vista sus ideas nacionalistas. El Perú estará siempre presente en sus artículos y ensayos. Así existe uno titulado "Nulidades del Perú", publicado primero en El Búcaro Americano *en julio de 1897 y reproducido más tarde en la sección "Porcelanas" del libro* Boreales, miniaturas y porcelanas, *donde la Matto levanta su voz por "la santa indignación del patriotismo ultrajado" para desmentir ataques y malas informaciones sobre el Partido Constitucional.*

Existe un punto en la evolución de las ideas de Clorinda Matto de Turner no lo suficientemente estudiado o por lo menos cuestionado y que en concreto son sus relaciones con la Iglesia Católica. El liberalismo en Hispanoamérica fue abiertamente anticlerical, actitud que creció más para contraponerse a los ataques que el clero llevaba a cabo cuando el pensamiento libre trató de implantar reformas sociales que redundaban en perjuicio del poder exclusivista de la Iglesia Romana sobre la sociedad de América. El liberalismo de la Matto que se manifiesta en sus continuos ataques al clero y que remata con su excomunión del seno de la Iglesia Católica Romana, ocurrida en 1892, no pesó nada en su vida personal. Es más, hasta es posible que esperara tal acto; aunque a través de toda su obra se observa una adhesión por el cristianismo primitivo en contra del cristianismo institucional.

¿Esta toma de conciencia no obedecería a una inclinación más definida en el campo personal y religioso? Tal interrogación no conduce a pensar que Clorinda Matto de Turner fuera en realidad una militante protestante, pero es posible pensar que estuvo muy próxima a serlo o por lo menos no se sentía incómoda, en el plano puramente profesional, con la Iglesia Protestante.

A este respecto es interesante añadir dos factores. El primero, solamente intuitivo, está apoyado por su casamiento con un inglés, aunque, por supuesto, tal hecho no demuestra en verdad nada. El segundo es más convincente y se refiere a datos concretos: durante los años de 1901 a 1904, Clorinda Matto de Turner traduce al quechua, por especial encargo de la Sociedad Bíblica Americana, una serie de textos bíblicos.[7]

El primero en publicarse es el Evangelio de San Lucas *en 1901, cuya edición tiene como introducción la siguiente carta de la Matto, fechada en Buenos Aires el 22 de abril del mismo año y dirigida al*

[7] Quiero testimoniar mi agradecimiento al señor J. V. Powell, investigador bibliotecario de la Library of the American Bible Society of New York, por poner en mis manos todo el material respecto a este tópico, parcialmente desconocido de la producción de Clorinda Matto de Turner.

reverendo Andres Murray Milne: "Agradezco la distinción que ha hecho la sociedad que usted representa, al encomendarme la traducción al quechua del Evangelio de Nuestro Señor Jesucristo según San Lucas, y al emprender tarea de tanta significación y peso, debo advertir a usted que voy a hacer la traslación, no al quechua clásico que ya pocos conocen, sino que al quechua vulgarizado, pues así la obra responderá al propósito de que las palabras divinas sean conocidas en todas las regiones sudamericanas que todavía conservan ese idioma tan rico y tan expresivo, y, con el Evangelio, irá la luz y el consuelo a los hogares indígenas."

El segundo, también publicado en Buenos Aires y en el mismo año que el anterior es Los hechos de los apóstoles, *texto que está acompañado de "una pequeña nota sobre algunas palabras quechuas", como lo advierte en una carta introductora, fechada el 28 de julio del mismo año y dirigida al "señor representante de la Sociedad Bíblica Americana".*

Las dos ediciones anteriores están publicadas sólo en quechua, no así el Evangelio de San Juan *y* La epístola de San Pablo, *publicados también en 1901, en edición bilingüe. El* Evangelio de San Marcos *y el* Evangelio de San Mateo *aparecen en 1903 y 1904, respectivamente. Por datos que existen en la biblioteca de la American Bible Society of New York, Clorinda Matto de Turner tradujo la* Primera *y* Segunda epístola de los Corintios, *al parecer inéditos.*

En 1902 Clorinda Matto publica Boreales, miniaturas y porcelanas *en las prensas de la Imprenta de Juan A. Alsina. La obra, dedicada "a la memoria de mi venerado padre, el señor don Ramón Matto", se inicia con "A modo de introducción", donde la autora explica que entrega "a la prensa recogiendo en un volumen las hojas que (ha) derramado casi diariamente en faenas periodísticas; unas, que son fruto de labor paciente en la observación y la historia; otras, como haz de páginas esparcidas por el viento huracanado en las horas sin descanso de viajera, de proscrita, de operaria en la factoría de los grandes pueblos donde hay que ganarse el pan a precio de oro".*

Tres partes bien definidas forman el libro que corresponde a cada sustantivo del título. A la primera ya nos referimos con anterioridad y comprende las notas de viaje desde su salida del Perú hasta su llegada a Buenos Aires. La segunda es un conjunto de estudios biográficos y críticos de personajes latinoamericanos, que sin duda la autora había pensado recoger en el segundo tomo de Bocetos al lápiz de americanos célebres, *libro anunciado pero jamás publicado.*

Veintitrés estudios donde desfilan hombres y mujeres del Perú, de la Argentina, del Uruguay, de México, de Nicaragua y de Ecuador, para todos ellos existen las frases de elogio y reconocimiento por sus labores en el progreso de la cultura continental.

Los más emotivos juicios son para el político argentino Leandro N. Alem, al narrar la repercusión popular que tuvo la muerte del estadista: "La apoteosis del ilustre muerto la hemos visto nosotras el día 3 de julio de 1896, escrita con lágrimas, narradas con sollozos entre las clases trabajadoras, hemos contemplado ese silencio solemne en que las clases superiores saben devorar los dolores más profundos. ¡El doctor Alem vivía para todos y no debió haber muerto! El día de la traslación de sus restos al cementerio del norte fue día de duelo nacional decretado por el pueblo, antes aun que por el gobierno." Igualmente, para Abelardo M. Gamarra, "El Tunante", al que coloca como ejemplo, puesto que "ha sabido ajustar la teoría predicada con la práctica vivida; sin ofrecernos los cuadros ridículos de escritores que echan tajos y reveses contra los ricos, contra el gobierno, contra los asalariados de los congresos y de la prensa, y, a la pimera oportunidad se casan con viuda rica dejando a la amada joven y bella, y aceptan un destino de inventario y forman número entre los gobiernistas de las cámaras y espichan sendos artículos en diarios subvencionados."

La sección denominada "Porcelanas", constituida por ocho artículos, recoge conferencias, discursos e impresiones literarias de algunos de los actos culturales en que tomó parte la autora desde su arribo a Buenos Aires. A algunos de ellos ya hicimos referencia anteriormente.

En 1904 aparece la edición inglesa de Aves sin nido *con el título de* Birds without a Nestl, *"a story of Indian life and priestly oppresión in Peru" —subtítulo significativo desde el punto de vista religioso—, traducida por J. G. H., y editada por C. J. Thynme, Londres.*

A mediados de 1908, el 27 de mayo para ser más preciso, realiza su anhelo de viajar a Europa. Recorre España, Francia, Italia, Inglaterra, Suiza y Alemania. En España el periodismo le rinde homenaje y dicta dos conferencias; la primera sobre la Argentina en la "Unión Iberoamericana de Madrid", donde fue presentada por el ministro de educación español; la segunda sobre el Perú en "El Ateneo" de Madrid. En Francia recorre museos, visita paseos de París y ciudades del interior, como Marseille, Toulouse, Cannes, etcétera. En Londres, a donde llega el 3 de agosto del mismo año, exclama: "¡Londres, capital del orbe civilizado!" En Italia se entrega a sentimientos místicos y describe Roma y la ciudad del Vaticano, con extraordinaria minucia.

Fruto de toda su experiencia de viajera es su libro o mejor su diario personal Viaje de recreo *que aparece póstumamente en España en las prensas de Sempers & Cía., en 1910.*

Regresa a América —"América, tierra de promisión"—, el 4 de diciembre de 1908 y se integra a sus labores docentes y periodísticas. Al año siguiente, el 1909, publica Cuatro conferencias sobre la América del Sur *en la imprenta de Juan A. Alsina. La primera es sobre la República Argentina, la segunda y la tercera sobre el Perú y la cuarta "La obrera y la mujer".*

Del 20 de octubre de 1909 es la carta siguiente de Clorinda Matto de Turner, enviada a una pariente, Guadalupe Usandivaras de Matto, residente en el Cuzco; quizás la última letra que escribiera la novelista peruana: "Hace tanto tiempo que nada sé de ustedes. Me consuelo pensando que por haberse prolongado la estadía en Urabamba no tendré cartas. Dios quiera que todos gocen de salud. Yo no puedo decir que voy bien. He pasado un invierno doloroso y ahora mis médicos dicen que necesito operarme de un tumor, interno en el vientre. Esta tarde iré a un sanatorio donde asiste una de las grandes entidades médicas de este país que es el doctor José M. Caballero y quedo, pues, confiada al resultado de la operación. Me ven tres médicos y todos opinan por la necesidad de operación con toda probabilidad de éxito satisfactorio. Pero, como la única cosa segura que tiene la vida es la muerte, yo no dejo de ponerme en ese caso; escribo la presente horas antes de marchar al «Sanatorio Carrasco» para decirte que en estos momentos tristes pienso en ustedes con toda mi alma."

Su muerte, acaecida cinco días más tarde, el 25 de octubre no fue a consecuencia de la operación sino de una neumonía, como consta en el acta de defunción inserta en el permiso de exhumación de sus restos en el año de 1924.

En su testamento, donde no olvida a sus familiares, dispone que una parte de la venta del libro Viajes de recreo, *sea aprovechada en beneficio de la niña que ingrese el día de su fallecimiento en la casa de huérfanos de Buenos Aires, y que la otra parte sea enviada al Cuzco como donación al Hospital de Mujeres.*

Por ley expresa del Congreso peruano los restos de Clorinda Matto de Turner son repatriados. Llegan a Lima el 30 de noviembre de 1924 y son trasladados al cementerio general. El programa de la recepción estaba firmado por Zoila Aurora Cáceres, hija del ex presidente peruano. El acto al que contribuyeron las más sobresalientes organizaciones culturales y políticas del Perú, significó el reconocimiento público nacional a la escritora, a la periodista, a la política, a la ideóloga, a la educadora.[8]

LUIS MARIO SCHNEIDER

[8] *Al parecer Clorinda Matto de Turner dejó obras inéditas, las cuales aparecen anunciadas en algunos de sus libros publicados. Por ejemplo en la página 2 de* Herencia *se citan varios a punto de publicarse, o en preparación:* Bibliografía quechua; Daniel Matto; La excomulgada *(novela),* Sevilla, Testamento póstumo *(novela). También un "segundo tomo" de* Bocetos al lápiz de americanos célebres, *pero es posible, como se observó, que la sección "Miniaturas" de* Boreales, miniaturas y porcelanas *correspondiera con el tiempo a aquél. Eulogio Tapia Olarte en su libro* Cinco grandes escritores cuzqueños en la literatura peruana *afirma que la Matto publicó, además, un volumen de* Analogía *(cuestiones gramaticales) y* Cenizas del hogar, *obras que no he podido localizar y de las cuales no existen referencias en ningún otro trabajo sobre Clorinda Matto de Turner.*

Bibliografía Especial

Amézaga, Carlos G.: "*Herencia* de Clorinda Matto de Turner", *El Perú Artístico,* Lima, Núm. 37, julio 1º de 1895, pp. 434-435.

Anónimo: "Bibliografía". "Bocetos al lápiz de americanos célebres", en *El Perú Ilustrado,* Lima, Núm. 142, enero 25 de 1890, p. 1327.

———: "Juicios sobre el «tomo primero» de *Tradiciones cuzqueñas. Leyendas, biografías y hojas sueltas*" en *Tradiciones cuzqueñas, crónicas, hojas sueltas* (tomo segundo), Lima, Imp. de Torres Aguirre, 1886.

———: "Suelto", *El Perú Ilustrado,* Lima, Núm. 152, abril 5 de 1889, página 1595.

Ariel: "Carta del Plata" "Sobre *Aves sin nido*", *El Perú Ilustrado,* Lima, Núm. 140, enero 11 de 1890, p. 1255.

Arízaga, José Rafael: "Juicios sobre el «tomo primero» de *Tradiciones cuzqueñas. Leyendas, biografías y hojas sueltas*" en *Tradiciones cuzqueñas. Leyendas, biografías y hojas sueltas* (tomo segundo), Lima, Imprenta de Torres Aguirre, 1886.

Bolet Peraza, Nicanor: "Las tres Américas. Bibliografía americana. *Tradiciones cuzqueñas, Bocetos al lápiz de americanos célebres, Hima Sumac, Indole, Los Andes,* por Clorinda Matto de Turner" en *Leyendas y recortes,* Lima, Imprenta La Equitativa, 1893.

Cáceres, Andrés A.: "Carta a Clorinda Matto de Turner", *El Perú Ilustrado,* Lima, Núm. 156, mayo 3 de 1890, p. 1802.

Castro Arenas, Mario: *La novela peruana y la evolución social,* Lima, Ediciones Cultura y Libertad, 1965.

Campbell, Margaret V.: "The *Traditiones Cuzqueñas* of Clorinda Matto de Turner" en *Hispania,* Wisconsin, XLII, 1959, pp. 492-497.

Cometta Manzoni, Aída: *El indio en la novela de América,* Buenos Aires, Editorial Futuro, 1960.

Cosío, José Gabriel: "Prólogo" a *Tradiciones cuzqueñas y leyendas,* Cuzco, Librería e Imprenta de H. G. Rozas, 1917.

Cuadros E., Manuel E.: *Paisaje i obra, mujer e historia: Clorinda Matto de Turner,* Cuzco, Editorial H. G. Rozas Sucs., 1949.

Chávez, Gerardo: "Crítica a *Hima Sumac,* drama histórico" en *Hima Sumac,* Lima, Imprenta La Equitativa, 1892.

Gamarra, Abelardo: "Apuntes de viaje", en *Tradiciones cuzqueñas. Leyendas, biografías y hojas sueltas,* Arequipa, Imprenta La Bolsa, 1884.

Gutiérrez de Quintanilla, Emilio: "*Aves sin nido* (juicio crítico)", *El Perú Ilustrado,* Lima, Núm. 135, diciembre 7 de 1889, pp. 1074-1075, 1077-1080.

Lavalle, José Antonio: "Prólogo" a *Tradiciones cuzqueñas. Crónicas, hojas sueltas* (tomo segundo), Lima, Imp. de Torres Aguirre, 1886.

Lemoine, Joaquín: "Clorinda Matto de Turner" en *Leyendas y recortes,* Lima, Imprenta La Equitativa, 1893.

Meléndez, Concha: *La novela indianista en Hispanoamérica* (1832-1889), Río Piedras, Ediciones de la Universidad de Puerto Rico, 1961.

Montalvo, Artemio: "*Aves sin nido* de Clorinda Matto de Turner", *El Perú Ilustrado,* Lima, Núm. 132, noviembre 16 de 1889, p. 962.

Nieto, Luis: "Liminar" en *Tradiciones cuzqueñas. Leyendas, biografías y hojas sueltas,* Cuzco, Editorial H. G. Rozas, S. A., 1955.

———: "Clorinda Matto de Turner. *Curriculum vitae*" en *Aves sin nido,* Cuzco, Festival del Libro Cuzqueño, Editorial H. G. Rozas, 1958.

Palma, Ricardo: "Prólogo" a *Tradiciones cuzqueñas. Leyendas, biografías y hojas sueltas,* Arequipa, Imprenta La Bolsa, 1884.

Prieto, Guillermo: "Hima Sumac", *El Universal,* México, marzo 22 de 1893, p. 4.

Romero de Valle, Emilia: *Diccionario manual de literatura peruana y materias afines,* Lima, Universidad Mayor de San Marcos, 1966.

Sánchez, Luis Alberto: *La literatura peruana,* tomo VI, Lima, Editorial Guania, 1951.

Sandoval, Julio F.: "La señora Clorinda Matto de Turner (apuntes para su biografía)" en *Tradiciones cuzqueñas. Leyendas, biografías y hojas sueltas,* Arequipa, Imprenta La Bolsa, 1884.

Sosa, Francisco: "Clorinda Matto de Turner" en *Escritores y poetas sud-americanos,* México, Oficina Tipográfica de la Secretaría de Fomento, 1890.

Tamayo Vargas, Augusto: *Literatura peruana,* tomo II, Lima, Universidad Nacional Mayor de San Marcos, 1965.

Tapia Olarte, Eulogio: "Clorinda Matto de Turner" en *Cinco grandes escritores cuzqueños,* Cuzco, ediciones conmemorativas del CCL aniversario de la Universidad Nacional del Cuzco, Librería e Imprenta de D. Miranda, 1946.

———: "Noticia preliminar" en *Aves sin nido,* Cuzco, Universidad Nacional del Cuzco, 1948.

Tauro, Alberto: *Elementos de literatura peruana,* Lima, Ediciones Palabra, 1946.

———: "Antecedentes y filiación de la novela indianista", *Mar del Sur,* Lima, Núm. 2, noviembre-diciembre de 1948, pp. 29-40.

Valdivia, Manuel Rafael: "Apreciaciones íntimas" en *Tradiciones cuzqueñas. Leyendas, biografías y hojas sueltas,* Arequipa, Imprenta La Bolsa, 1884.

Yépez Miranda, Alfredo: "Clorinda Matto de Turner" en *Aves sin nido,* Cuzco, Universidad Nacional del Cuzco, 1948.

Proemio

Si la historia es el espejo donde las generaciones por venir han de contemplar la imagen de las generaciones que fueron, la novela tiene que ser la fotografía que estereotipe los vicios y las virtudes de un pueblo, con la consiguiente moraleja correctiva para aquéllos y el homenaje de admiración para éstas.

Es tal, por esto, la importancia de la novela de costumbres, que, en sus hojas contiene muchas veces el secreto de la reforma de algunos tipos, cuando no su extinción.

En los países en que, como el nuestro la LITERATURA se halla en su cuna, tiene la novela que ejercer mayor influjo en la morigeración de las costumbres, y, por lo tanto, cuando se presenta una obra con tendencias levantadas a regiones superiores a aquellas en que nace y vive la novela cuya trama es puramente amorosa o recreativa, bien puede implorar la atención de su público para que extendiéndole la mano la entregue al pueblo.

¿Quién sabe si después de doblar la última página de este libro se conocerá la importancia de observar atentamente el personal de las autoridades, así eclesiásticas como civiles, que vayan a regir los destinos de los que viven en las apartadas poblaciones del interior del Perú?

¿Quién sabe si se reconocerá la necesidad del matrimonio de los curas como una exigencia social?

Para manifestar esta esperanza me inspiro en la exactitud con que he tomado los cuadros, del natural, presentando al lector la copia para que él juzgue y falle.

Amo con amor de ternura a la raza indígena, por lo mismo que he observado de cerca sus costumbres, encantadoras por su sencillez, y la abyección a que someten esa raza aquellos mandones de villorrio, que, si varían de nombre, no degeneran siquiera del epíteto de tiranos. No otra cosa son, en lo general, los curas, gobernadores, caciques y alcaldes.

Llevada por este cariño, he observado durante quince años multitud de episodios que, a realizarse en Suiza, la Provenza o la Saboya, tendrían su cantor, su novelista o su historiador que los inmortalizase con la lira o la pluma, pero que, en lo apartado de mi patria, apenas alcanzan el descolorido lápiz de una hermana.

Repito que al someter mi obra al fallo del lector, hágolo con la esperanza de que ese fallo sea la idea de mejorar la condición de los pueblos chicos del Perú; y aun cuando no fuese otra cosa que la simple conmiseración, la autora de estas páginas habrá conseguido su propósito, recordando que en el país existen hermanos que sufren, explotados en la noche de la ignorancia, martirizados en esas tinieblas que piden luz; señalando puntos de no escasa importancia para los progresos nacionales y haciendo a la vez, literatura peruana.

Primera Parte

I

ERA una mañana sin nubes, en que la Naturaleza sonriendo de felicidad, alzaba el himno de adoración al Autor de su belleza.

El corazón, tranquilo como el nido de una paloma, se entregaba a la contemplación del magnífico cuadro.

La plaza única del pueblo de Kíllac mide trescientos catorce metros cuadrados, y el caserío se destaca confundiendo la techumbre de teja colorada, cocida al horno, y la simplemente de paja con alares de palo sin labrar, marcando el distintivo de los habitantes y particularizando el nombre de casa para los notables y choza para los naturales.

En la acera izquierda se alza la habitación común del cristiano, el templo, rodeado de cercos de piedra y en el vetusto campanario de adobes, donde el bronce llora por los que mueren y ríe por los que nacen, anidan también las tortolillas cenicientas de ojos de rubí, conocidas con el gracioso nombre de cullcu. El cementerio de la iglesia es el lugar donde los domingos se conoce a todos los habitantes, solícitos concurrentes a la misa parroquial, y allí se miente y se murmura de la vida del prójimo como en el tenducho o en la era, donde se trilla la cosecha en medio de la algazara y el copeo.

Caminando al sur media milla, escasamente medida, se encuentra una preciosa casa-quinta notable por su elegancia de construcción, que contrasta con la sencillez de las del lugar; se llama "Manzanares", fue propiedad del antiguo cura de la doctrina, don Pedro de Miranda y Claro, después obispo de la diócesis, de quien la gente deslenguada hace referencias no santas, comentando hechos realizados durante veinte años que don Pedro estuvo a la cabeza de la feligresía, época en que construyó "Manzanares", destinada, después, a residencia veraniega de Su Señoría Ilustrísima.

El plano alegre rodeado de huertos, regado por acequias que conducen aguas murmuradoras y cristalinas, las cultivadas pampas que le circundan y el río que la baña, hacen de Kíllac una mansión harto poética.

La noche anterior cayó una lluvia acompañada de granizo y relámpagos, y descargada la atmósfera dejaba aspirar ese olor peculiar a la tierra mojada en estado de evaporación: el sol, más riente y rubicundo, asomaba al horizonte, dirigiendo sus rayos oblicuos sobre las plantas que, temblorosas, lucían la gota cristalina que no alcanzó a caer de sus hojas. Los gorriones y los tordos, esos alegres moradores de todo clima frío, saltaban del ramaje al tejado, entonando notas variadas y luciendo sus plumas reverberantes.

Auroras de diciembre, espléndidas y risueñas, que convidan al vivir; ellas, sin duda, inspiran al pintor y al poeta de la patria peruana.

II

En aquella mañana descrita, cuando recién se levantaba el sol de su tenebroso lecho, haciendo brincar, a su vez, al ave y a la flor, para saludarle con el vasallaje de su amor y gratitud, cruzaba la plaza un labrador arreando su yunta de bueyes, cargado de los arreos de labranza y la provisión alimenticia del día. Un yugo, una picana y una coyunta de cuero para el trabajo, la tradicional chuspa tejida de colores, con las hojas de coca y los bollos de llipta para el desayuno.

Al pasar por la puerta del templo, se sacó reverente la monterilla franjeada, murmurando algo semejante a una invocación; y siguió su camino, pero, volviendo la cabeza de trecho en trecho, mirando entristecido la choza de la cual se alejaba.

¿Eran el temor o la duda, el amor o la esperanza, lo que agitaban su alma en aquellos momentos?

Bien claro se notaba su honda impresión.

En la tapia de piedras que se levanta al lado sur de la plaza, asomó una cabeza, que, con la ligereza del zorro, volvió a esconderse detrás de las piedras, aunque no sin dejar conocer la cabeza bien modelada de una mujer, cuyos cabellos negros, largos y lacios, estaban separados en dos crenchas, sirviendo de marco al busto hermoso de tez algo cobriza, donde resaltaban las mejillas coloreadas de tinte rojo, sobresaliendo aún más en los lugares en que el tejido capilar era abundante.

Apenas húbose perdido el labrador en la lejana ladera de Cañas, la cabeza escondida detrás de las tapias tomó cuerpo saltando a este lado. Era una mujer rozagante por su edad, y notable por su belleza peruana. Bien contados tendría treinta años, pero su frescura ostentaba veintiocho primaveras a lo sumo. Estaba vestida con una pollerita flotante de bayeta azul obscuro; y un corpiño de pana café adornado a cuello y bocamangas con franjas de plata falsa y botones de hueso, ceñía su talle.

Sacudió lo mejor que pudo la tierra barrosa que cayó sobre su ropa al brincar la tapia; y enseguida se dirigió a una casita blanquecina cubierta de tejados, en cuya puerta se encontraba una joven, graciosamente vestida con una bata de granadina color plomo, con blondas de encaje, cerrada por botonadura de concha de perla, que no era otra que la señora Lucía, esposa de don Fernando Marín, matrimonio que había ido a establecerse temporalmente en el campo.

La recién llegada habló sin preámbulos a Lucía y le dijo:

—En nombre de la Virgen, señoracha, ampara el día de hoy a toda una familia desgraciada. Ese que ha ido al campo cargado con las cacharpas del trabajo, y que pasó junto a ti, es Juan Yupanqui, mi marido, padre de dos muchachitas. ¡Ay señoracha! él ha salido llevando el corazón medio muerto, porque sabe que hoy será la visita del reparto, y como el cacique hace la faena del sembrío de cebada, tampoco puede esconderse porque a más del encierro sufriría la multa de ocho reales por la falla, y nosotros no tenemos plata. Yo me quedé llorando cerca de Rosacha que duerme junto al fogón de la choza, y de repente mi corazón me ha dicho que tú eres buena; y sin que sepa Juan vengo a implorar tu socorro, por la Virgen señoracha, ¡ay, ay!

Las lágrimas fueron el final de aquella demanda, que dejó entre misterios a Lucía, pues residiendo pocos meses en el lugar ignoraba las costumbres y no apreciaba en su verdadero punto la fuerza de las citas de la pobre mujer, que desde luego despertaba su curiosidad.

Era preciso ver de cerca aquellas desheredadas criaturas, y escuchar de sus labios, en su expresivo idioma, el relato de su actualidad, para explicarse la simpatía que brota sin sentirlo en los corazones nobles, y cómo se llega a ser parte en el dolor, aun cuando sólo el interés del estudio motive la observación de costumbres que la mayoría de peruanos ignoran y que lamenta un reducido número de personas.

En Lucía era general la bondad, y creciendo desde el primer momento el interés despertado por las palabras que acababa de oír, preguntó:

—¿Y quién eres tú?

—Soy Marcela, señoracha, la mujer de Juan Yupanqui, pobre y

desamparada —contestó la mujer secándose los ojos con la bocamanga del jubón o corpiño.

Lucía pósole la mano sobre el hombro con ademán cariñoso, invitándola a pasar y tomar descanso en el asiento de piedra que existe en el jardín de la casa blanca.

—Siéntate, Marcela, enjuga tus lágrimas que enturbian el cielo de tu mirada, y hablemos con calma —dijo Lucía vivamente interesada en conocer a fondo las costumbres de los indios.

Marcela calmó su dolor, y, acaso con la esperanza de su salvación, respondió con minucioso afán al interrogatorio de Lucía; y fue cobrando confianza tal, que le habría contado hasta sus acciones reprensibles, hasta esos pensamientos malos, que en la humanidad son la exhalación de los gérmenes viciosos. Por eso en dulce expansión le dijo:

—Como tú no eres de aquí, niñay, no sabes los martirios que pasamos con el cobrador, el cacique y el tata cura, ¡ay! ¡ay! ¿Por qué no nos llevó la peste a todos nosotros, que ya dormiríamos en la tierra?

—¿Y por qué te confundes, pobre Marcela? —interrumpió Lucía—. Habrá remedio; eres madre y el corazón de las madres vive en una sola tantas vidas como hijos tiene.

—Sí, niñay —replicó Marcela— tú tienes la cara de la Virgen a quien rezamos el ALABADO, y por eso vengo a pedirte. Yo quiero salvar a mi marido. El me ha dicho al salir: «Uno de estos días he de arrojarme al río porque ya no puedo con mi vida, y quisiera matarte a ti antes de entregar mi cuerpo al agua», y ya tú ves, señoracha, que esto es desvarío.

—Es pensamiento culpable, es locura, ¡pobre Juan! —dijo Lucía con pena, y dirigiendo una mirada escudriñadora a su interlocutora, continuó—: Y ¿qué es lo más urgente de hoy? Habla, Marcela, como si hablases contigo misma.

—El año pasado —repuso la india con palabra franca— nos dejaron en la choza diez pesos para dos quintales de lana. Ese dinero lo gastamos en la feria comprando estas cosas que llevo puestas, porque Juan dijo que reuniríamos en el año vellón a vellón, mas esto no nos ha sido posible por las faenas, donde trabaja sin socorro; y porque muerta mi suegra en Navidad, el tata cura nos embargó nuestra cosecha de papas por el entierro y los rezos. Ahora tengo que entrar de mita a la casa parroquial, dejando mi choza y mis hijas, y mientras voy, ¿quién sabe si Juan delira y muere? ¡Quién sabe también la suerte que a mí me espera, porque las mujeres que entran de mita salen... mirando al suelo!

—¡Basta! no me cuentes más —interrumpió Lucía, espantada por la gradación que iba tomando el relato de Marcela, cuyas últimas palabras alarmaron a la candorosa paloma, que en los seres civilizados no encontraba más que monstruos de codicia y aun de lujuria.

—Hoy mismo hablaré con el gobernador y con el cura, y tal vez mañana quedarás contenta —prometió la esposa de don Fernando, y agregó como despidiendo a Marcela—: Anda ahora a cuidar de tus hijas, y cuando vuelva Juan tranquilízalo, cuéntale que has hablado conmigo, y dile que venga a verme.

La india, por su parte, suspiraba satisfecha por la primera vez de su vida.

Es tan solemne la situación del que en la suprema desgracia encuentra una mano generosa que le preste apoyo, que el corazón no sabe si bañar de lágrimas o cubrir de besos la mano cariñosa que le alargan, o sólo prorrumpir en gritos de bendición. Eso pasaba en aquellos momentos en el corazón de Marcela.

Los que ejercitan el bien con el desgraciado, no pueden medir nunca la magnitud de una sola palabra de bondad, una sonrisa de dulzura que para el caído, para el infeliz, es como el rayo de sol que vuelve la vida a los miembros entumecidos por el hielo de la desgracia.

III

En las provincias donde se cría la alpaca, y es el comercio de lanas la principal fuente de riqueza, con pocas excepciones, existe la costumbre del reparto antelado que hacen los comerciantes potentados, gentes de las más acomodadas del lugar.

Para los adelantos forzosos que hacen los laneros, fijan al quintal de lana un precio tan ínfimo, que, el rendimiento que ha de producir el capital empleado, excede del quinientos por ciento; usura que, agregada a las extorsiones de que va acompañada, casi da la necesidad de la existencia de un infierno para esos bárbaros.

Los indios propietarios de alpacas emigran de sus chozas en las épocas de reparto, para no recibir aquel dinero adelantado, que llega a ser para ellos tan maldito como las trece monedas de Judas. ¿Pero el abandono del hogar, la erraticidad en las soledades de las encumbradas montañas, los pone a salvo? No...

El cobrador, que es el mismo que hace el reparto, allana la choza, cuya cerradura endeble, en puerta hecha de vaqueta, no ofrece resistencia: deja sobre el batán el dinero, y se marcha enseguida, para volver al año siguiente con la LISTA ejecutoria, que es el único juez y testigo para el desventurado deudor forzoso.

Cumplido el año se presenta el cobrador con su séquito de diez o doce mestizos; a veces disfrazados de soldados; y extrae, en romana especial con contrapesos de piedra, cincuenta libras de lana por veinticinco. Y si el indio esconde su única hacienda, si protesta y maldice, es sometido a torturas que la pluma se resiste a narrar, a pesar de pedir venia para los casos en que la tinta varíe de color.

LA PASTORAL de uno de los más ilustrados; obispos que tuvo la Iglesia peruana, hace mérito de estos excesos, pero no se atrevió a hablar de las lavativas de agua fría que en algunos lugares emplean para hacer declarar a los indios que ocultan sus bienes. El indio teme aquello más aún que el ramalazo del látigo, y los inhumanos que toman por la forma el sentido de la ley alegan que, la flagelación está prohibida en el Perú, mas no la barbaridad que practican con sus hermanos nacidos en el infortunio.

¡Ah! plegue a Dios que algún día, ejercitando su bondad, decrete la extinción de la raza indígena, que después de haber ostentado la grandeza imperial, bebe el lodo del oprobio. ¡Plegue a Dios la extinción, ya que no es posible que recupere su dignidad, ni ejercite sus derechos!

El amargo llanto y la desesperación de Marcela al pensar en la próxima llegada del cobrador, era, pues, la justa explosión angustiosa de quien veía en su presencia todo un mundo de pobreza y dolor infamante.

IV

Lucía no era una mujer vulgar.

Había recibido bastante buena educación, y la perspicacia de su inteligencia alcanzaba la luz de la verdad estableciendo comparaciones.

De alta estatura y color medianamente tostado, lo que se llama en el país color perla; ojos hermosos sombreados por espesas pestañas y cejas aterciopeladas; llevaba además ese grande encanto femenino de una cabellera abundante y larga que, cuando deshecha, caía sobre sus espaldas como un manto de carey ondulado y brillante. Su existencia no marcaba todavía los veinte años, pero el matrimonio había dejado en su fisonomía ese sello de gran señora que tan bien sienta a la mujer joven, cuando sabe hermanar la amabilidad de su carácter con la seriedad de sus maneras. Establecida desde un año atrás con su esposo, en Killac, habitaba "la casa blanca", donde se había implantado una oficina para el beneficio de los minerales de plata que explotaba en la provincia limítrofe, una compañía de que don Fernando Marín era accionista principal, y en la actualidad gerente.

Killac ofrece al minero y al comerciante del interior la ventaja de ocupar un punto céntrico para las operaciones mercantiles en relación con las capitales de departamento; y la bondad de sus caminos presta alivio a los peones que transitan cargados con los capachos del mineral en bruto, y a las llamas empleadas en el acarreo lento.

Después de su entrevista con Marcela, Lucía se entregó a combinar un plan salvador para la situación de la pobre mujer, que era harto grave, atendidas sus revelaciones.

Lo primero en que pensó fue en ponerse al habla con el cura y el gobernador, y con tal propósito les dirigió, a entrambos, un recadito suplicatorio solicitando de ellos una visita.

La palabra de don Fernando en esos momentos podía ser eficaz para realizar los planes que debían ponerse en práctica inmediata, pero don Fernando había emprendido viaje a los minerales, de donde volvería después de muchas semanas.

Una vez que Lucía resolvió llamar a su casa a los personajes de cuyo favor necesitaba, púsose a meditar, sobre la manera persuasiva como hablaría a aquellas notabilidades de provincia.

—¿Y si no vienen? Iré en persona —se preguntó y respondió simultáneamente, con la rapidez del pensamiento que envuelve en sus giros la intención y la ejecución, y se puso a sacudir los muebles, arreglando esta y aquella silleta, hasta que, llegando junto a un sofá, tomó asiento y tornó a sus combinaciones de discurso en la forma más interesante, aunque sin los giros de retórica que habría necesitado para un caballero de ciudad.

Entregada a este teje y desteje del pensamiento, sentía los minutos pesados, cuando tocaron a la puerta, y abriéndose suavemente el portón de vidrios dio paso al cura y al gobernador del poético pueblo de Killac.

V

Estatura pequeña, cabeza chata, color obscuro, nariz gruesa de ventanillas pronunciadamente abiertas, labios gruesos, ojos pardos y diminutos, cuello corto sujeto por una rueda hecha de mostacillas negras y blancas, barba rala y mal rasurada; vestido con una imitación de sotana de tela negra, lustrosa, mal tallada, y peor atendida en el aseo, un sombrero de paja de Guayaquil en la mano derecha; tal era el aspecto del primer personaje, que se adelantó y a quien saludó, la primera, Lucía con marcadas manifestaciones de respeto, diciéndole:

—Dios le dé santas tardes, cura Pascual.

El cura Pascual Vargas, sucesor de don Pedro Miranda y Claro en la doctrina de Killac, inspiraba desde el primer momento serias dudas de que, en el seminario, hubiese cursado y aprendido teología ni latín; idioma que mal se hospedaba en su boca, resguardada por dos murallas de dientes grandes, muy grandes y blancos. Su edad frisaba en los cincuenta años, y sus maneras acentuaban muy seriamente los temores que manifestó Marcela cuando habló de entrar al servicio de la casa parroquial, de donde, según la expresión indígena, las mujeres salían mirando al suelo.

Para un observador fisiológico el conjunto del cura Pascual podía definirse por un nido de sierpes lujuriosas, prontas a despertar al menor ruido causado por la voz de una mujer.

Por la mente de Lucía cruzó también enérgica la pregunta de cómo un personaje tan poco agraciado había podido llegar al más augusto de los ministerios; pues en sus convicciones religiosas estaba la sublimidad del sacerdocio que en la tierra desempeña el tutelaje del hombre, recibiéndolo en la cuna con las aguas del bautismo, depositando sus restos en la tumba con la lluvia del agua lustral, y durante su peregrinación en el valle del dolor, dulcificando sus amarguras con la palabra sana del consejo, y la suave voz de la esperanza.

Olvidaba, Lucía, que, siendo misión dependiente de la voluntad humana, quedaba explicada su propensión al error, y ella no sabía cómo son generalmente, los pastores de los curatos apartados.

El otro personaje que seguía al cura Pascual, envuelto en una ancha capa española, cuya mención consta en cláusula de catorce testamentos, lo cual podía constituir sus títulos de antigüedad, cuando no su árbol genealógico posesivo, era don Sebastián Pancorbo, nombre que recibió su señoría en bautismo solemne, de cruz alta, capa nueva, salero de plata y voz de órgano, administrado a los tres días de nacido.

Don Sebastián, sujeto bien original, comenzando a juzgarlo por su vestido, es alto y huesudo; a su rostro no asoman nunca las molestias masculinas en forma de barba ni mostachos; sus ojos negros, vivos y codiciosos, denuncian en mirada inclinada a la visual izquierda que no es indiferente al sonido metálico, ni al metal de una voz femenina. El dedo meñique de la mano derecha se le torció siendo mozo, al dar un bofetón a un amigo, y desde entonces usa un medio guante de vicuña, aunque maneja con gracia peculiar aquella mano. El hombre no tiene átomo de nitroglicerina en su sangre: parece formado para la paz, pero su debilidad genial lo pone con frecuencia en escenas ridículas que explotan sus comensales. Rasga la guitarra con falta de oído y de ejecución tales, que le hacen notabilidad, aunque bebe como un músico de ejército.

Don Sebastián recibió instrucción primaria tan elemental como lo permitieron los tres años que estuvo en una escuela de ciudad; y después al regresar a su pueblo, fue llavero en Jueves Santo; se casó con doña Petronila Hinojosa, hija de notable; y enseguida le hicieron gobernador; es decir, que llegó al puesto más encumbrado que se conoce y a que se aspira en un pueblo.

Los dos personajes arrastraron su respectiva poltrona, señalada por Lucía, donde tomaron cómodo descanso.

La señora de Marín hizo acopio de amabilidad y razonamiento para interesar a sus interlocutores en favor de Marcela y dirigiéndose particularmente al párroco, dijo:

—En nombre de la religión cristiana, que es puro amor, ternura y esperanza; en nombre de vuestro Maestro, que nos mandó dar todo a los pobres, os pido, señor cura, que déis por terminada esa deuda que pesa sobre la familia de Juan Yupanqui. ¡Ah! tendréis en cambio doblados tesoros en el cielo...

—Señorita mía —repuso el cura Pascual arrellanándose en el asiento, y apoyando ambas manos en los brazos del sillón—, todas esas son tonterías bonitas, pero en el hecho, ¡válgame Dios! ¿quién vive sin rentas? Hoy, con el aumento de las contribuciones eclesiásticas y la civilización decantada que vendrá con los ferrocarriles, terminarán los emolumentos; y... y... de una vez doña Lucía, fuera curas; ¡nos moriremos de hambre!...

—¿A eso había venido el indio Yupanqui? —agregó el gobernador, en apoyo del cura, y con tono de triunfo terminó recalcando la frase para Lucía—. Francamente, sepa usted, señorita, que la costumbre es ley, y que nadie nos sacará de nuestras costumbres, ¿qué?...

—Caballeros, la caridad también es ley del corazón —arguyó Lucía interrumpiendo.

—¿Con que Juan, eh? Francamente, ya veremos si vuelve a tocar resorticos el pícaro indio —continuó don Sebastián pasando por alto las palabras de Lucía, y con cierta sorna amenazante que no pudo pasar inadvertida para la esposa de don Fernando, cuyo corazón tembló de temor. Las cortas frases cambiadas entre ellos habían puesto en transparencia el fondo moral de aquellos hombres, de quienes nada debían esperar, y sí temerlo todo.

Su plan fue desconcertado en lo absoluto; pero su corazón quedó interesado de hecho por la familia de Marcela, y estaba resuelta a protegerla contra todo abuso. Su corazón de paloma sintió su amor propio herido y la palidez sombreó su frente.

En aquel momento era precisa una salida decisiva, y ésta la halló Lucía en la energía con que respondió:

—¡Triste realidad, señores! ¡Y bien! Vengo a persuadirme de que el vil interés ha desecado también las más hermosas flores del sentimiento de humanidad en estas comarcas, donde creí hallar familias patriarcales con clamor de hermano a hermano. Nada hemos dicho; y la familia del indio Juan no solicitará nunca ni vuestros favores ni vuestro amparo —al decir estas últimas palabras con calor, los hermosos ojos de Lucía se fijaron, con la mirada del que da una orden, en la mampara de la puerta.

Los dos potentados de Kíllac se desorientaron con tan inesperada actitud, y no viendo otra salida para reanudar una discusión de la que, por otra parte, estaba en sus intereses huir, tomaron sus sombreros.

—Señora Lucía, no se dé por ofendida con esto, y créame siempre su capellán —dijo el cura, dando una vuelta al sombrero de paja que tenía entre las manos; y don Sebastián se apresuró a decir secamente:

—Buenas tardes, señora Lucía.

Lucía acordó las fórmulas de la despedida empleando sólo una inclinación de cabeza; y viendo salir a aquellos hombres, después de dejar la más honda impresión en su alma ángel, se decía temblorosa y vehemente:

—No, no; ese homrbe insulta el sacerdocio católico; yo he visto en la ciudad seres superiores, llevando la cabeza cubierta de canas, ir en silencio enmedio del misterio, a buscar la pobreza y la orfandad para socorrerla y consolarla; yo he contemplado al sacerdote católico abnegado en el lecho del moribundo; puro ante el altar del sacrificio; lloroso y humilde en la casa de la viuda y del huérfano; le he visto tomar el único pan de su mesa y alargarlo al pobre, privándose él del alimento y alabando a Dios por la merced que le diera. Y ¿es ese el cura Pascual? . . . ¡ah! ¡curas de los villorrios! . . . El otro, alma fundida en el molde estrecho del avaro, el gobernador, tampoco merece la dignidad que en la tierra rodea a un hombre honrado. ¡Márchense en buena hora, que yo sola podré bastarme para rogar a mi Fernando, y llevar las flores de la satisfacción a nuestro hogar!

Cinco campanadas tañidas por la campana de familia anunciaron a Lucía las horas transcurridas, y la notificaron que la comida estaba servida.

La esposa del señor Marín, con los carrillos encendidos por el calor de sus impresiones, atravesó varios pasadizos y llegó al comedor, donde tomó su asiento de costumbre.

El comedor de la casa blanca estaba pintado en su techo y paredes, imitando el roble; de trecho en trecho pendían lujosos cuadros de oleografía, representando ya una perdiz medio desplumada, ya un conejo de Castilla listo para echarlo a la cacerola del guisante. En la testera izquierda alzábase un aparador de cedro con lunas azogadas, que duplicaban los objetos de uso colocados con simetría. A la derecha se veían dos pequeñas mesitas, una con un tablero de ajedrez, y otra con una ruleta; como que aquel era el lugar que los empleados de los minerales habían elegido para sus horas de solaz. La mesa de comer, colocada al centro de la habitación, cubierta con manteles bien blancos y planchados, lucía un servicio de campo, todo de loza azul con filetes colorados.

La sopa exhalaba un espeso vapor que, con su fragancia, notificaba ser la substanciosa cuajada de carne preparada de lomo molido con especias, nueces, y bizcocho, todo disuelto en el aguado y caldo; siguiendo a ésta tres buenos platos, entre los que formaba número el sabroso locro colorado.

Servían el café de Carabaya que, claro, caliente y cargado, despedía su aroma inspirador desde el fondo de pequeñas tazas de porcelana, cuando se presentó un propio con una carta para Lucía, quien la tomó con interés y, conociendo la letra de don Fernando, rompió el sobre y se puso a leerla de ligero. Las impresiones de su semblante podían revelar al observador el contenido de aquella misiva, en la cual decía el señor Marín que en la madrugada del día siguiente estaría en casa, pues los derrumbes ocasionados por las repetidas nevadas en la región andina, habían paralizado por un tiempo los trabajos en los minerales, y que le enviasen un caballo de refresco, por estar sin herraduras el que lo conducía.

VI

Cuando Marcela volvió a su choza llevando un mundo de esperanzas en el corazón, ya sus hijas estaban despiertas, y la menorcita lloraba desconsalada, al encontrarse sin su madre. Fueron suficientes algunos halagos de ésta y un puñado de mote para calmar a esta inocente predestinada que, nacida entre los harapos de la choza, lloraba, no obstante, las mismas lágrimas saladas y cristalinas que vierten los hijos de los reyes.

Marcela tomó con afán los tocarpus donde se coloca el telar portátil, que, ayudada por su hija mayor armó en el centro de la habitación, dejando preparados los hilos del fondo y la trama, para continuar el tejido de un bonito poncho listado con todos los colores que usan los indios, mediante la combinación del palo brasil, la cochinilla, el achiote y las flores del quico.

Jamás tomó la cotidiana labor con más alegría de ánimo, ni nunca hizo la pobre mujer más castillos en el aire sobre la manera de participar a Juan las buenas nuevas que le esperaban.

Las horas, por esta misma razón, se hicieron largas; pero al fin llegó el crepúsculo vespertino, abarcando con sus sombras tenues el valle y la población, y despidiendo de los campos a las cantoras palomas que revoloteaban en distintas direcciones en busca de su árbol bienhechor. Con éstas volvió Juan, y no bien hubo sentido los pasos de su esposo, salió Marcela en su alcance; le ayudó a atar la yunta de bueyes en la cerca, echó la granza en el pesebre, y cuando su marido se sentó en un poyo de la vivienda, comenzó ella a hablarle con cierta timidez, que revelaba su desconfianza acerca de si Juan recibiría con agrado las noticias.

—¿Tú conoces, Juanuco, a la señoracha Lucía? —preguntó la mujer.

—Como que voy a la misa, Marluca, y allí se conoce a todos —respondió Juan con indiferencia.

—Pues yo he hablado con ella hoy.

—¿Tú? ¿y para qué? —preguntó sorprendido el indio mirando con avidez a su mujer.

—Estoy apenada con todo lo que nos pasa; tú me has hecho ver claro que la vida te desepera . . .

—¿Vino el cobrador? —interrumpió Juan a Marcela, quien repuso con calmosa y confiada expresión:

—Gracias al cielo que no ha llegado; pero, óyeme, Juanuco, yo creo que esa señoracha podrá aliviarnos; ella me ha dicho que nos socorrerá, que vayas tú...

—Pobre flor del desierto, Marluca —dijo el indio moviendo la cabeza y tomando a la chiquilla Rosalía que iba a abrazar sus rodillas— tu corazón es como los frutos de la penca; se arranca uno, brota otro sin necesidad de cultivo. ¡Yo soy más viejo que tú y yo he llorado sin esperanzas!

—Yo no, aunque me digas que imito a la tuna, pero, ayalay, mejor así que ser lo que tú eres, la pobre flor del mastuerzo, que tocada por la mano se marchita y ya no se levanta. A ti te ha tocado la mano de algún brujo; pero yo he visto la cara de la Virgen lo mismito que la cara de la señora Lucía —dijo la india y rió como una chiquilla.

—Será —respondió melancólico Juan— pero yo llego rendido del trabajo sin traer un pan para ti, que eres mi virgen y para estos pollitos —señaló a las dos muchachas.

—Te quejas más de lo preciso, hombre; ¿acaso no te acuerdas que cuando el tata cura llega a su casa con los bolsillos llenos con la plata de los responsos de Todosantos no tiene quien le espere, como te espero yo, con los brazos abiertos ni con los besos de amor con que te aguardan estos angelitos... ¡Ingrato!... piensas en el pan; aquí tenemos mote frío y chuño cocido, que con su olor nos convida desde el fogón... ¡comerás, ingrato!

Marcela estaba demudada. Las esperanzas que Lucía le infundió le hicieron otra; y su lógica, mezclada con la voz del corazón, que es inherente al corazón de la mujer, era irresistible, y convenció a Juan, quien tomaba en esos momentos dos ollas de barro negro colocadas en el fogón; y todos en grupo compartieron de una cena agradable y frugal.

Terminada la cena y ya envuelta la choza en las tenebrosas sombras de la noche, y sin otra lumbre que la tenue llama de los palos de molle que de vez en cuando se levantaba del fogón, tomaron descanso en una cama común colocado en un ancho apoyo de adobes; duro lecho que para el amor y la resignación de los esposos Yupanqui tenía la blandura confortable de las plumas que el amor deslizó de sus blancas alas.

Lecho de rosas donde el amor, como el primitivo sentimiento de ternura vive sin los azares y sin los misterios de medianoche que la ciudad comenta en voz baja, no alcanzando tampoco que esto sea un secreto.

Una vez que esta historia llegue a los relatos de la ciudad más opulenta del Perú, donde se dirigen los protagonistas, tal vez tendremos ocasión de poner en paralelo el despertar del campo y el trasnochar de la capital...

No bien asomó la hora conveniente, la familia de Juan dejó el humilde chuze tejido con florones de castilla; rezó el alabado, santiguóse la frente, y comenzó las faenas del nuevo día.

Marcela, en cuya mente bullían las ideas, fue la primera en decir:

—Juanico, yo me voy luego donde la señora Lucía. Tú estás desconfiado y taciturno, pero mi corazón me está hablando sin cesar desde ayer.

—Anda, pues, Marcela, anda, porque hoy de todos modos vendrá el cobrador; yo lo he soñado, y no nos queda otro recurso —contestó el indio en cuyo ánimo parecía haberse operado una transición notable, bajo el influjo de las palabras de su mujer y la superstición avivada por su sueño.

VII

Aquella mañana la casa blanca respiraba felicidad, porque la vuelta de don Fernando comunicó alegría infinita a su hogar donde era amado y respetado.

Empeñada Lucía en hallar los medios positivos para llevar a realidad sus propósitos de socorrer a la familia de Juan Yupanqui, pensó, desde luego, explotar la poesía y la dulzura que encierra para los esposos la primera entrevista, después de una ausencia. Ella, que horas antes parecía lánguida y triste como las flores sin sol y sin rocío, tornóse lozana y erguida en brazos del hombre que la confió al santuario de su hogar y de su nombre, el arca santa de su honra, al llamarla esposa.

La cadena de flores que sujetó dos voluntades en una, estrechó de nuevo a los esposos Marín sujetando los eslabones el dios del amor.

—Fernando, alma de mi alma —dijo Lucía, poniendo las manos sobre los hombros de su marido, y reclinando la frente con cierta coquetería en la barba— voy a cobrarte una deuda, pero... ejecutivamente.

—De modo que hoy estás muy bachillera, hija; habla, pero ten en cuenta que si la deuda no consta legalmente me pagarás... multa —contestó don Fernando con sonrisa intencionada.

—¡Multa!, si es la que cobras siempre, goloso, pagaré esa multa.

Lo que debo recordarte es una solemne oferta que me tienes hecha para el 28 de julio.

—¿Para el 28 de julio?...

—¿Te haces el olvidadizo? ¿No recuerdas que me tienes ofrecido un vestido de terciopelo que luciré en la ciudad?

—Cabales, hijita; y lo cumpliré, pues he de encargarlo por el próximo correo. ¡Oh!, ¡qué linda estarás con ese vestido!

—No, no, Fernando. Lo que quiero que me dejes disponer del valor del vestido, a condición de presentarme el 28 de julio tan elegante como no me has visto desde nuestro casamiento.

—¿Y qué?...

—Nada, hijo, no admito interrogatorios; di sí o no —y los labios de Lucía sellaron los labios de don Fernando, el cual satisfecho y feliz, respondió:

—¡Adulona!, ¿qué puedo negarte si me hablas así? ¿Cuánto necesitas para este capricho?

—Poca cosa, doscientos soles.

—Pues —dijo don Fernando sacando su cartera, arrancando una hoja y escribiendo con lápiz unas líneas— ahí tienes la orden para que el cajero de la compañía te mande los doscientos soles. Y ahora déjame ir al trabajo para recuperar los días que he perdido en el viaje.

—Gracias, gracias, Fernando —repuso ella tomando el papel contenta como una chiquilla.

Al salir don Fernando de la habitación de Lucía en dirección al escritorio de trabajo, iba con el pensamiento sumergido en un mar de meditaciones dulces, despertadas por aquel pedido infantil de su esposa, comparándolo con los derroches con que otras mujeres victiman a sus maridos en medio de su afán por gastar lujo; y esa comparación no podía dejar otro convencimiento que el de la influencia de los hábitos que se dan a la niña en el hogar paterno, sin el correctivo de una educación madura, pues la mujer peruana es dócil y virtuosa por regla general.

Pocos momentos después de las escenas anteriores, Marcela cruzaba el patio de la casa blanca, acompañada de una tierna niña que la seguía. Aquella muchacha era portento de belleza y de vivacidad, que desde el primer momento preocupó a Lucía, haciendo nacer en ella la curiosidad de conocer de cerca al padre, pues su belleza era el trasunto de esa mezcla del español y la peruana, que ha producido hermosuras notables en el país.

Mirando acercarse a la muchacha, se dijo para sí la esposa de don Fernando:

—Este será, indudablemente, el ángel bueno de Marcela, en su vida; porque Dios ha puesto un brillo peculiar en los semblantes por donde respira una alma privilegiada.

VIII

Cuando el cura y el gobernador salieron de casa de la señora de Marín, después de la entrevista de la tarde en que los llamó para abogar en favor de la familia Yupanqui, entrevista de cuyos detalles nos hemos enterado en el capítulo V, ambos personajes se fueron platicando por la calle en estos términos:

—¡Bonita ocurrencia!, ¿qué le parece a usted, mi don Sebastián, las pretensiones de esta señorona? —dijo el cura sacando de la petaca un cigarro corbatón y desdoblando las extremidades del torcido.

—No faltaba más, francamente, mi señor cura, que unos foráneos viniesen aquí a ponernos reglas, modificando costumbres que desde nuestros antepasados subsisten, francamente —contestó el gobernador deteniendo un poco el paso para embozarse en su gran capa.

—Y déles usted cuerda a estos indios, y mañana ya no tendremos quién levante un poco de agua para lavar los pocillos.

—Hay que alejar a estos foráneos, francamente.

—¡Jesús! —se apresuró a decirle el cura, y tomando de nuevo el hilo de sus confidencias, continuó—: Cabalmente, es lo que iba a insinuar a usted, mi gobernador. Aquí, entre nos, en familia, nos la pasamos regaladamente, y estos forasteros sólo vienen a observarnos hasta la manera de comer, y si tenemos mantel limpio y si comemos con cuchara o con topos —terminó el cura Pascual, arrojando una bocanada de humo.

—No tenga usted cuidado francamente, mi señor cura, que estaremos unidos, y la ocasión de botarlos de nuestro pueblo, no se dejará esperar —repuso Pancorbo con aplomo.

—Pero mucho sigilo en estas cosas, mi don Sebastián. Hay que andarse con tientas; estos son algo bien relacionados y pudiéramos dar el golpe en falso.

—Cuente que sí, mi señor cura, francamente; que ellos están buscándole tres pies al gato. ¿Se acuerda usted lo que dijo un día don Fernando?

—¡Cómo no! Querer que se supriman los repartos, diciendo que es injusticia; ¡ja! ¡ja! ¡já! —contestó el cura riendo con sorna y arrojando el pucho del cigarro, que había consumido en unos cuantos chupones de aliento.

—Pretender que se entierre de balde, alegando ser pobres y dolientes, y todavía que se perdonen deudas... ¡bonitos están los tiempos para entierros gratuitos! Francamente, señor cura —dijo don Sebastián, cuyo eterno estribillo de francamente, lo denunciaba como un hipócrita o como un tonto; y habiendo llegado ambos amigos a la puerta de la casa de gobierno o consistorial, el gobernador invitó al cura a pasar adelante; y al penetrar al salón de recibo, encontraron allí reunidos a varios vecinos notables, comentando, cada cual a su modo, la llamada del párroco y del gobernador a casa del señor Marín, pues la noticia ya se sabía en todo el pueblo.

Cuando entraron los recién llegados, todos se pusieron en pie para cambiar saludos, y el gobernador pidió en el momento una botella de puro de Majes.

—Es preciso, mi señor cura, que ahoguemos la mosca con un traguito, francamente —dijo con sorna el gobernador, quitándose la capa que, doblada en cuatro, colocó sobre un escaño de la sala.

—Cabales, mi don Sebastián, y usted que lo toma del bueno —contestó el cura frotándose las manos.

—Sí, mi señor cura, es del bueno, francamente; porque me lo manda doña Rufa antes de bautizarlo.

—¿Así que nos lo brinda usted, morito?

—¡Morito! —repitieron todos los circunstantes; y en tales momentos se presentó un pongo con una botella verde surtida de aguardiente y una copita de cristal rayado.

El menaje de la sala, típico del lugar, estaba compuesto de dos escaños, sofá forrados en hule negro, claveteados con tachuelas amarillas de cabeza redonda; algunas silletas de madera de Paucartambo con pinturas en el espaldar, figurando ramos de flores y racimos de frutas; al centro, una mesa redonda con su tapete largo y felpado de castilla verde claro y sobre ella, bizarreando con aires de civilización, una salvilla de hoja de lata con tintero, pluma y arenillador de peltre.

Las paredes, empapeladas con diversos periódicos ilustrados, ofrecían un raro conjunto de personajes, animales y paisajes de campiñas europeas.

Allí estaban empapelados Espartero y el rey Humberto, junto a la garza que escuchó los sermones de San Francisco de Asís, más allá

Pío IX y la campiña de Suiza, donde departen sus regocijos campestres la alegre labradora y la vaca que lleva un cascabel en el pescuezo.

El suelo cubierto completamente con las esteras tejidas en Ccapana y Capachica, ofrecía una vista simpática en el color de la paja en su mejor estado de conservación.

La reunión constaba de ocho personas.

El cura y el gobernador, Estéfano Benites, un mozalbete vivo y de buena letra que, aprovechando de las horas de escuela algo más que los condiscípulos, es ya figura importante en este juego de villorrio; y cinco individuos más, pertenecientes a familias distinguidas del lugar, todos hombres de estado, por haber contraído matrimonio desde los diecinueve años, edad en que se casan en estos pueblos.

Estéfano Benites cuenta veintidós años debajo del sol; es alto, y su flacura singular, unida a la palidez de la cera que muestra su semblante, cosa rara en el clima donde ha nacido, recuerda la tisis que consume el organismo en los valles tropicales.

Estéfano tomó la botella dejada por el pongo en la mesa de centro, y sirvió a cada uno su respectiva copita de aguardiente, que los concurrentes fueron tomando por turno.

Cúpoles la ración de dos copas por estómago; a la segunda quedó abierto el apetito del copeo, y las botellas fueron llegando una tras otra a pedimento de don Sebastián.

El cura y el gobernador, que se sentaron juntos en el sofá de la derecha, hablaban en secreto no sin la respectiva muletilla de Pancorbo que se dejaba oír a menudo mientras los otros razonaban también en grupo. Pero, como la confianza reside en el fondo de la botella, ésta no tardó en saltar a la lengua, mojada por el puro de Majes, y aquí fue la de hablar claro de pe a pa.

—No debemos consentir por nada, francamente, mi señor cura; y si no ¡que digan estos caballeros! —dijo don Sebastián levantando la voz y golpeando la mesa con el asiento de la copa que acababa de vaciar.

—¡Chist! —repuso el cura sacando un pañuelo de madrás a grandes cuadros negros y blancos, y sonándose las narices, más por disimulo que por necesidad.

—¿De qué se trata, señores? —preguntó Estéfano, y todos volvieron con ademán hacia el párroco.

El cura Pascual tomó entonces cierto aire de gracia, y repuso:

—Se trata . . . de que la señora Lucía nos ha llamado para abogar por unos indios taimados, tramposos, que no quieren pagar lo que deben; y para esto ha empleado palabras, que francamente, como dice don Sebastián, entendidas por los indios nos destruyen de hecho nuestras costumbres de reparto, mitas, pongos y demás...

—¡No consentiremos! ¡qué caray! —gritaron Estéfano y todos los oyentes, y don Sebastián agregó con refinada malicia:

—Y hasta ha propuesto el entierro gratuito para los pobres, y así, francamente, ¿cómo se queda sin cumquibus nuestro párroco?

La declaración no tuvo en el auditorio el efecto que produjo la perorata del cura Pascual; lo que es fácil de explicarse, atendiendo a que en el fondo había conveniencias de un yo fatal y ejecutivo. Sin embargo, habló Estéfano en nombre de todos, concretándose a decir:

—¡Vaya con las pretensiones de esos foráneos!

—¡De una vez por todas debemos poner remedio a esas malas enseñanzas; es preciso botar de aquí a todo forastero que venga sin deseos de apoyar nuestras costumbres; porque nosotros, francamente, somos hijos del pueblo —dijo don Sebastián, alzando la voz con altanería y llegándose a la mesa para servir una copa al párroco.

—Sí, señor, nosotros estamos en nuestro pueblo.

—Cabales.

—Como nacidos en el terruño.

—Dueños del suelo.

—Peruanos legítimos.

Fueron diciendo los demás, pero a nadie se le ocurrió preguntar si los esposos Marín eran peruanos por haber nacido en la capital.

—Cuidadito no más, cuidadito, no hacerse sentir y... trabajar —agregó el cura marcando la doctrina hipócrita que engaña al hermano y desorienta al padre.

Y aquella tarde se pactó en la sala de la autoridad civil, en presencia de la autoridad eclesiástica, el odio que iba a envolver al honrado don Fernando en la ola de sangre que produjo una demanda amistosa y caritativa de su mujer.

IX

Luego que Marcela estuvo cerca de Lucía, ésta no pudo contener su sorpresa, preguntándole:

—¿Esta es tu hija?

—Sí, niñay —respondió la india—, tiene catorce años, y se llama Margarita, y va a ser tu ahijada.

La respuesta iba acompañada de satisfacción tal, que cualquiera la habría interpretado así; esa mujer se baña en el aroma de santo orgullo en que se sumergen las madres cuando comprenden que sus hijas son admiradas.

Santa vanidad maternal que orna la frente de la mujer, sea en la ciudad alumbrada por focos eléctricos, sea en la aldea iluminada por la melancólica viajera de la noche.

—Bien, Marcela, has acertado en venir con esta linda niña. A mí me gustan mucho las criaturas. Son tan inocentes, tan puras —agregó la señora de Marín.

—Niñay, es que tu alma florece para el cielo —respondió la mujer de Yupanqui cada momento más encantada por haber encontrado el amparo de un ángel de bondad.

—¿Has hablado con Juan? ¿Cuánta plata necesitan ustedes para pagar todo y vivir en paz? —preguntó con interés Lucía.

—¡Ay señoracha! ni a contarla acierto; sin duda será mucha, mucha plata, porque el cobrador, si accede a que se le devuelva en plata su reparto, pedirá por cada quintal de lana sesenta pesos, y en dos son... —y comenzó a contar en los dedos, pero Lucía aligerándole la operación aritmética, le dijo:

—Di ciento veinte.

—Pues así, señoracha. ¡Ciento veinte! ¡ah, cuánta plata!...

—¿Y cuánto me dijiste que adelantaron?

—Diez pesos, niñay.

—¿Y por diez cobran ahora ciento veinte? ¡Inhumanos!...

Decía esto cuando llegó el marido de Marcela confundido y sudoroso.

Entró sin etiqueta ninguna, y se fue a arrojar a los pies de Lucía. Marcela, al verlo, se levantó azorada del asiento que poco ha tomó, y Lucía sin darse cuenta dijo:

—¿Qué te pasa? ¿qué ha sucedido? ¡habla!

Y el pobre indio, entre sollozos y fatiga, apenas pudo dejarse comprender estas palabras:

—¡Mi hija, niñay!... ¡el cobrador!...

Marcela entonces, fuera de sí, prorrumpió en gritos casi salvajes y se abalanzó a los pies de Lucía, diciéndole:

—¡Misericordia, niñay! el cobrador se ha llevado a mi hija, la menorcita, por no haber encontrado la lana, ¡ay! ¡ay!

—¡Temerarios! —exclamó Lucía sin poder comprender el grado de inhumanidad de aquellos comerciantes esbirros de la usura, y dando la mano a esos desventurados padres quiso aún calmarlos diciéndoles con voz cariñosa:

—Pero si sólo han sacado a la chica, ¿por qué se desesperan así? luego la devolverán. Ustedes les llevarán la plata y todo quedará en paz, y alabaremos a Dios por consentir el mal para mejor apreciar el bien. ¡Cálmense! . . .

—No, señoracha, no —repuso el indio algo repuesto de su confusión—; pues si vamos tarde ya no volveremos a ver más a mi hija. ¡Aquí la venden a los majeños, y se las llevan a Arequipa! . . .

—¿Es posible, gran Dios? —exclamaba Lucía empalmando las manos al cielo, cuando apareció en la puerta la simpática figura de don Fernando, alcanzando a escuchar las palabras de su esposa, y quedándose un tanto irresoluto para proseguir sus pasos al ver los semblantes de los indios que rodeaban a Lucía, quien, al verle, fue a arrojarse en sus brazos diciéndole:

—¡Fernando, Fernando mío! ¡Nosotros no podemos vivir aquí! Y si tú insistes, viviremos librando la sangrienta batalla de los buenos contra los malos. ¡Ah! ¡salvémoslos! Mira a estos desventurados padres. Para socorrer a éstos te pedí los doscientos soles, pero aun antes de haber hecho uso de ellos les han arrebatado su hija menor y se la llevan a la venta! ¡Ah! ¡Fernando! ayúdame porque tú crees en Dios, y Dios nos ordena la caridad antes que todo.

—¡Señor!

—¡Wiracocha!

Dijeron a una voz Juan y Marcela estrujando sus dedos, mientras Margarita lloraba en silencio.

—¿Sabes dónde ha ido el cobrador llevando a tu hija? —preguntó don Fernando dirigiéndose a Juan, y disimulando las emociones que se traslucían en su semblante, pues él no ignoraba los medios que empleaban aquellas gentes notables como uso corriente.

—¡Sí, señor! donde el gobernador han ido —contestó Juan.

—Pues, vamos, sígueme —ordenó don Fernando, con manifiesta resolución, y salió seguido de Juan.

Marcela iba a precipitarse también tras ellos con Margarita, pero Lucía la detuvo tomándola de la mano, y le dijo:

—Madre desventurada, tú no vayas; ofrece tu dolor al Autor de la resignación. Tus asuntos se han de arreglar hoy, te lo ofrezco por la memoria de mi madre bendita. Siéntate. ¿Cuánto debes al señor cura?

—Por el entierro de mi suegra, cuarenta pesos, niñay.

—¿Y por esto te embargó la cosecha de papas?

—No, niñay, por los réditos.

—¿Por los réditos? ¿Así que ustedes habrían quedado eternamente deudores? —preguntó con gesto significativo la señora de Marín.

—Así es, niñay, pero la muerte también le puede jugar chaco al tata cura, pues ya hemos visto morir muchos curas que duermen en el camposanto sin cobrar sus deudas —repuso Marcela recobrando gradualmente su apacible actitud.

La sencilla filosofía de la india, que llevaba tintes de un desquite, hizo sonreír a Lucía, quien llamó a un sirviente y le entregó la orden escrita que tenía, mandándolo traer el dinero en el momento.

Entretanto ofreció a Marcela una copita de ginebra, como reparador de sus fuerzas abatidas; tomó una rebanada de pan que estaba sobre un canastillo de alambre, y le presentó a Margarita, diciéndole:

—¿Te gustan las golosinas? Este es un dulce con canela y ajonjolí; es muy rico.

La niña tomó el regalo con ademán melancólico y agradecido, y todos se pusieron a esperar la vuelta de alguno de los seres que aguardaban.

El sirviente fue el primero que volvió con el dinero y tomando Lucía cuarenta soles fuertes los entregó a la india diciéndole:

—Toma, pues, Marcela, estos cuarenta soles, que son cincuenta pesos. Anda, paga la deuda al señor cura; no le hables de nada de lo que sucede con el cobrador, y si te pregunta de dónde tienes esta plata, respóndele que un cristiano te la ha dado en nombre de Dios, y nada más. No te detengas y procura volver pronto.

Eran tales las emociones de la pobre Marcela, que le temblaban las manos de modo que apenas pudo contar el dinero, dejando caer las monedas a cada momento, en una, tres y cuatro piezas.

X

Ataquemos las costumbres viciosas de un pueblo sin haber puesto antes el cimiento de la instrucción basada en la creencia de un Ser Superior, y veremos alzarse una muralla impenetrable de egoísta resistencia, y contemplaremos convertidos en lobos rabiosos a los corderos apacibles de la víspera.

Digamos a los canibus y huachipairis que no coman las carnes de sus prisioneros, sin haberles dado antes las nociones de la humanidad, el amor fraternal y la dignidad que el hombre respeta en los derechos de otro hombre, y pronto seremos también reducidos a pasto de aquellos antropófagos, diseminados en tribus en las incultas montañas del "Ucayali" y el "Madre de Dios".

Juzgamos que sólo es variante de aquel salvajismo lo que ocurre en Kíllac, como en todos los pequeños pueblos del interior del Perú, donde la carencia de escuelas, la falta de buena fe en los párrocos y la depravación manifiesta de los pocos que comercian con la ignorancia y la consiguiente sumisión de las masas, alejan, cada día más, a aquellos pueblos de la verdadera civilización, que, cimentada, agregaría al país secciones importantes con elementos tendentes a su mayor engrandecimiento.

Don Fernando se presentó en compañía de Juan en casa del gobernador, quien se encontraba rodeado de gente, despachando asuntos que él llama de alta importancia; gente que fué desfilando sin etiqueta, hasta dejar solos a Pancorbo y el señor Marín.

Casi a la entrada de la casa estaba en cuclillas una chiquilla de cuatro años de edad que, al ver a Juan, se abalanzó a él, como perseguida por una jauría de mastines.

Don Fernando entró serio y pensativo.

Vestía un terno gris de tela tejida en las fábricas de casimir de Lucre, confeccionado con todo el arte del caso por el más afamado sastre de Arequipa.

La persona de don Fernando Marín era distinguida en los centros sociales de la capital peruana, y su fisonomía revelaba al hombre justo, ilustrado en vasta escala, y tan prudente como sagaz. Más alto que bajo, de facciones compartidas y color blanco, usaba patilla cerrada y esmeradamente criada al continuo roce del peine y los aceitillos de Oriza. Ojos verde claro, nariz perfilada, frente despejada y cabellos faiño ligeramente rizados y peinados con cuidado.

Cuando penetró al salón despacho del gobernador, se descubrió con política, tomando en la mano izquierda su sombrero de paño negro, y largándole la diestra a Pancorbo, dijo:

—Excúseme, don Sebastián, si interrumpo sus labores, pero el cumplimiento de un deber de humanidad me trae a solicitar de usted que le sea devuelta a este hombre la hijita que le han tomado, sin duda en rehenes por una deuda, y que sea castigado el autor de este delito.

—Tome usted asiento, mi don Fernando, y hablemos despacio: estos indios, francamente, no deben oír esas cosas —respondió don Sebastián variando de lugar, y sentándose casi junto a don Fernando continó en voz bien baja—. Verdad que le han traído la hijita, ahí está pues, pero eso, francamente, es sólo un ardid para obligarlo que pague unos dos quintales de alpacho que debe desde ahora un año.

—Pues a mí me ha asegurado, señor gobernador que esa deuda dimana de unos diez pesos, que forzosamente le dejaron en la choza el año pasado, y que ahora le obligan a pagar dos quintales de lana, cuyo valor aproximado es de ciento veinte pesos —replicó don Fernando con seriedad.

—¿No sabe usted que esa es costumbre y comercio lícito? Francamente, yo aconsejo a usted no apoyar a estos indios —arguyó Pancorbo.

—Pero don Sebastián...

—Por último, para aclarar todo, francamente, mi don Fernando, ese dinero es de don Claudio Paz.

—El señor don Claudio es mi amigo, yo hablaré con él...

—Esa es otra cosa; así que, francamente, por el momento, hemos terminado —dijo don Sebastián, levantándose de su asiento.

—No creo, señor Pancorbo, porque deseo que usted haga devolver la hija al padre. Si usted acepta mi garantía por el dinero...

—Corriente, mi don Fernando; allá que se la lleve Juan a la muchachita, y usted firmará una garantía —respondió don Sebastián acercándose a la mesa de donde tomó un pliego de papel, que colocó en situación de escribir, e invitando a don Fernando, agregó—: Estas cosas no son desconfianza, mi amigo; pero, francamente, son necesarias, pues reza el refrán que cuenta y razón conservan la amistad.

Don Fernando acercó una silleta a la mesa, escribió algunos renglones y después de rubricarlos pasó el pliego a don Sebastián. Este se dio un golpecito en el bolsillo cartera del chaqué y dijo:

—¿Mis anteojos?...

Los anteojos estaban colocados al borde de la salvilla de peltre; los vio don Sebastián y calándoselos repasó la escritura; después dobló el papel, lo guardó en el bolsillo, y dirigiéndose a don Fernando, le dijo:

—Muy bien, francamente, estamos arreglados señor Marín, mis respetos a mi señora Lucía.

—Gracias, adiós —repuso don Fernando con amabilidad alargando la mano que estrechó el gobernador, y salió sacudiendo el polvo de aquella factoría de abusos. Con él salió Juan llevando en sus brazos a la pequeña Rosalía.

Apenas dejó don Fernando la sala del gobernador, entró la mujer de éste, y tomándole el brazo con cierta dureza le dijo:

—¡Si no puedo ya contigo Sebastián! Tú me vas a hacer tan desgraciada como a la mujer de Pilatos condenando tanto justo y poniendo tus garabatos en tanto papel que más provecho te dejará no leerlo siquiera.

—¡Mujer! —dijo con aspereza por toda respuesta don Sebastián; pero su esposa continuó:

—Estoy al cabo de todo lo que ustedes fraguan contra ese pobre don Fernando y su familia, y te pido que te apartes. ¡Aparte, por Dios, Sebastián! Acuérdate de . . . nuestro hijo, se avergonzará mañana.

—Quítate, mujer, tú siempre estás con estas cantaletas. Francamente, las mujeres no deben mezclarse nunca en cosas de hombres, sino estar con la aguja, las calcetas y los tamalitos, ¿eh? —contestó enfadado Pancorbo; pero doña Petronila insistió en la réplica.

—Sí, eso dicen los que para acallar la voz del corazón y del buen consejo, echan a un diantre nuestras sanas prevenciones. ¡Acuérdate, Chapaco! —agregó con intención, golpeando la mesa con la palma de la mano, y salió haciendo una mueca desdeñosa.

Don Sebastián lanzó un ¡uff! parecido a un bufido, y se puso a torcer tranquilamente un cigarro.

XI

Doña Petronila Hinojosa, casada, según el ritual romano con don Sebastián Pancorbo, tocaba en los umbrales de los cuarenta años, edad en que había adquirido la propiedad de un cuerpo robusto y bien compartido, gruesa, sin llegar a los límites de la obesidad.

Su fisonomía revelaba, al primer examen, una alma bonachona que, en el curso de la vida y en un centro mejor que aquel en que le cupo la suerte de nacer, podía despuntar de noble y en aspiraciones elevadas.

Su vestido es de lo más distinguido que se gasta en Kíllac y sus comarcas.

Lleva los dedos cuajados de sortijas de poco valor; de sus orejas penden enormes chupetes de oro con círculo de diamantes finos; su pollerón de merino café claro luce cinco filas de volantitos menudamente encarrujados; y su mantón de cachemira a grandes cuadros grana y negro, con fleco largo rizado, va sujeto a la derecha con un prendedor de plata en forma de águila.

Con este conjunto, doña Petronila es el tipo de la serrana de provincia, con su corazón tan bueno como generoso, pues que obsequia a todo el mundo, y derrama lágrimas por todo el que se muere, conózcalo o no. Tipo desconocido en las costas peruanas, donde la elegancia en el vestir y el refinamiento de las costumbres no permiten dar una idea cabal de esta clase de mujeres, que poseen corazón de oro y alma de ángel dentro de un busto de barro mal modelado.

Doña Petronila, con educación esmerada, habría sido una notabilidad social, pues era una joya valiosa perdida en los peñascales de Kíllac.

Si la mujer, por regla general, es un diamante en bruto, y al hombre y a la educación les toca convertirlo en brillante, dándole los quilates a satisfacción, también a la naturaleza le está confiada mucha parte de la explotación de los mejores sentimientos de la mujer cuando llega a ser madre. Doña Petronila lo era de un joven que revelaba inteligencia notable, y que debía ser el heredero de las virtudes de su madre; pues, sea por gracia de predestinación, sea por haber ganado la batalla su ángel bueno en la lucha con el mal, se libró de ser contaminado en la corriente de depravación opresiva que existe en los pueblos chicos, llamados, con fundada razón y justicia, infiernos grandes.

XII

Marcela, que se encaminó a la casa del párroco, seguida de su graciosa Margarita, llevando los cuarenta soles de plata, halló al cura Pascual sentado junto a la puerta de su pequeño gabinete, cerca de una mesa de pino tosca y añosa, cubierta con un paño que dejaba sospechar haber sido azul en sus tiempos de estreno. Tenía en la mano izquierda el breviario con el dedo índice metido a la mitad del volumen entre foja y foja, y recitaba, aunque máquinalmente, el rezo del día.

Marcela llegó con paso tímido, y dio el saludo así:

—Ave María Purísima, tata curay —y se inclinó a besar la mano del sacerdote, enseñando a Margarita que hiciese otro tanto.

El cura, fijándose en la muchacha y sin apartar la vista, repuso:

—Sin pecado concebida —y luego agregó—: ¿De dónde me has sacado, bribona, esta chica tan guapa y tan rolliza?

—Es, pues, mi hija tata curay —respondió Marcela.

—¿Y cómo no la conozco yo? —preguntó el cura Pascual agarrando con los tres dedos de la mano derecha el carrillo izquierdo de la muchacha.

—Es que vengo poco a esta estancia por no haber cumplido con nuestra deuda, y por esto no la reconoces tata curay a la huahua.

—¿Y cuántos años tiene?

—Yo... he contado como catorce años desde su óleo, señor.

—¡Ah!, entonces no le eché yo el agua porque apenas hace seis años que vine; y ¡bien!, este año ya la pondrás al servicio de la iglesia ¿no? Ya puede entrar a lavar los platos y los calcetines.

—¡Curay!...

—Y tú, roñona, ¿cuándo haces la mita?, ¿no te toca ya el turno? —preguntó el cura clavando los ojos en Marcela, y palmeándole las espaldas con ademán confianzudo.

—Sí, curay —respondió temblorosa la mujer.

—¿O has venido ya a quedarte? —insistió el cura Pascual.

—Todavía no, señor; ahora vengo a pagar los cuarenta pesos del entierro de mi suegra, para que quede libre la cosechita de papas...

—¡Hola!, ¡hola!, ¿con que plata tenemos, eh? ¿quién durmió anoche en tu casa?

—Nadie, tata curay.

—Nadie, ¿eh?, alguna roña le has hecho a tu marido, y yo te enseñaré a entrar en esas picardías con bandoleros dando mal ejemplo a esta chiquilla...

—No hables así, tata curay —suplicó la mujer bajando los ojos ruborizada, y poniendo al mismo instante los cuarenta soles sobre la mesa. El cura, al ver la plata, distrajo su primera intención, soltó el breviario, que había colocado distraído debajo del brazo, y se puso a recontar y examinar la ley de las monedas.

Luego que se hubo persuadido de la cantidad y calidad de la plata, abrió un enorme escaparate de madera con chapa de cerrojo corredizo, donde guardó el dinero, y volviéndose enseguida a Marcela le dijo:

—Bien; son los cuarenta soles, y ahora, háblame, hija, ¿quién te ha dado esta plata?, ¿quién ha ido anoche a tu casa?

—No hables así, tata curay, el juicio temerario cuando sale de los labios oprime el pecho como piedra.

—India bachillera, ¿quién te ha enseñado esas gramáticas?... háblame claro.

—Nadie, tata curay, mi alma está limpia.

—Y ¿de dónde has sacado esa plata?, a mí no me engañas; yo quiero saberlo.

—Un cristiano, tata curay —respondió Marcela bajando los ojos y tosiendo con ficción.

—¡Cristiano! ¿No ves? Gato encerrado tenemos; habla... porque yo... quiero devolverte esa plata.

—La señora Lucía me ha prestado, y dame el vuelto para retirarme —dijo la madre de Margarita, tímida por quebrantar con aquella revelación el primer mandato de su benefactora. Y el cura Pascual, al oír el nombre de la esposa de Marín, dijo, como picado por la víbora del despecho:

—¿Vuelto? . . . ¡qué vuelto!, otro día te lo daré —y mordiéndose los labios con pasión reprimida, murmuró—: ¡Lucía! ¡Lucía!

El cura volvió a tomar su asiento preocupado y ya sin parar mientes en la despedida sumisa de Marcela y Margarita, a quienes vio alejarse mascullando frases entrecortadas. Acaso tomaba de nuevo el hilo de sus rezos interrumpidos por la esposa de Juan Yupanqui.

XIII

La entrada de don Fernando a su casa fue un motivo de regocijo. Volvía triunfante con Juan y Rosalía; iba a recibir todas las manifestaciones de gratitud de su esposa; iba a saborear la satisfacción del bien practicado, a aspirar el aroma edénico que perfuma las horas siguientes a esas que se consuela una desgracia o se enjuga una lágrima.

Lucía lloraba de placer.

Su llanto era la lluvia bienhechora que da paz y dicha a los corazones nobles.

Juan se arrodilló ante la señora Marín, y mandó a Rosalía a besar las manos de sus salvadores.

Don Fernando contempló por segundos el cuadro que tenía delante, con el corazón enternecido, y dirigiéndose al sofá se echó de costado apoyando la espalda con firmeza y diciendo a su esposa:

—Pocas veces me engaño, hija; creo que don Sebastián ha quedado profundamente herido en su amor propio por mi intervención a favor de éstos.

—No lo dudes, Fernando; yo lo creo a pie juntillas, pero también, ¿qué puede hacer en represalia? —contestó Lucía acercándose a su esposo, pasándole la mano y acariciándole la cabellera.

—Mucho, ángel mío, mucho; estoy verdaderamente pesaroso de haber invertido capitales en esta sociedad minera, en la inteligencia de que sería cuestión de un año a lo sumo.

—Sí, Fernando mío; pero acuérdate de que estamos al lado de los buenos —respondió Lucía con sencillez.

—Ya encontraré forma de arreglar todo —decía el señor Marín, cuando se presentaron Marcela y Margarita llevando la alegría por divisa, y ambas se entregaron a vivos transportes de afecto ya con Juan, ya con Rosalía, a quien creían vendida y exportada.

—Señor, señora, Dios les pague —decía Margarita dirigiéndose al esposo y la esposa.

—¡Juanuco! ¡Rosaco! ¡ay! ¡ay!, dónde te hubiesen llevado, hija mía, sin la caridad de esta señora y este wiracocha —decía la madre con acento de ternura, tomando en brazos a su hija y cubriéndola de besos. Lucía, deseosa de saber el resultado de su comisión, preguntó a Marcela:

—¿Cómo te fue? y qué contentas vienen ustedes.

Marcela dejó a un lado a Rosalía, y poniéndose en actitud respetuosa, contestó:

—¡Señoracha, el tata cura tiene su alma vendida a Rochino!

—¿Y quién es ese Rochino? —preguntó interesada Lucía e interrumpiendo a la mujer, pero Juan fue el que repuso sonriente:

—Rochino, niñay, es el brujo verde que dicen vive en la quebrada de los suspiros, con olor a azufre y compra las almas para llevarlas a vender en mejor precio en el Manchay puito.

—¡Jesús, qué brujo! me da miedo —dijo Lucía riendo, y dirigiéndose a su esposo, le preguntó—: Sabes, Fernando, lo que es el Manchay puito?

—Infierno aterrador —respondió don Fernando, cuya curiosidad también fue picada por el comienzo que Marcela daba a su relato, y a su vez, dijo—: Bien, y ¿por qué dices que el cura ha vendido su alma a Rochino?

—¡Ay, wiracocha! Cuando le dije que iba a pagarle, me empezó a examinar que quién había dormido anoche en mi casa, que era un bandolero con quien hice roña a Juan...

—¿Eso te dijo el cura? —interrumpió Lucía espantada.

—Sí, niñay, y dijo otras cosas para hacerme declarar.

—¿Y qué?

—Tuve que declararle.

—¿Qué cosa declaraste? —preguntó Juan interesado en grado que hizo reír a don Fernando y Lucía.

—La verdad, claro.

—¿Y qué verdad fue esa?, habla —insistió Yupanqui.

—Que la señora Lucía nos ha prestado la plata.

—¿Le has dicho? —preguntó la señora Marín con enojo, alzando del suelo un pañuelo que dejó caer.

—Sí, niñay; perdóname mi desobediencia, pero, de otro modo no me deja salir de su casa el tata cura —respondió Marcela con ademán suplicante.

—Mal hecho, muy mal hecho —dijo Lucía contrariada y moviendo la cabeza.

—Esto es más claro que lo del gobernador, hija, porque si don Pascual se convino en transigir, ¿qué te importa que sepa él ser tú la dueña del dinero? —aclaró don Fernando.

—Así es señor, y hasta el vuelto, dijo que otro día me lo daría; y quedó contento de la gracia de Margarita, a quien dice que pronto la he de poner al servicio de la iglesia —explicó Marcela con llaneza.

—¿A Margarita? ¡Jesús! —dijo Lucía, sin disimular su contrariedad.

—Sí, niñay —repuso Marcela tomando a Margarita de la mano y presentándola a don Fernando y su esposa.

Don Fernando detuvo la mirada con insistencia escudriñadora sobre el rostro y el porte de la niña, y dijo a su esposa:

—¿Has reparado la belleza tan particular de esta criatura?

—¿Y qué no, Fernando? Desde que la vi estoy profundamente interesada por ella.

—Esta niña debe educarse con esmero —dijo don Fernando tomando con cariño la mano de Margarita que, silenciosa como un clavel, mostraba su belleza y esparcía el aroma de sus encantos.

—Va a ser nuestra ahijada, Fernando; me ha hablado para esto Marcela, ¿no? —dijo Lucía dirigiendo su final a la madre de Margarita.

—Sí, niñay.

—Sí —respondieron a una voz Juan y Marcela.

—Hablaremos de ello mañana; por hoy, váyanse a descansar tranquilos —agregó don Fernando, levantándose y dando dos suaves palmaditas en los carrillos a Margarita y Rosalía simultáneamente, y toda la familia Yupanqui salió renovando su gratitud con estas sublimes frases:

—¡Dios les pague!

—¡Dios les bendiga!

—Adiós; vengan cuando gusten —les dijo Lucía con ademán amistoso.

Tras de los esposos Yupanqui y sus hijas cerró don Fernando la mampara y preguntó a Lucía:

—¿Cuántos años tendrá Margarita?

—Su madre dice que tiene catorce, pero su talla, su belleza, el fuego de sus ojos negros, todo revela en ella los tintes que la mujer adquiere entrada ya en los linderos de la pubertad.

—No es extraño, hija; este clima es exuberante. Pero ahora debemos pensar en otra cosa. Acuérdate que debemos varias visitas a doña Petronila, y deseo que vayamos esta noche. Así quedará ella desimpresionada de lo que pueda haberle contado don Sebastián.

—Como gustes, Fernando; doña Petronila es una excelente señora. En eso del dinero, te suplico que arregles con el gobernador, pagándole. Estos se enconan cuando se les escapa un duro de entre las manos.

—Bien los conoces, hija.

—¿No ves como quedó en paz el cura? Ahí tengo el resto de los doscientos soles que te pedí.

—¡Ocurrencia la tuya! Descuida, hija, eso lo tomaré yo a cargo, y no habrá molestia alguna por la falta de entrega.

—Fernando, ¡cuán bueno eres! Así se lo voy a decir a doña Petronila, si se ofrece. Y a propósito, me dicen que su hijo está próximo a llegar.

—Lo siento, porque un joven acá se malogra.

—Voy, pues, a cambiarme la bata —dijo Lucía dirigiéndose al interior—, no te haré esperar siglos.

XIV

Tan luego como Marcela salió de la casa parroquial y el cura acabó sus rezos, llamó al pongo y le dijo:

—Pégate una carrerita donde don Sebastián, y dile que precisa mucho que me vea en el momento; que venga con los amigos.

—Sí, tata curay.

—Y después te pasas donde don Estéfano, y le dices que venga; y después pones la calentadora al fogón y la chocolatera al rescoldo, y dices a Manuela y Bernarda que aticen.

—Sí, tata curay —repuso el pongo, y salió con paso de postillón conductor de valija.

Don Sebastián estaba, casualmente, saliendo de su casa embozado en su eterna capa, cuando se le acercó el enviado del párroco, y después de escuchar atento el recado del cura Pascual, dijo al pongo:

—Regrésate de aquí no más; yo diré a los amigos —y dirigió sus pasos hacia la casa de Estéfano.

No obstante, el pongo, para cumplir exactamente con las órdenes de su patrón, fue a casa de Estéfano, y con su andar ligero se puso otra vez en dos trancos, en la casa parroquial, yéndose en derechura a la cocina, donde cumpliría la segunda parte del mandato.

Cuando Pancorbo entró en casa de Estéfano Benites, éste se encontraba en una sala-tenducho, sentado alrededor de una pequeña mesa cubierta con un poncho de vicuña, jugando a la brisca en compañía de los mismos sujetos que conocimos trincando el morito en casa del gobernador.

Luego que Estéfano oyó el recado del cura Pascual, tiró las barajas sobre la mesa y dijo:

—Vamos, compadres, la iglesia nos llama.

—Y yo que tenía la cala segura —murmuró uno, llamado Escobedo, rascándose la cabeza con la mano izquierda y acariciando las cartas que tenía abiertas en la diestra.

—¿Cuyo era el dos? —preguntaron varios levantándose simultáneamente, y disponiéndose a marchar.

—Si el dos estaba todavía en la base —contestó Estéfano arreglándose el sombrero que tenía echado hacia la nuca; y todos salieron en grupo, apareciendo don Sebastián que entraba al mismo tiempo, quien saludó diciendo:

—Cuando se mienta al ruin de Roma...

—Luego asoma —concluyeron todos a una voz, y don Sebastián riendo con jovialidad contestó:

—Ajá, y me place encontrar a todos ustedes reunidos; francamente, nuestro cura nos necesita.

—Vamos, pues, compadritos, que tal vez falte ayudante para un Dominus vobiscum —agregó con ademán picaresco Benites; y todos, riendo de la ocurrencia, continuaron el camino.

La influencia ejercida por los curas es tal en estos lugares, que su palabra toca los límites del mandato sagrado; y es tanta la docilidad de carácter del indio, que no obstante de que en el fondo de las cabañas, en la intimidad se critica ciertos actos de los párrocos con palabras veladas, el poder de la superstición conservada por éstos, avasalla todo razonamiento y hace de su voz la ley de los feligreses.

La casa de Estéfano Benites dista sólo tres cuadras de la parroquial; así que el cura no tuvo mucho que aguardar, y al oír el tropel salió a la puerta de la vivienda a recibir a sus visitas.

—Santas tardes, caballerazos; así me gusta la gente, cumplida —dijo el cura alargando la mano a unos y otros.

—Para servir a usted, mi señor cura —contestaron todos en coro sacándose los sombreros.

—Tomen ustedes asiento... Por acá, mi don Sebastián... don Estéfano, acomódense, caballeritos —dijo el cura Pascual señalando este y aquel asiento, y haciendo lujo de amabilidad.

—Gracias, así estamos bien.

—Mi cura, francamente, es usted muy amable.

—Pues, señores, las cosas se desgalgan y he tenido que molestar a ustedes —continuó el cura dando una vuelta como quien busca algo.

—No es molestia ninguna, señor cura —repusieron todos con esa manera de hablar en coro que se usa entre la gente de provincia.

—Sí, señores; pero, no hemos de hablar a secas —dijo don Pascual sacando una sarta de llaves del bolsillo derecho de la cuasi-sotana, abriendo el escaparate donde estaban también los cuarenta soles de Marcela, y sacando un par de botellas con unas copitas, y poniéndolas sobre la mesa, agregó:

—Este es un licorcito con escorzonera y anís; no nos hará daño para el flato.

—Es usted muy amable, mi cura, pero francamente, usted se molesta; que sirvan estos jóvenes —dijo don Sebastián y poniéndose en pie Estéfano corrió a recibir del cura la botella con que principiaba a servir, diciendo:

—Deme usted, señor, yo haré esto.

—Corriente —repuso el cura alargando la botella, y se fue a sentar en su sillón de vaqueta, al lado de don Sebastián.

—A la salud de ustedes.

—A la suya, señor cura.

Fueron las frases cruzadas, y se apuró la primera copa.

Don Sebastián, haciendo el gesto respectivo y escupiendo al rezago, dijo:

—¡Qué tragito tan confortable, francamente, que es... buenazo!

—Buen gusto le da la escorzonera.

—Yo sólo siento el anís.

—Estarás con catarro, ¡bah!

Tales fueron las palabras que simultáneamente se dejaron oír, y alcanzando su copa vacía don Pascual, dijo:

—Pues hijos, se me ha humillado como a un cualquiera, haciéndome botar a las barbas los reales que me debía el tal indio Yupanqui, de que ustedes ya tienen noticias por lo que hablamos la otra tarde.

—¿Cómo?...

—¿Qué?...

—Ya es insoportable esto, mi cura, francamente, esto mismo ha pasado hoy conmigo —repuso don Sebastián; y Estéfano, siempre listo, dijo:

—Es un ataque directo a nuestro cura y a nuestro gobernador, pero...

—¡No lo consentiremos! —repusieron todos a una.

—Debemos castigarlos, francamente —dijo don Sebastián, y golpeando el suelo con el tacón de su bota, agregó:

—Y estando las cosas calientitas...

—Sí, hijos; lo demás es dejarse meter los dedos a los ojos de la cara y uno no está muerto —apoyó el cura.

—Resolvamos en el acto: ustedes digan qué podemos hacer —dijo Escobedo acercándose a servir una copa, sin dar explicación alguna de este comedimiento, pero diciendo en voz baja a Estéfano—: ¡Qué chambonazo! Dejaste la botella sin tapa.

—¡Yo dirigiré la campaña; qué caray! —gritó Estéfano ardiendo en entusiasmo.

—Si ustedes quieren, también yo, francamente, estoy listo —observó el gobernador.

—Procedamos por partes —aclaró el cura, recibiendo de Escobedo la copa que le brindaba, y desde aquel momento todos bebían de su cuenta y voluntad, obligando en breve a que se abriese de nuevo el escaparate para sacar las botellas.

El ánimo exaltado por el licor comenzó a producir discursos acalorados, y el cura Pascual, llamando al pongo, le dijo en secreto:

—¿Ya hirvió el agua?

—Sí, tata curay; también la señora ha venido.

—Bueno, dile, pues, que pase a la alcoba, que me aguarde, y tú trae todo listo.

El pongo, ágil como bien ejercitado en esta clase de servicios, no tardó en colocar en la mesa las tazas y una tetera de loza blanca surtida de té en estado de reposo; quedando en la puerta las dos mujeres mitayas, Manuela y Bernarda, de la servidumbre de la casa parroquial.

—Tomaremos una taza de té, caballeros —dijo el cura Pascual.

—Tanta molestia —respondieron varios.

—A ver, yo me encargaré de esto —dijo Escobedo agarrando la tetera por el asa.

—¿Con bastante tranquita raspada, eh? hace un friecito, francamente —observó don Sebastián, frotándose las manos y fingiendo cierta tosecita.

—Ahora que vamos a tratar a lo serio, hemos hecho muy mal de venir todos reunidos —hizo notar Estéfano.

—Ciertamente. Es preciso salir disimulando —opinó Escobedo.

—Conviene llamar al campanero para explicarle en falso la cosa —dijo el cura apurando dos tragos de té y colocando la taza sobre el platillo.

—Lo bueno es dar . . . francamente, golpe final y decisivo.

—Entonces la culpa fue de la mala disposición.

—Sin que nos salga el tiro errado como la vez que atacamos al francés.

—La cosa es atacar y tomarlos sin salida a don Fernando y doña Lucía y . . .

—¡Matarlos!

—¡Bravo!

El sonido de varias tazas soltadas sobre los platillos formó coro a la última voz de aquel diálogo criminal, de donde salió la sentencia de muerte de don Fernando Marín y su esposa.

El cura dijo:

—Esa prevención al campanero es indispensable para que yo no aparezca, ¿eh? . . .

—Sí, señor cura; le diremos que se dice que unos bandoleros piensan atacar la iglesia, y que esté listo para tocar a rebato en el momento necesario —dijo Benites.

—Muy bien. Yo me encargo de la seña —repuso Escobedo dando un salto.

—Lo que conviene es esparcir la noticia en todo el pueblo, en varias formas; francamente, debemos tomar toda precaución para las averiguaciones posteriores —dijo Pancorbo; a lo que siguieron estas frases:

—Yo diré que piensan robar la casa cural.

—Yo, que viene un batallón disperso.

—¡Tontos! yo digo que unos arequipeños se quieren llevar a nuestra Virgen Milagrosa.

—¡Magnífico! Pero, francamente, las gentes irán a la iglesia —observó Pancorbo.

—No, señor; eso es para reunirlas, y después se dice que los asaltadores se han refugiado donde don Fernando, y . . . ¡cataplum! —aclaró Estéfano Benites.

—Sí, está bien así; lo demás se desgalga, porque el pueblo exaltado no razona —reflexionó el cura Pascual alargando una copa a Estéfano y otra a Escobedo.

—No olvidemos comprometer al juez de paz.

—Francamente eso, eso es de no descuidarse.

—El juez de paz tiene su querencia donde la quiquijaneña, yo iré por allá ahora, y lo engatuzo —ofreció Benites.

—Ahora vamos —dijeron todos, y comenzaron a dar la mano al cura, que los despidió diciéndoles:

—Prudencia, pues, hijos —y salieron uno por uno tomando diferentes direcciones.

El cura se quedó hablando en secreto con el gobernador, no sin menudear el licorcito de su recomendación, y dijo:

—¡Este muchacho Benites vale plata! audaz y prevenido.

—Cabales, mi cura; francamente, que eso del juez de paz se nos iba escapando.

—Sí, bien dicen que los jóvenes de este tiempo saben mucho.

—Y de seguro que lo halla ahora al turno donde la quiquijaneña; francamente, ¡qué rabisalsera y buena mozota que es! Creo que usted también, mi cura, estaba rondando esos barrios, francamente —dijo con aire de chanzoneta don Sebastián, a lo que él repuso riendo:

—¡Qué, mi gobernador! —y le dio una palmadita en el hombro.

—Adiós, pues, mi cura, es hora de retirarse, y francamente que la noche está friecieta como puna.

—¡A ver un gorrito para la cabecera! Usted se irá a roncar —dijo el cura Pascual sirviendo dos copas llenas y alargando una a Pancorbo.

—¡Qué a roncar!, francamente, yo ni voy a mi casa; me quedaré por ahí, por donde la Rufa, para ver mejor cómo se portan los muchachos.

—Bueno, bueno mi don Sebastián; así que, hasta prontito —repuso el cura dándole un apretón de manos a su amigo.

Un cuarto de hora después, en todos los tenduchos donde se vendía licor se oía algazara, disputas, glosas de marineras con acompañamiento de guitarra y bandurria, y los jaleos del baile, como que corría abundante el zumo de la vid.

Y las víctimas signadas para el sacrificio, con la paz en el alma y la felicidad en sus amantes corazones, se dirigían en aquellas mismas horas a casa de don Sebastián, de su oculto verdugo, en busca de la esposa de éste.

XV

El sol de la felicidad alumbraba la casa de doña Petronila con los más puros de sus rayos.

Doña Petronila era la madre venturosa porque había estrechado en sus brazos, después de larga ausencia, a su querido Manuel, al sueño de sus horas dormidas, al delirio de sus días tristes; al hijo de su corazón.

Manuel, que salió niño de Killac, había vuelto convertido en todo un hombre de bien no habiendo perdido un día en las labores escolares.

Manuel se encontraba sentado junto a su madre, teniendo las manos de ésta entre las suyas, contemplándola embelesado de satisfacción y departiendo las confidencias de familia.

Don Fernando y Lucía aparecieron en la puerta, y al verlos pusiéronse de pie doña Petronila y Manuel, quien fue presentado por su madre con ese lenguaje inventado por las buenas madres. Así, dijo:

—Señora Lucía, señor Marín; este es, pues, Manuelito, mi niño, tan chiquito como se fue...

—Señora Petronila.

—Señor don Manuel —dijeron a su vez los esposos Marín.

—Señora, a los pies de usted... caballero —repuso Manuel. Y doña Petronila continuó con la llaneza de su alma:

—Ustedes no le conocen; pues, si recién viene después de siete años y ocho días. Tomen, pues, asiento —dijo señalando con ademán el sofá.

—Qué joven tan simpático es su hijo doña Petronila —repuso Lucía.

—Permítame usted su sombrero, don Fernando —dijo Manuel recibiendo el sombrero que aquél tenía en la mano, y colocándolo sobre la mesa. Todos quedaron sentados, próximos unos a otros, y la conversación comenzó expansiva y franca.

Manuel era un joven de veinte eneros, de estatura competente, es decir, ni alto ni bajo, de semblante dulce y voz cuyo timbre sonoro le atraía las simpatías a sus oyentes. Sus labios rojos y delgados estaban sombreados por un bigote muy negro y sus grandes ojos resaltaban por un círculo ojeroso que los rodeaba. Su palabra fácil y su porte amanerado, completaban el conjunto de un joven interesante.

—¿Ha elegido usted profesión? —preguntó don Fernando, dirigiéndose a Manuel.

—Sí, señor Marín; estudio segundo año de derecho; pienso ser abogado, si la suerte me protege —respondió con modestia el hijo de doña Petronila.

—Le felicito, amigo; el vasto campo de la jurisprudencia ofrece encantos a la inteligencia —dijo don Fernando, a lo que Manuel repuso:

—Cualquiera de las otras profesiones también lo ofrece, señor, cuando se les consagra la voluntad y el cariño . . .

Iba a continuar Manuel, cuando se oyó la detonación de una arma de fuego, que hizo brincar a las señoras y sobresaltó a los hombres. Lucía como herida por un rayo, tomó el brazo de su esposo, y le dijo:

—Vamos, vamos, Fernando.

—Sí, señorita; váyanse de ligero, y cierren bien las entradas de su domicilio —dijo confundida doña Petronila.

—¿Y qué puede ser? —preguntó Manuel sin dar mucha importancia.

—Es raro esto acá —repuso don Fernando; a lo que Lucía observó:

—Sí, ¿serán ladrones? . . .

—Vamos, sí —dijo don Fernando, ofreciendo el brazo a Lucía; pero Manuel se interpuso en ese momento, pidiéndole que le permitiese acompañar a su esposa, y dando el brazo a ésta, con galante sonrisa, salieron los tres.

Doña Petronila se dijo:

—Mi corazón de madre no puede quedar tranquilo estando fuera de casa mi Manuelito —y se fue siguiendo el grupo a cierta distancia, con paso cauteloso.

Manuel, que desde el primer momento había simpatizado fuertemente con los esposos Marín, dijo a Lucía:

—Señora, yo que al llegar a Killac creí morirme de tristeza en este villorrio, lo he encontrado embellecido por la presencia de usted y la de su esposo.

—Gracias, caballero; bien ha aprovechado usted de las galantes frases de la ciudad —contestó Lucía con amable sonrisa.

—No, señora, mis palabras carecen de esa galantería de fórmula, sin ustedes y sin mi madre ¿con quién podía yo tratar aquí? —repuso Manuel, y agregó con pena—: Esta tarde he conocido a los vecinos del pueblo y me han dado compasión.

—Eso es muy cierto, don Manuel, pero usted tiene a sus padres y nos tendrá por amigos.

—Sí, don Manuel; para un joven que viene de la ciudad, esto es tristísimo, le doy la razón —dijo a su vez don Fernando, como el marido celoso que notificaba estar prestando atención a lo que conversaba su esposa.

—Sólo siento que tal vez no permanezcamos ya mucho tiempo acá, porque los negocios de Fernando creo que se arreglarán pronto —contestó Lucía.

—Tanto peor para mí, si tuviese que alargar mi permanencia, que sólo debe ser de cuatro o seis meses —repuso Manuel.

Don Fernando adelantó dos pasos, ganando a la pareja para abrir la puerta de la calle, pues ya habían llegado a su casa.

—Pasará usted a descansar, Manuel —dijo Lucía soltando el brazo de su acompañante.

—Gracias, no señora. Mi madre tendría cuidados si me demorara y quiero ahorrar esas molestias —contestó Manuel sacándose el sombrero en ademán de despedida.

—Pero la casa es muy suya, amigo —ofreció don Fernando.

—Sí, mil gracias, lo sé, y pronto les haré una visita. Buenas noches —repitió Manuel estrechando la mano de sus amigos, y desapareció en las obscuras calles de la villa, transitadas por uno que otro hombre embriagado.

Lucía y don Fernando tomaron algunas precauciones de seguridad como encareció doña Petronila; pero viendo que todo seguía tranquilo, se fueron a domir.

La superficie de un lago cristalino, donde se retrata la imagen de las gaviotas, no es tan apacible como el sueño con que los narcotizó el amor, batiendo sus nacaradas alas sobre la frente de Lucía y don Fernando. Sus corazones, estrechados bajo la atmósfera de un solo aliento, latían también acompasados y felices.

Mas ese descanso no fue como el eterno sopor de la materia.

El espíritu, que no duerme y se agita, luchó con la fuerza del presentimiento, ese aviso misterioso de las almas buenas; sacudiendo el organismo de Lucía, la despertó y le inspiró vacilación, temor, duda, todo ese engranaje complicado de sensaciones mixtas, que acuden en las noches de insomnio.

Lucía sentía aquellos estremecimientos nerviosos, que no alcanzaba a ver ni a explicarse ante un peligro para ella desconocido, y su pensamiento voló el recuerdo de aquellos ruidos de medianoche que, semejantes al rozar de alas o crujir de puertas, llevan al temor primero y después al recuerdo de los seres más amados, sea que estén ausentes o estrechen el cuello con el brazo de sus afectos.

Esa fuerza nerviosa que obedece al impulso espiritista todavía desconocido a pesar de las explicaciones de Allan Kardec, que amedrenta con la idea de la presencia virtual de un ser superior o temido, y que está en las investigaciones de la ciencia, cuyo dominio ofrece trocar la faz del mundo con la sorprendente lucidez de Charcot, Maira y Benavente en sus revelaciones de hipnotismo, ejerció todo su imperio aquella noche en la organización de la esposa de don Fernando Marín.

Ella velaba.

El viejo y único reloj del pueblo dio el duodécimo martillazo que marca la medianoche, y en el momento vibró en los espacios la sonora vez de la campana del templo. Su acento de bronce no convocaba a la oración pacífica y al retiro del alma; llamaba al vecindario a la batalla y al asalto con la imponente señal de convenio entre Estéfano Benites y el campanero que aguardaba en la torre.

Y como el granizo que las negras nubes arroja enmedio de celajes eléctricos, comenzó a llover piedra y bala sobre el indefenso hogar de don Fernando.

Mil sombras cruzaban en diferentes direcciones, y la algazara comenzó a levantarse como la ola gigante que la tempestad alza en el seno de los mares, para romperla en la plaza con un bramido ronco y formidable.

El motín era aterrador.

Las voces de mando, bárbaras y contradictorias, ya en castellano, ya en quechua, se dejaban percibir, no obstante el ruido de las piedras y la fusilería.

—¡Forasteros!

—¡Ladrones!

—¡Súhua! ¡súhua!

—¡Entremetidos! —decían éstos y aquéllos.

—¡Mueran! ¡mueran!

—¡Huañuchiy!

—¡Matarlos! —repetían mil voces.

Y la acompasada vibración de la campana tocando a rebato era la respuesta a toda la vocería.

Lucía y don Fernando abandonaron el lecho del descanso, cubiertos con sus escasas ropas de dormir y lo poco que tomaron al paso para huir o caer en manos de sus implacables sacrificadores, para encontrar muerte cruel y temprana enmedio de esa muchedumbre ebria de alcohol y de ira.

XVI

Juan Yupanqui y Marcela que, después de los sucesos que conocemos, se fueron de casa de Lucía, llegaron, pues, a la suya con Margarita y Rosalía, esas dos estrellas rientes de la choza, cuyos destinos estaban señalados con la marca que Dios pone en cada predestinado en el mapa de las evoluciones sociales.

En el cerebro de Juan Yupanqui no podían ya cobijarse los criminales pensamientos de la víspera. Ya no tocaría el tétrico umbral del suicida, cuya acción cubre de luto el corazón de los que quedan y mata las esperanzas de los que creen.

Dios puso a Lucía para que Juan volviese a confiar en la Providencia, arrancada de su corazón por el cura Pascual, el gobernador y el cobrador o cacique, trinidad aterradora que personificaba una sola injusticia.

Juan creía de nuevo en el bien, estaba rehabilitado, e iba a entrar en la faena de la vida con nuevo afán, para probar gratitud eterna a sus bienhechores.

Marcela ya no sería la viuda de un suicida, de un desertor de la vida, cuyo cadáver sepultado en la orilla de un río o al borde de un camino solitario, no invocase de los suyos paz, suspiros, ni oraciones.

Sentado en la choza dijo Juan a su mujer:

—Recemos el alabado, y ahora te juro entregar mis fuerzas y mi vida a nuestros protectores.

—¡Juanuco! . . . ¿no te dije?, yo también les serviré hasta vieja.

—Y yo también, mamá —agregó Margarita.

Y los tres se pusieron a instruir a Rosalía, explicándole que esos hombres no se la llevaron por la súplica del wiracocha Fernando y la señora Lucía de la casa grande. Y haciéndola arrodillar en el fondo de la vivienda, con las manitas empalmadas al cielo, la hicieron repetir las sublimes frases del BENDITO y ALABADO.

—Ahora atiza el fogón —dijo Juan a Margarita.

—Asaremos unas papas, aquí hay ají —repuso Marcela sacando unas hojas de maíz envueltas y atadas con un pedazo de hilo de lana.

—Mañana hemos de matar gallina, Marcela; estoy contentísimo, y nuestro compadre nos ha de prestar unos dos pesitos —dijo alegre Juan.

—Así me gusta, tata. O pediremos el vuelto que tiene el cura —respondió la mujer colocando junto a su marido dos platos de barro vidriados.

—¡Qué vuelto!, ¿para qué tanto? —repuso Yupanqui.

—Qué linda estará nuestra Margarita cuando sea la ahijada de la señoracha Lucía, ¿eh? —dijo la mujer variando el giro de la conversación.

—Ni lo dudes; ¡ay!, ella la vestirá con las ropas que usan.

—Pero me duele el corazón cuando me acuerdo que ya no nos mirará como ahora, cuando Margarita sea una niña —dijo suspirando Marcela y acercándose a poner un palo de leña al fogón.

—¿Qué estás pensando en eso? La señora Lucía le enseñará a respetarnos —respondió el indio.

—¡Bendígala, Pachacamac! —agregó Marcela con recogimiento.

—Mama, y cuando sea mi madrina la señora Lucía, ¿me voy con ella? —preguntó Margarita.

—Sí, hija —contestó la madre.

—¿Y tú, y mi Juan y mi Rosalía? —insistió Margarita.

—Iremos a verte todos los días —repuso Marcela sin dejar de atender a lo que estaba preparando, mientras que Juan acariciaba entre las rodillas a Rosalía, al mismo tiempo que decía a su mujer:

—Parece que se te ha soltado la lengua.

—Así parece —respondió Marcela dando una vuelta a las papas que se asaban; pero Margarita volvió a preguntar:

—¿Y me llevarán las frutas de la mora y los nidos de los gorriones?

—Sí; todo eso te llevaremos si aprendes a coser y tejer las labores tan lindas que dice sabe la señora Lucía —respondió Marcela sacando al mismo tiempo las papas y poniéndolas en los platos que estaban junto a su marido.

La cena fue apetitosa y frugal; pero la oración de Rosalía llegó al cielo alcanzando sueño reparador para la familia de Juan Yupanqui, que descansaba sin el comején de las dudas en el humilde lecho de las satisfacciones.

Un profundo bostezo de Juan hizo notar a Marcela que su marido estaba completamente dormido y que las hijas habían seguido su ejemplo, quedándose la choza en silencio absoluto.

Y mientras aquí moran los manes de la quietud, veremos lo que pasa en la casa parroquial.

XVII

Una sombra negra, sobresaltada e impaciente, paseaba de un extremo a otro en la habitación completamente obscura, pues faltó valor para encender la lámpara de aceite de linaza allí usada o la vela de sebo fabricada por un velero lugareño con sus adminículos de arrayán y romero hervido, que da blancura y consistencia a la grasa animal.

El crimen siempre se acomoda con la negrura de la noche.

Al frente casi de una pequeña ventana con balaustres y hojas de madera, pintada con tierra amarilla, estaba colocada una antigua cuja hecha de madera de zumbaillo con toldilla cubierta por unos cortinajes de damasco de seda, cuya antigüedad explicaban el mismo sitio en que se lucían.

La cama ancha y confortable con su curioso tapador hecho de mil muestras de cachemira de diversos colores, pero ingeniosamente combinadas por la curiosidad de alguna mujer hacendosa, o por la mano de alguna beata de ciudad, estaba entreabierta y en cierto grado de desorden. Junto a ella se hallaba sentada en una banca de madera, y un tanto reclinada hacia las almohadas, una mujer clandestinamente recibida, y a quien anunció el pongo desde las primeras horas de la noche cuando el cura estaba en el conciliábulo.

El cura Pascual esperaba el resultado de las tremendas combinaciones fraguadas por él, y lo aguardaba entre tinieblas, por no arrojar ni la más pequeña sospecha sobre sí, encontrándose despierto y con luz en altas horas de esa noche; y de vez en cuando asomaba el oído a las rendijas de la ventana.

—¿Qué te pasa, hombre de Dios? Nunca te he visto tan desasosegado como ahora —aventuró a decir la mujer.

—¿No oíste ese tiro? —repuso el cura balbuciente, pues el licorcito de escorzonera estaba en acción y la palabra no salía franca.

—Ese tiro; pero si de eso han pasado tantas horas, y todo está en paz —arguyó la mujer.

—Pueden robar la iglesia; malas noticias me han traído esta tarde los vecinos —dijo el cura a secas con propósito de desorientar por completo la malicia de la mujer; pues la idea de aparecer inocente bullía en su cerebro.

—¿Ladrones en Killac, ladrones para la iglesia? ¡jajay! —respondió la mujer en voz bien alta y soltando la risa.

—Calla, mujer de mis pecados —contestó el cura con ira manifiesta golpeando el suelo con el pie.

—Pero, hombre, ven; recuéstate un momento...

—Calla, demonio —interrumpió el cura Pascual.

—No seas torpe otra vez, después de... las torpezas que has hecho —replicó la mujer como deseando armar gresca.

Y el cura no tuvo otro medio de evitar que hablase en voz alta, voz acusadora, que ir a su lado y recortase junto a ella, sacando del bolsillo un pañuelo de seda con que le amarró la cabeza.

Y un búho cruzó por los tejados de la casa parroquial, dejando percibir un siniestro aleteo, y pregonando el mal agüero en ese lúgubre graznido que es el terror de las gentes sencillas.

Don Sebastián no se había recogido a su casa.

Doña Petronila llamó dos sirvientes para mandarlos en busca de su marido, a fin de que le sirviesen de compañía, pero Manuel dijo tomando su sombrero y un bastón de huarango:

—Yo iré, madre.

—De ningún modo lo consentiré. ¡Ay hijo! no sé qué me anuncia el corazón. Ese tiro de escopeta, la ausencia prolongada de tu padre, las andanzas de Estéfano, todo me tiene preocupada —dijo con triste acento doña Petronila; pero Manuel, inspirándose en la nobleza de sus sentimientos y tal vez en un doble deseo, repuso:

—Por lo mismo, madre, a mí me toca ir en busca de don Sebastián, y alejarlo del peligro o de compromisos...

—Sería inútil, hijo mío; tú no conoces su genio testarudo ¡ah! ¡Te ruego, Manuel! —agregó doña Petronila abrazando a su hijo con afecto, el cual se quedó pensativo y taciturno por unos segundos; y doña Petronila, aprovechando del silencio, insistió suplicante:

—Tu deber te manda cuidarme, Manuel; ¡soy tu madre, no me dejes sola! ¡por Dios te lo ruego!...

—No saldré, madre —repuso Manuel con energía arrimando a la pared el bastón que levantó y sacándose el sombrero.

—¡Ahora sí, ahora sí, Manuelito! Tal vez podré dormir. Vamos.

—Sí, acuéstate, madre; la noche está muy fría, y la hora avanzada.

—Recógete, pues, a tu cuarto, y hasta tempranito —dijo doña Petronila mirando con satisfacción a su hijo.

XVIII

A las primeras campanadas y disparos de armas, los capataces de don Fernando huyeron despavoridos en busca de seguridad, porque comprendieron que allí era el ataque.

Don Fernando se preparaba para la defensa, y fue en mangas de camisa a tomar un rifle de caza que tenía bien provisto de municiones; pero Lucía se interpuso suplicante repitiendo angustiada:

—¡No, Fernando mío, no! ¡Sálvate, sálvame, salvémonos!...

—¿Y qué hacer, hija? No hay otro remedio, porque moriremos indefensos —repuso don Fernando intentando calmar las impresiones de su esposa.

—Huyamos, Fernando —dijo Lucía aprovechando de las últimas palabras de su marido.

—¿Por dónde, Lucía querida? Las entradas de la casa están ya ganadas —respondió don Fernando tomando una caja de cápsulas de Remington, y echándosela en el bolsillo del pantalón.

Las voces se repetían en la calle cada vez más aterradoras e implacables.

—¡Bandoleros!

—¡Advenedizos!

—¡Forasteros!

—Sí, ¡la muerte! ¡la muerte!...

Eran las palabras que se alcanzaban a percibir en ese torbellino de la asonada.

De improviso se dejó oír una voz nueva, fresca, sin los gases del alcohol, que, con toda la arrogancia y serenidad del valor, dijo:

—¡Atrás, miserables! ¡Así no se asesina!

Y otra voz apoyó la anterior, diciendo:

—Nos han engañado, ¡miserables!

—No hay tales ladrones —observó la misma voz que apoyó a la primera.

—Por acá la gente honrada —gritó uno con valor.

—¡Vengan por este lado! —ordenó la primera voz, y en aquel momento llegó una mujer con un farol de vidrio provisto de una vela de sebo que proyectaba luz tenue.

Los fuegos y las campanadas habían cesado.

Los pelotones de gente comenzaron a diseminarse en distintas direcciones; y la reacción de la turba fue completa.

La entrada de la casa de don Fernando estaba totalmente destrozada, y grandes piras de piedra formadas al acaso yacían junto a las puertas convertidas en astillas.

—¡A ver ese farol por acá! —gritó un hombre abriéndose paso por entre la multitud; y a la escasa luz del farol que llegó, reconoció Manuel a doña Petronila.

—Madre, ¿tú aquí? —dijo Manuel con sorpresa.

—¡Hijo, estoy a tu lado! —repuso doña Petronila con el semblante lleno de pavor alcanzando el farol a su hijo, y juntos comenzaron a reconocer a los muertos y heridos.

El primer cadáver que encontraron fue el de un indio, a cuyos pies estaba una mujer bañada también en sangre y lágrimas, gritando con desesperación:

—¡Ay! ¡hay muerto a mi marido! ¡habrán muerto también a mis protectores.

Juan y Marcela acudieron desde los primeros tiros en auxilio de la casa de don Fernando.

Juan cayó traspasado por una bala que, entrándole por el pulmón derecho, salió rompiendo la segunda costilla y rozando el hígado.

Marcela, con una herida también de bala en el hombro, arrojaba un chorro de sangre, y junto a ella yacían tres cadáveres de indios indefensos.

—¡Madre! —dijo Manuel llamando la atención de doña Petronila— esta india acabará en algunos momentos más sin asistencia inmediata.

—Separémosla de aquí, que la vea el barchilón —contestó doña Petronila.

—¡A ver unos hombres! —dijo Manuel; y varios se presentaron ofreciéndose para conducir a Marcela.

El intrépido joven que desafiando la ira de un populacho ebrio, se abrió paso y contuvo el motín, se dijo al ver la solicitud de todos para recoger a los muertos y atender a los heridos:

—¡Está visto! la asonada es fruto de un error más digno de perdón que de castigo.

Varios hombres levantaron a Marcela completamente débil, para llevarla a medicinarse.

—Despacio, con cuidado nomás —dijo doña Petronila.

—¡Ay! ¡ay! . . . ¿dónde me llevan? —preguntó Marcela agarrándose la herida con la otra mano, y agregó con lamento—: ¡Mis hijas! . . . ¡Rosacha! ¡Margarita!

—¿Qué habrá sido de don Fernando y Lucía? —dijo Manuel con interés creciente; y en aquellos momentos asomaba la aurora de un nuevo día para alumbrar la cara de los culpables.

XIX

Había alguno interesado como Manuel en saber la suerte que hubo corrido la pareja Marín.

Este era el cura Pascual, quien hizo prodigios de inventiva para allanar explicaciones con doña Melitona, que así se llamaba la mujer que fue a acompañarlo en esa noche siniestra.

Luego que las campanas quedaron mudas y cesaron los disparos, el cura Pascual dijo para sí:

—Esta es la hora en que ya se ha arribado a un resultado cualquiera —y dirigiéndose a Melitona, agregó con disimulo—: Parece que toda esa bulla ha concluido, ¿eh?

—Sí, creo que ha pasado, curay, ¡Jesús, y qué sustos los que he tenido! —respondió Melitona haciendo aspavientos, a lo que el cura repuso:

—Y los míos no han sido pocos desde la hora en que sentí el primer disparo, creyendo que atacasen la iglesia, y tú me porfiabas...

—Felizmente nos persuadimos pronto de que era en otra parte, y ¿cómo te hubiese consentido salir?

—¡Jesús me ampare! Bien hecho que me atajaste Melitonita; si bien dicen que las mujeres...

—Y ¿qué habrá sido, curay? —preguntó con inocencia la mujer.

—Serán cosas de política; gracias a Dios que no salí, gracias, gracias —repetía el cura en cuyo corazón estaba creciente la ansiedad por saber el resultado, aunque alcanzaba a dominar sus emociones aparentando calma.

Melitona se quedó dormida sin más explicaciones, pero el cura velaba aguardando inquieto la llegada de la aurora.

No bien hubo rayado el crepúsculo matutino y se sintieron los pasos de la gente que transitaba por las calles, tosió fuertemente el cura, desprendiéndose el pañuelo con que había atado su cabeza, y colocándola debajo de la almohada, dijo:

—Vete, pues, Melitonia; tú que eres mujer debes ser harto curiosa; infórmate de lo que en realidad ha pasado anoche en este vecindario, que, como hemos calculado, ha sido... me parece en la dirección de la casa de don Fernando; yo voy a prepararme para celebrar.

—Ahoritita, curay —respondió doña Melitona dándose por satisfecha de la comisión; santiguóse tres veces, se vistió, prendióse el mantón de cachemira morada con guardas negras, y salió.

Las primeras gentes con quienes se encontró le dieron razón casi exacta del asalto a la casa de don Fernando Marín; pero deseosa de llevar a la casa parroquial noticias comprobadas por sus ojos, se introdujo al mismo teatro del suceso.

—¡Jesús! ¡qué temeridad! ¡qué herejes habrán hecho esto! ¡pobre señor Marín! ¡pobrecita señorita Lucía!... ¡ay, vean, pues, todo pedazos! —decía caminando por entre las ruinas y contemplando los despojos.

Lucía y don Fernando se encontraban sanos y salvos, rodeados de gente en el gabinete de su casa, y Manuel, con toda indignación de su corazón puro, y con todo el fuego de su edad, decía en alta voz:

—Es inconcebible iniquidad igual, señor don Fernando. Este pueblo es un pueblo bárbaro, y la salvación de ustedes ha sido milagrosa. Cuéntenos cómo salvaron.

—El milagro es de Lucía —respondió con tono seco don Fernando, anudándose la corbata que por distracción tenía suelta, y dando grandes paseos por la habitación.

—¡Señora Lucía! —dijo por toda respuesta Manuel, dirigiendo la vista hacia el sofá, donde estaba un tanto recostada aquélla, profundamente emocionada; y aspirando de rato en rato sales encerradas en un frasquito de cristal de Bohemia, cuya tapa entreabría con cuidado.

Don Fernando, como siguiendo el curso de sus ideas, dijo:

—¡Qué horror! Muchos sabrán lo que es despertar en la bulla del desorden, el tiroteo y la matanza, porque en el país se soportan y se presencian con frecuencia esos levantamientos y luchas civiles, que ya en nombre de Pezet, Prado o Piérola, llevan el terror y el sobresalto, sea en el aura de una revolución, sea en los fortines de una resistencia. ¡Pero, lo que pocos sabrán es el despertar del sueño de la felicidad entre el plomo homicida y la voz del degüello lanzados en los muros de su propio dormitorio!

—¡Basta, don Fernando! ¡basta! —gritaron varias voces en coro.

—¡Qué atrocidad! —agregó Manuel pasándose la mano por bajo el pelo, y don Fernando, contestando a la primera pregunta de Manuel, desatendida enmedio de ese tumulto natural de pensamientos, dijo:

—Estuve resuelto, Manuel, a ofrecerme al sacrificio y morir matando. Pero las lágrimas de mi buena y santa esposa me hicieron pensar en salvarme para salvarla también. Ambos huimos por la pared de la izquierda y fuimos a refugiarnos detrás de unos cercos de piedras, fronterizos, precisamente, del lugar del ataque, y desde ahí hemos presenciado impasibles el asalto a nuestra casa, el heroísmo de usted, la abnegación maternal de doña Petronila, el fin de nuestro pobre Juan, y la victimación de la desgraciada Marcela.

—¡Pobre Juan! ¡pobre Marcela! ahora que la desventura nos ha hermanado, mis afanes serán para ella y sus hijas —dijo Lucía suspirando con profunda pena e interrumpiendo a su marido.

—¡Oh, sí! Margarita, Rosalía, desde hoy esas palomas sin nido hallarán la sombra de su padre en esta casa —afirmó don Fernando.

—Hagamos conducir aquí a Marcela para medicinarla con esmero —dijo Lucía enternecida; y dirigiéndose particularmente al joven, agregó:

—Manuel, se lo suplico en nombre de la amistad. Encárguese usted de eso —a lo que Manuel respondió con vehemencia juvenil:

—Ahora mismo, señora; usted, ángel de los buenos, restañará las heridas de una madre, y nosotros, don Fernando, tomaremos cuenta a los culpables.

Al decir esta última frase, una palidez mortal bañó su fisonomía, porque el nombre de don Sebastián cruzó por su mente; de don Sebastián, el esposo de su madre, el hombre a quien él daba el nombre de padre.

Tomó su sombrero maquinalmente, se inclinó y salió con paso apresurado, cruzándose en el camino con doña Melitona, que estaba escuchando todo desde la puerta, sin perder palabra.

Don Fernando se sentó junto a Lucía y sacó un cigarro para fumar.

Como doña Melitona creía saber lo suficiente, volvió a desandar lo andado para informar al cura que esperaba impaciente la llegada de su parientita para irse a celebrar.

Melitona dijo entrando y desprendiéndose del mantón:

—Traigo todo calientito, curay.

—Sí, Melitonita, y ¿cómo había sido eso? —preguntó el cura Pascual.

—Dice que don Fernando tuvo no sé qué asunto de cuentas con unos laneros, y que don Sebastián metió la mano a favor de no sé quiénes, y luego de ahí vino el disgusto, y se armó gresca, y que otros creyeron que eran ladrones y tocaron las campanas —relató Melitona con ademanes y movimientos de cabeza.

—¿Con que eran asuntos de particulares? Buena raspa he de echarle al campanero para que no sea ligero con sus campanas —repuso el cura con maña.

—Así aseguran, curay, pero el hijo de don Sebastián, un joven recién llegado, está ahí, donde don Fernando, muy de la casa, y ha dicho que él castigará a los culpables —aclaró Melitona.

—¿Eso ha dicho? —preguntó el cura; y mordiéndose el labio, agregó para su capote—: ¡Joven imberbe! y cuando tu padre te diga: «Calla, aquí estoy . . .» y aun sin esto, quien más vive más sabe . . .

Y a poco rato se oyó la campana del pueblo llamando a misa.

XX

La entrada de Marcela, conducida en una camilla de palos, herida, viuda y seguida de dos huérfanas, a la misma casa donde el día anterior salió contenta y feliz, impresionó tan vivamente a Lucía, que se hallaba sola en aquellos momentos, que no pudo contener sus lágrimas y se fue llorando hacia Marcela.

Hizo colocar la camilla en una vivienda aseada; tomó entre los brazos a Rosalía, acarició a Margarita y llamó a entrambas, diciéndoles:

—Hijas, pobrecitas, preciosas.

Luego habló a Marcela, sentándose junto a ella, y le dijo:

—¡Oh, hija mía! ¡Cuánta resignación necesitas! Te ruego que te calmes, que tengas paciencia . . .

—Niñay, ¿no te has asustado de protegernos? —dijo la india con voz débil y mirada lánguida, pero Lucía, sin contestar a esta pregunta, continuó:

—¡Qué débil estás! —y dirigiéndose a dos sirvientes que estaban hacia la puerta, ordenó—: Que le preparen un poco de caldo de pollo con algunas rebanadas de pan tostado y un huevo batido; ustedes han de cuidarla con todo esmero.

El semblante de Marcela revelaba sus terribles sufrimientos, pero las palabras de Lucía parecían haberle dado alivio. Era tal la influencia benéfica que ante ella ejercía aquella mujer tan llena de bondad, que, a pesar de haber declarado el barchilón de Kíllac que la herida era mortal y de término inmediato, porque la bala permanecía incrustada en el omoplato, adonde había llegado atravesando el hombro izquierdo, y la fiebre ya invadía el organismo, Marcela fue alentándose visiblemente.

Así transcurrieron dos días, dando ligeras esperanzas de salvar a la enferma.

Acababa de entrar de la calle don Fernando, a quien preguntó Lucía con grande interés:

—Fernando, ¿y los restos de Juan?

—Han sido ya conducidos al camposanto con todos los honores

que he podido hacerle tributar, corriendo yo con los gastos, y los han depositado en una sepultura provisional —contestó don Fernando, satisfaciendo con palabra minuciosa la pregunta de Lucía, quien dijo:

—¿Y por qué provisional, hijo?

—Porque es probable que los jueces hagan practicar un nuevo reconocimiento, dudando del que he mandado hacer —contestó don Fernando sacando un papel del bolsillo.

—¡Qué fórmulas, Dios mío! Y ¿qué dice ese certificado? ¿a ver?

—Aquí consta —repuso don Fernando desdoblando el papel y leyendo— «que Juan Yupanqui sucumbió instantáneamente por la acción del proyectil lanzado de cierta altura y que rompiendo la cúpula derecha, había atravesado oblicuamente ambos pulmones, destrozando las gruesas arterias del mediastino».

—¿Ese informe arrojará luz para la averiguación y descubrimiento del autor? —preguntó Lucía con intención.

—¡Ay, hija!, poca esperanza debemos abrigar de conseguir nada —repuso don Fernando volviendo a doblar y guardar el papel.

—Y el cura Pascual, ¿qué dice?

—¡Pst! No ha tenido inconveniente en depositar un responso sobre la tumba de Juan Yupanqui, como no lo tuve yo para colocar su humilde cruz de palo —contestó don Fernando torciéndose el bigote.

—¿Acaso ignorará los pormenores del asalto que hemos sufrido?

—¡Que los ignore! Estás disparatando, hija. Yo lo creo complicado.

—¿Sí? ¡No faltaba más para renegar de estos hombres! ¿Y los jueces? —insistió Lucía indignada.

—Los jueces y las autoridades han tomado algunas medidas, como las de DEPOSITAR las piedras hacinadas en nuestras puertas como cuerpos del delito —contestó don Fernando riendo y dando enseguida a su fisonomía un gesto de tristeza que revelaba su honda decepción; acaso el escepticismo que todos aquellos acontecimientos hacían nacer en su corazón noble y justiciero.

Conversando así, atravesaron los esposos Marín el pasadizo que conduce de una vivienda a otra, y llegaron al cuarto de Lucía, donde se sentaron fronterizos, Lucía en el sofá y don Fernando en un sillón; recostándose y cruzando las piernas, dijo éste a su esposa:

—Voy a molestarte, hija; creo que hay un poco de chicha de quinua con arroz; dame un vaso.

—Al momento, hijito —repuso Lucía poniéndose de pie y saliendo de la habitación.

Un minuto después volvía la señora de Marín con un vaso de

cristal colocado en un platillo de loza, conteniendo una leche espesa espolvoreada con canela molida, que provocaba por la vista y el olfato, y lo presentó a su marido.

Don Fernando apuró la chicha con avidez, puso el vaso sobre la mesa, limpió sus bigotes con un pañuelo perfumado y volvió a su primitiva actitud, diciendo a Lucía:

—Qué bebida tan confortable, hija. No sé cómo hay gente que prefieren a ésta, la cerveza del país, tan horrible.

—De veras, hijo; yo no puedo ver esa cerveza que hacen donde Silva y Picado.

—Y volviendo a recordar al pobre Juan, ¿sabes, hija, que ese indio me ha despertado aún mayor interés después de su muerte? Dicen que los indios son ingratos, y Juan Yupanqui ha muerto por gratitud.

—Para mí no se ha extinguido en el Perú esa raza con principios de rectitud y nobleza, que caracterizó a los fundadores del imperio conquistado por Pizarro. Otra cosa es que todos los de la calaña de los notables de aquí hayan puesto al indio en la misma esfera de las bestias productoras —contestó Lucía.

—Hay algo más, hija —dijo don Fernando—; está probado que el sistema de alimentación ha degenerado las funciones cerebrales de los indios. Como habrás notado ya, estos desheredados rarísima vez comen carne, y los adelantos de la ciencia moderna nos prueban que la actividad cerebral está en relación de su fuerza nutritiva. Condenado el indio a una alimentación vegetal de las más extravagantes, viviendo de hojas de nabo, habas hervidas y hojas de quinua, sin los albuminoides ni sales orgánicas, su cerebro no tiene dónde tomar los fosfatos y la lecitina sin ningún esfuerzo psíquico; sólo va al engorde cerebral, que lo sume en la noche del pensamiento, haciéndole vivir en idéntico nivel que sus animales de labranza.

—Creo como tú, querido Fernando, y te felicito por tu buena disertación, aunque yo no la entiendo, pero que, a ponerla en inglés, te valdría el dictado de DOCTOR y aun sabio en cualquier universidad del mundo —contestó Lucía riendo.

—¡Picarona! Pero aquí sólo me ha valido tu risa —dijo don Fernando coloreándose ligeramente, pues las palabras de su esposa le hicieron notar que había echado un párrafo científico, acaso pedantesco o fuera de lugar.

—No, hijo, ¿qué? Si yo me río es sólo . . . por la formalidad con que hemos venido a disertar acerca de estas cosas sobre la tumba de un indio tan raro como Juan.

—Raro no, Lucía; si algún día rayase la aurora de la verdadera autonomía del indio, por medio del Evangelio de Jesús, presenciaríamos la evolución regeneradora de la raza hoy oprimida y humillada —contestó don Fernando, volviendo a su expansión de palabra.

—Tampoco te contradigo, hijito, pero discutiendo aquí sobre los muertos, estamos olvidando a los vivos. Voy a ver si han dado su alimento a Marcela —dijo Lucía, y salió con paso ligero.

XXI

Manuel no tuvo ni una hora de descanso verdadero desde que se iniciaron los funestos acontecimientos que traían conmovida a la población de Killac.

Luego que ordenó la traslación de Marcela a casa de Lucía y la presenció en partes, se consagró a practicar averiguaciones prudentes, empleando para ello la sagacidad, patrimonio que deja la buena educación de un colegio sistemado y celoso. Por esta misma prudencia, huía de una inmediata explicación con don Sebastián, y se impuso alejamiento momentáneo de casa del señor Marín.

Pero todo acontecimiento va a su desenlace.

Una mañana, al regresar a su casa, taciturno y caviloso, absorbido por una sola idea, halló a su madre preparando unos suches que, abiertos medio a medio con su respectiva provisión de pimienta, cebollas picadas, sal, ají y manteca, extendidos en una sartén de barro, aguardaban ir al horno para su cocimiento.

Al ver a su hijo, doña Petronila dijo:

—¡Manuelito, cómo te gustaban los suches asados al horno! ¿recuerdas, tatay? Por eso estoy arreglándolos yo misma. ¿Quién había de cocinar para mi hijo? . . .

—Gracias, madre. Despacha esa golosina al horno y óyeme en tu cuarto —dijo Manuel, para cuyo corazón fue un bálsamo aquella sencilla escena de familia, diciéndose enseguida al caminar hacia la habitación de doña Petronila:

—¡Benditas las madres! Quien no ha sentido los mimos y las caricias de su madre, ni recibido los besos de la que nos llevó en su seno, ¡oh!, no sabe lo que es amor.

Entrado en la alcoba, arrastró una silleta junto a la mesa, se sentó en ella con fuerza, apoyó los codos y dejó caer la cabeza en la palma de las manos en actitud meditabunda.

¡Qué combinaciones las que hacía!

Todos los hilos que tomó en las investigaciones practicadas con las personas que a él se asociaron le conducían a entrever a los verdaderos autores del asalto a la casa de don Fernando Marín, y allí se destacaban las figuras de don Sebastián, el cura Pascual y Estéfano Benites.

Llegó doña Petronila, y dando una palmada en el hombro de Manuel, dijo:

—¿Te has dormido, Manuelito?

Manuel dejó caer los brazos sobresaltado, alzó los ojos, y fijándolos con cariñosa expresión en su madre se puso de pie y le contestó:

—Nada de eso, madre; el espíritu intranquilo sólo va a la vigilia. Siéntate, hablaremos.

Y arrastrando otra silla junto a la suya, la ofreció a su madre.

—No, hijo, yo me sentaré aquí no más en este banquito; aquí estoy más cómoda —repuso doña Petronila rechazando la silleta, sentándose en un asiento bajo de su preferencia, cubierto con una alfombra, y arreglándose las faldas del vestido.

—Como gustes —dijo Manuel sentándose a su vez.

—Ya adivino de lo que me quieres hablar. ¡Jesús qué cosas las que han pasado! ¿No? Hasta ahora no me vuelve el alma al cuerpo; estoy viendo nomás las caras de los indios muertos, bañados en sangre, cubiertos de tierra, ¡Jesús! ¡Jesús!

—¡Ah, madre mía! ¡Con qué fatal estrella he vuelto para presenciar estos sucesos! Pero son lamentaciones inútiles, hagamos de tripas corazón, y vamos a remediar algo y tratar de que don Sebastián salve —contestó Manuel, iniciándose las confidencias entre madre e hijo.

—¡Ay, hijo mío, ay! ¿Para qué te contaría todo? Desde que lo hicieron gobernador a tu padre, se ha vuelto otro, y... ya no puedo con él...

—Sí, lo sé. Todo lo he comprendido, madrecita, desde el primer momento.

—Háblale, pues, tú; a ti te oirá.

—¡Temo que no! Si yo fuese su hijo verdaderamente hablaría con él la voz del amor paterno, pero... tú... tú lo sabes...

—¿Y para qué traes a colación esas cosas? —dijo doña Petronila enfadada.

—Perdona, madre. Y vamos al grano. Tú tienes que ayudarme,

pero con cariño; sin palabras amargas, sin cargos, nada de eso; simplemente debemos hacer que deje la gobernación y, por lo demás, yo echaré sobre mis hombros los resultados; lo tengo meditado. Ahora he de verme con el pícaro cura.

—No hables así de un sacerdote. ¡Jesús! ¡El descomulgado se desgracia!

—Madre, el hombre que prostituye su ministerio merece desprecio; pero no hablemos de él, tratemos de don Sebastián. Entra a verlo a su cuarto y procura hablarle, preparándole el ánimo para que me reciba después.

—¿Ahora mismo? —preguntó doña Petronila levantándose al propio tiempo.

—Sí, madre, no hay horas que perder —repuso Manuel abrochándose el botón del saco.

Y doña Petronila salió pausadamente. Al llegar a la puerta de la habitación de don Sebastián se detuvo unos segundos, santiguó su frente y entró.

Manuel quedó dando paseos en el cuarto de su madre, entregado a sus combinaciones, porque la entrevista con don Sebastián tenía que ser algo dura para él.

En el curso de sus paseos, de repente fijó su vista en un vaso de arcilla que estaba colocado en una esquinera, el cual le llamó tan vivamente la atención que, examinándolo, dijo:

—Este debe ser un huaco de mucha importancia; qué tierra tan fina . . . y estos dibujos tan admirablemente ejecutados; qué bien hechas las labores de la lliclla de la ccoya y las sombras del manto que lleva flotante el indio, que será algún cacique.

—Manuelito, parece que Chapaco está en su buen rato —dijo doña Petronila entrando alegre.

—¿Qué le has dicho sobre el asunto? —preguntó con interés Manuel, colocando el huaco en su mismo sitio.

—Yo nada le he querido porfiar, por tus mismos encargos; pero le he dicho que conviene que deje la gubernatura, porque han de venir disgustos con motivo de apresar a los factores de la otra noche y demás.

—¿No le has dicho que él está señalado como partícipe?

—¿Para qué le iba a decir eso? ¡Jesús! Habría brincado de rabia. ¡Yo no me atrevo! . . .

—Pero, ¿qué respondió al fin?

—«Yo sabré lo que me hago», me ha respondido, pero con buenas mañas. Anda, nomás —dijo doña Petronila tomando la mano de su hijo.

Manuel besó en la frente de su madre y se dirigió a la habitación de don Sebastián Pancorbo, gobernador de Kíllac.

XXII

Don Sebastián se encontraba recostado en un sillón, envuelto en un poncho felpado, la cabeza atada con un pañuelo carmesí de seda, cuyas puntas, formando nudo, quedaban hacia la frente. Estaba visiblemente preocupado.

—Buenos días, señor —dijo Manuel al entrar.

—Buenos días. ¿De dónde pareces, Manuel? Francamente, desde que has llegado no nos hemos visto más que tres veces —respondió don Sebastián disimulando su preocupación.

—La culpa no es mía, señor; usted no ha estado en casa.

—Francamente, estos amigos, y el cargo que desempeño, ya uno no se pertenece; tienes razón Manuelito —dijo el gobernador.

Y como buscando forma de sincerar su conducta, agregó:

—Lo que es la otra noche, francamente, hijo, he estado en mucho peligro, sin poder contener el desorden que hubo. ¿Qué se va a hacer sin fuerza armada?. . . Pero tú te portaste muy bien . . . y, francamente, este don Fernando no más también tiene la culpa.

—Yo vengo a hablar con usted seriamente sobre lo ocurrido la otra noche. Yo no puedo quedarme con los brazos cruzados cuando veo que acusan a usted.

—¿A mí? —dijo Pancorbo pegando un brinco.

—A usted, señor.

—¿Y quién es ése? a ver, ¿quién? Francamente, quiero conocerlo.

—No se exalte, usted, señor; cálmese y hablemos entre padre e hijo; aquí nadie nos oye —replicó Manuel mordiéndose los labios.

—Pues, y tú ¿qué dices? ¡habla! también; francamente, me gusta la ocurrencia.

—De todas las averiguaciones que he practicado, resulta . . . casi la evidencia de que el cura Pascual, usted y Estéfano Benites han tramado y dirigido esto contra don Fernando, por devoluciones de dinero de reparto y de entierro.

Don Sebastián iba cambiando de colores a cada palabra de Manuel, y pálido al final, presa de un temblor nervioso, sin poderse ya dominar, dijo:

—¿Eso dicen? Francamente, ¡nos han vendido!

—No eran ustedes solos; otros individuos pertenecían al complot; y las tramas que se hacen entre muchos y entre copas, no llevan el sello del secreto —repuso Manuel con calma.

—Será el Escobedito; francamente, a mí me daba mala espina ese mocito.

—Alguno habrá sido, don Sebastián; pero ya no es tiempo de conjeturas, sino de poner a usted en salvo.

—¿Y qué cosa has ideado, hijo? —preguntó don Sebastián cambiando de tono.

—Que usted deje la gobernación inmediatamente —repuso el joven.

—¡Eso no, francamente, eso no! ¿Dejar de ser yo autoridad en el pueblo donde he nacido? No, no, ni me propongas esas cosas, Manuel —contestó don Sebastián enfadado.

—Pero tendrá usted que hacerlo antes que lo destituyan, y yo se lo pido, se lo aconsejo; usted ha sido llevado por la corriente, el principal autor es el cura, yo me entenderé con él y usted firma su renuncia, don Sebastián. Desde niño le he dado el nombre de padre, todos me creen su hijo, y usted no puede dudar de mi interés, ni despreciar mis consejos; todo lo hago por amor a mi madre, por gratitud a usted —dijo Manuel agotando su arsenal persuasivo y secando su frente, por donde corría el sudor de la discusión en que tuvo que mencionar nuevamente su paternidad desconocida para la sociedad.

Don Sebastián estaba conmovido; abrazó a Manuel, diciéndole:

—Haz, pues, como piensas, francamente . . . pero, el cura que no se quede sin su ración.

—Todo se arreglará lo mejor posible para usted, señor, y más tarde, iremos juntos a donde don Fernando, porque conviene que ustedes queden de acuerdo. Ahora me voy a donde el cura Pascual, hasta luego —dijo Manuel tomando su sombrero.

Y salió en dirección a la casa parroquial, mientras que don Sebastián repetía entre dientes, moviendo la cabeza:

—¡Escobedito, o Benites . . . mocitos! . . .

El cura Pascual tomaba en aquellas horas tranquilamente su desayuno, rodeado de dos gatos, uno negro y otro amarillo con blanco; un perro lanudo dormitaba con la cabeza entre las dos patas delanteras, estirado largo a largo en el umbral del cuarto, y el pongo con los brazos cruzados, en ademán humilde, esperaba de pie junto al perro las órdenes de su amo.

Cuando sintió pasos y vio a Manuel, el cura alzó un plato sopero y, volcándolo, tapó otro plato en que había un pichón aderezado a la criolla, con dos tomates partidos sobre las alas y una rama de perejil en el pico.

—Señor cura —dijo Manuel al entrar, descubriéndose con política.

—Jovencito Manuel, ¿a qué feliz casualidad debo el gusto de verlo por acá? —repuso el cura.

—La causa de mi venida no le debe ser desconocida, señor cura —respondió Manuel con sequedad y enfado, pues iba preparado a no usar de cumplimientos con el cura Pascual.

—Caballerito, me sorprende usted —dijo el cura variando de tono y levantando distraído un tenedor de la mesa.

Manuel que permanecía de pie, tomó el primer asiento y contestó:

—Sin preámbulos, señor cura; la asonada que anteanoche ha cubierto de vergüenza y de luto este pueblo, es obra de usted...

—¿Qué dice usted, insolentito? —dijo el cura moviéndose en su asiento, sorprendido al oír por la primera vez un lenguaje gastado de igual a igual y en tono acusador.

—Nada de calificativos, señor cura; acuérdese usted que no es la sotana la que hace respetar al hombre, sino el hombre quien dignifica ese hábito que así cubre a buenos sacerdotes como a ministros indignos —replicó Manuel.

—¿Y qué pruebas tendrá usted para semejante acusación?

—Todas las que un hombre necesita para acusar a otro —repuso con llaneza el joven.

—¿Y si en mi lugar se encontrase usted con otra persona ante cuya presencia tuviese que bajar la cabeza avergonzado? —dijo el cura Pascual, tirando sobre la mesa el tenedor que aún conservaba en la mano y creyendo haber dado un golpe decisivo a Manuel.

Pero éste, sin perder su serenidad, respondió con aplomo:

—Esa persona a quien usted alude, señor cura, ha sido infeliz máquina de usted, como han sido los otros...

—¿Qué dice usted, colegial? —dijo colérico el cura, por cuya mente cruzó la duda de esta forma—. ¿Si le habrá revelado el bergante de Pancorbo?...

—Lo que usted oye, señor cura, y seamos breves —agregó Manuel.

—Más breve será usted marchándose —contestó el cura colérico.

—Antes de tiempo, antes de llenar mis propósitos, no lo espere usted señor, cura.

—¿Y qué es lo que pretende usted? —preguntó el párroco cambiando el tono de la voz y dominando sus ímpetus de cólera.

—Que usted, y don Sebastián reparen el daño que han hecho, antes que la justicia reclame a los delincuentes.

—¿Qué oigo? ¡Santo cielo! ¡Don Sebastián, débil y afeminado, ha vendido!... —exclamó el cura vencido totalmente por Manuel, quien acababa de mencionar a su padre.

Mas como quien encuentra un nuevo reducto de defensa, dijo:

—¿Será usted un hijo desnaturalizado que acuse a su propio padre?

—Claro que no, desde que voy en busca de la reparación prudente y meditada para atenuar la falta, que de todos modos habrá que tenerla, pues nuestras creencias religiosas nos enseñan que sin la previa remisión del mal no hallaremos abiertas las puertas del cielo.

—¡Ajá! ¿Eso le han enseñado a usted sus maestros, para no reparar en la acusación de su padre? —preguntó con ironía el cura, empeñado en su labor de zapa.

—Algo más, señor cura, me han enseñado que sin la rectitud de acción no hay ciudadano, ni habrá patria, ni familia; y le repito que no acuso a don Sebastián; busco satisfacción para atenuar su falta...

Iba a continuar el joven, cuando apareció un sirviente de casa de don Fernando, todo azorado y descompuesto, gritando desde la puerta:

—Señor, señor, auxilios para un moribundo.

—Vaya usted, señor cura, a cumplir sus deberes del sacerdote, y... enseguida hablaremos —dijo Manuel, reparando que había un testigo, e inclinándose salió.

El cura fue a tomar su sombrero; y mirando a Manuel que se marchaba, dijo con desprecio:

—¡Pedazo de masón!

Enseguida fue a destapar el plato que había preservado del aire y, oliéndolo, murmuró a media voz:

—Se me ha enfriado el pichoncito... en fin, al regreso lo tomaré.

XXIII

Los esposos Marín no omitían gastos ni asistencia esmerada para alcanzar la salvación de la enferma, pero, desgraciadamente, ésta empeoraba por grados, acortándose los momentos de su vida.

Lucía encontrábase en aquella hora junto a don Fernando, con quien platicaba en dulce intimidad, y le dijo:

—¿Qué misterios son éstos, Fernando? ¡Marcela llegó a nuestro hogar tranquilo y dichoso en busca de un amparo que halló en nombre de la caridad; nosotros nos gozamos en el bien, y de estas acciones buenas elevadas y santas, ha resultado el infortunio de todos!

—Acuérdate, hija, que la faena de la vida es de lucha, y que la sepultura del bien la cava la ignorancia. ¡El triunfo consiste en no dejarse enterrar! . . .

Margarita apareció en la puerta como un meteoro, gritando:

—Madrina, madrina, mi madre te llama.

—Allá voy —contestó Lucía.

Y dirigiéndose a su marido con una palmadita en el hombro:

—Adiós, hijito —dijo; y echóse a andar hacia la habitación de Marcela.

Esta se encontraba medio sentada, apoyada en varios almohadones de cotí rosado. Al ver a Lucía se le llenaron los ojos de lágrimas, y con voz desfallecida y entrecortada, exclamó:

—¡Niñay . . . voy a . . . morirme! . . . ¡ay! . . . ¡mis hijitas! . . . ¡palomas sin nido . . . sin árbol . . . y sin . . . madre! . . . ¡ay! . . .

—¡Pobre Marcela, estás muy débil, no te agites! No quiero ahora repetirte discursos para probarte los misterios de Dios, pero tú eres buena, tú . . . eres cristiana —dijo Lucía arreglando las cobijas de la cama un tanto rodadas.

—¡Sí . . . niñay! . . .

—¡Si te ha llegado tu hora, Marcela, parte tranquila! ¡Tus hijas no son las aves sin nido; esta es su casa; yo seré su madre! . . .

—¡Dios . . . te pague! . . . quiero revelarte un secreto . . . para que . . . se pierda en tu corazón . . . hasta la hora precisa —dijo la enferma esforzándose para hablar seguido.

—¿Qué? —preguntó Lucía acercándose más.

Y Marcela, aplicando sus labios casi helados a los oídos de la esposa de don Fernando, murmuró frases que por varias veces hicieron volver los ojos a Lucía para fijarlos con asombro en la enferma, quien al terminar le preguntó:

—¿Prometes . . . niñay?

—Sí, te lo juro por Cristo mi señor muerto en la cruz —respondió Lucía conmovida.

Y la pobre mártir, para quien las horas de agonía se aproximaban, agregó ser su despedida de los negocios del mundo:

—¡Dios te pague! . . . ahora . . . quiero confesarme . . . después . . . ¡la muerte ya me . . . espera!

Anunciaron la llegada del cura Pascual, cuyo saludo correspondió Lucía con frialdad, llevándose de la mano a Rosalía y Margarita, a quienes iba a distraer para que no presenciasen la partida de su madre.

El párroco, llegando al lecho de la moribunda, escuchaba las confidencias sacramentales de su víctima.

Margarita ya no podía dejarse engañar.

Sus ojos estaban enrojecidos por el llanto.

Tenía que llorar aún, cuando viesen sacar a su madre en hombros extraños, para dejarla por siempre en el suelo húmedo del cementerio.

¡Pobre Margarita!

Sin embargo, en su dolor, ella no medía la magnitud de su desventura.

Lucía, al sacar a las muchachitas y entregarlas a una sirvienta para que les pusiesen los vestidos que les estaban cosiendo en la máquina "Davis", se dijo:

—¡Adorable candidez de los niños! ¡Ah! La niñez todo lo dora el calor de un sol refulgente, mientras que la vejez todo lo hiela con el frío del escepticismo. ¿Tienen razón de ser escépticos los viejos, conociendo a la humanidad? Niñas —agregó en alta voz—, vayan con Manuela, que ha de darles bizcocho y bonitos trajes.

Y se dirigió en busca de don Fernando, que estaba ocupado en su escritorio. Casi al mismo tiempo llegaban Manuel y don Sebastián. Cuando los vio Lucía, estrujándose los dedos entrelazados, se preguntó asombrada:

—¿Qué va a suceder hoy en esta casa, donde en tan pocos días se han desarrollado acontecimientos tan trágicos y cuya extensión aún no es posible medir? ¿Qué nuevo drama va a presentarse en mi hogar, donde una mano invisible reúne ahora a los principales actores, perseguidores y perseguidos, culpables e inocentes, en presencia de una madre que se halla en los bordes del sepulcro abierto por estos notables, que en un supuesto ataque a sus costumbres sólo persiguen fines particulares, sin desdeñar medios inicuos? ¡Dios mío! . . .

—A los pies de usted, señora Lucía —dijo Manuel encontrando a la esposa del señor Marín casi en la puerta del escritorio, donde entraron seguidos de don Sebastián.

—Caballeros —repuso Lucía con manifiesto desagrado para don Sebastián, quien, descubriéndose, dijo:

—Muy buenos días, señora . . . señor . . .

—Hola, don Manuel; adiós, don Sebastián —repuso don Fernando dominando el mal efecto que le produjo la presencia del segundo.

Pero Manuel, calculando de antemano aquel efecto, y para atenuar las cosas, fue el primero en comenzar la conversación, diciendo:

—Señor don Fernando, hemos venido para acordar con usted la manera cómo podrá recibir la más explícita satisfacción de un pueblo que le ha ofendido con la misma ignorancia con que ofende un perro rabioso.

—Satisfacerme a mí, don Manuel, no es cosa difícil, a la verdad; yo, más o menos, he estudiado el carácter de este pueblo, que se desarrolla sin los estímulos del buen ejemplo y del sano consejo; que a costa de su propia dignidad va a conservar la que él llama legendaria costumbre. Pero ¿cómo se reparan los daños causados en tanta víctima? —contestó el señor Marín, dando a sus palabras la severa acentuación de la verdad y del reproche.

—Y, francamente, ¿cuántos muertos han habido? —se atrevió a preguntar don Sebastián con voz temblorosa.

—¡Y qué! ¿Usted lo ignora, don Sebastián? ¿Usted que es la autoridad local? ¡Cosa extraña, por demás extraña! —dijo don Fernando por toda respuesta, dando un paso hacia el asiento que ocupaba su esposa.

—Su natural extrañeza —se apresuró a decir Manuel— quedará satisfecha, don Fernando, al saber que mi padre no ha salido de la casa después de los sucesos que me cupo la suerte de contener, habiéndose encargado del puesto el teniente gobernador, como llamado por la ley.

—Esa diligencia precautoria y muy pensada, no lo pone a salvo de responsabilidades —observó Lucía con su natural vivacidad femenina.

Pero Manuel, siempre listo, repuso:

—Señora, yo que he venido en momentos tan trágicos para Killac, para este pueblo de mi nacimiento, no podía permanecer indiferente; debía buscar reparos, prevenir nuevos males, y he persuadido a mi padre de que renuncie el puesto que... no ha sabido sostener. Voy en pos de alguna reparación.

—¿Y va usted a entrar en pugna con vicios que gozan del privilegio de arraigados, con errores que fructifican bajo el árbol de las COSTUMBRES, sin modelos, sin estímulos que despierten las almas de la atonía en que las ha sumido el abuso, el deseo de lucro inmoderado y la ignorancia conservada por especulación? Me parece cosa difícil, don Manuel —dijo el señor Marín.

Manuel no estaba ni derrotado ni persuadido, y replicó:

—Esa, precisamente, esa es la lucha de la juventud peruana destinada en estas regiones. Tengo la esperanza, don Fernando, de que la civilización que se persigue tremolando la bandera del cristianismo puro, no tarde en manifestarse, constituyendo la felicidad de la familia y, como consecuencia lógica, la felicidad social.

—¿Y sus fuerzas serán suficientes, joven Manuel? ¿Cuenta usted con otros apoyos a más del que le ofrece su madre y le brindamos nosotros, sus amigos? —preguntó don Fernando deteniendo el paseo que daba en esos momentos y botando a la puerta un pedacito de papel que estaba estrujando como una pelotilla durante la discusión.

Lucía cruzó los brazos como cansada, y don Sebastián permanecía firme como un palo plantado bajo su capa histórica.

—Cuento con que este pueblo no ha tocado en la objeción; sus masas son dóciles, me lo ha probado el suceso mismo que lamentamos, y me parece fácil guiarlo por el buen sendero —repuso Manuel con calor.

—No contradigo a usted, Manuel, pero . . .

—El error también tiene remedio, francamente, mi señor —aventuró a decir don Sebastián . . .

—Es claro, cuando ese error no ha traspasado los dinteles de la eternidad, don Sebastián; tenemos siete heridos, cuatro muertos, y la desventurada Marcela próxima a expirar, dejando a sus hijas; en suma, huérfanos, viudas . . .

—¿De qué modo rectificará usted esos errores? —preguntó Lucía enderezando los pies y saliendo en apoyo de su marido.

Don Sebastián se tapó la cara con ambas manos como un niño; Manuel palideció, secándose el copioso sudor que invadía su frente, y la voz desesperada de Margarita llegó a todos:

—¡Misericordia! . . . ¡madrina, padrino, favor! . . .

—¡Vamos! —dijo Lucía poniéndose de pie con la velocidad del pensamiento, y ordenando a los presentes con la vista.

Todos corrieron junto al lecho de la esposa mártir, cuya vida se extinguió en un suspiro, resbalando por sus mejillas la última lágrima blanquecina con que se da el adiós al valle del dolor.

Marcela acababa de volar a las serenas regiones de la paz perdurable, dejando su vestidura mortal, para que el hombre discuta en su presencia la teoría de la descomposición orgánica que proclama la NADA y los principios de la perfección mecánica movida por un ALGO, cuyo comienzo y cesación de funciones reclama una mano constructora, revelando al Autor de la Naturaleza.

¡Allí estaba el cadáver!

Y don Sebastián y el cura Pascual, los únicos responsables de las calamidades ocurridas en Killac, presentes ante los despojos de la muerta.

XXIV

La chismografía y los comentarios corrían de boca en boca, exactos unos, desfigurados los más, y los indios, avergonzados de la docilidad con que acudieron al llamamiento de las campanas y cayeron en el engaño para atacar el pacífico hogar de don Fernando Marín, vagaban por los alrededores del pueblo taciturnos y miedosos.

Estéfano Benites reunió a los suyos en el mismo despacho de su casa donde los encontramos jugando a la baraja, y al persuadirse de que sus cómplices vacilaban, les dijo para animarlos:

—Compadritos, a lo hecho, pecho.

—Yo no creí que el tiro saliese sin puntero —respondió Escobedo sacudiendo un lloqque que tenía entre las manos.

—Si vienen las justicias, ya saben ustedes lo que hay que hacer —instruyó Estéfano.

—¿Y qué? ¿Y si nos llevan a declarar con juramento? —observó Escobedo.

—No saber nada, compadre, y . . . eso lo acordamos bien cuando comiencen las cosas; vale que soy el secretario del juez de paz.

—Culpemos a los indios muertos —opinó uno.

—Entregaremos al campanero; ese indio tiene vacas y puede pleitear —dijo otro.

—Hombre, ¿y tú hablaste con Rajita esa noche? —preguntó Escobedo al primero de los opinantes.

—Yo, no; el que habló fue don Estéfano —repuso el aludido.

—Sí, yo hablé con él —afirmó Benites.

—¿Y cómo fue eso? Yo pienso citarlo a Rajita, porque es muy mi amigo, y porque tenemos pendiente un negocio de molienda de trigos —dijo con interés Escobedo.

—Bueno, lo que le dije fue: Santiago, estáte sobre aviso, que por unos papeles sé que han llegado unos bandoleros a las cercanías, robando iglesias, y como la custodia del pueblo es rica, hay que guardarla.

—Está bien; Rajita me quiere mucho, es capaz de seguirme al purgatorio —apoyó Escobedo sonriendo y dándose golpecitos en los pies con el lloqque.

—No se descuiden, pues, de averiguar lo que pasa, ¿eh? Yo me voy donde don Sebastián, para que hagamos los apuntes —dijo Benites despidiéndose de sus colegas.

Y cada cual se fue a su mentidero que así se llaman las esquinas de la plaza, nombre dado por ellos mismos en un momento de inspiración.

La asonada había pasado, pues, tal como se fraguó en la casa parroquial, aunque sin los resultados perseguidos por aquellos ciegos conservadores de sus costumbres viciadas.

Reunidas las gentes, se señaló la casa de don Fernando como el refugio de los supuestos bandoleros, y como los momentos de excitación del populacho nunca son de reflexiones, creyeron y atacaron. Esa fue la tragedia.

Después, la palabra valerosa de un joven casi desconocido en el pueblo, seguido de una mujer tan respetable y querida como doña Petronila, impuso la tregua a que siguió la calma; y luego, con ese cambio rapidísimo de sentimientos populares, vino el arrepentimiento, el horror a lo ya ejecutado, que con los tornasolados celajes de la aurora se contempló como la farsa más inicua.

La autoridad judicial se personó en el lugar del siniestro, y los peritos nombrados ad hoc expidieron su informe en términos tan técnicos como obscuros para llegar a la investigación de la verdad.

A la entrada de don Fernando, Lucía, don Sebastián y Manuel al cuarto de Marcela, que acababa de morir, el cadáver, aún tibio, yacía tendido en un ligero catre de fierro sin toldilla, cubierto con una frazada blanca de listas azules y carmesí, tejida en el lugar y sus brazos extendidos sobre la cama dejaban descubierta una parte del hombro.

Arrodillado junto al lecho mortuorio, con el rostro escondido entre las manos, estaba el cura Pascual.

Margarita, casi totalmente transformada, con una batita negra de percal, los cabellos sueltos y los ojos reverberantes con las lágrimas que brotaban desde su corazón, agarraba una de las manos de la muerta.

Lucía sacó del bolsillo de la bata un pañuelo blanco, y con él cubrió el rostro de la difunta, con el respeto que le inspiraba aquella mártir de su amor de madre, de su gratitud y de su fe.

En el cerebro de Lucía bullían las revelaciones que Marcela le confió en sus últimos momentos. Don Fernando y don Sebastián se quedaron enmedio de la habitación, y Manuel, fijándose en Margarita, sintió agolparse a su corazón toda la sangre de sus venas.

¿Entraba en aquella habitación en el momento psicológico que se resuelven las grandes pasiones del corazón humano? ¿Era que conocía a Margarita en situación tan solemne y cuando su alma estaba predispuesta por tantas sensaciones encontradas al estallido de la más grande de las pasiones? ¿Era una confusión de sentimientos o la belleza notable de Margarita lo que sojuzgó el corazón del estudiante de segundo año de derecho?

No lo sabemos, pero el arquero niño infiltró el alma de Margarita en el corazón de Manuel; y junto al lecho de muerte nació el amor que, rodeado de una valla insuperable, iba a conducir a aquel joven, nacido al parecer en esfera superior a la de Margarita, a los umbrales de la felicidad.

En la habitación mortuoria nunca es animada la palabra.

Frases dichas a media voz, pasos cautelosos y cuchicheos, como si todavía se velase a un enfermo; tal es el cuadro donde todos imitan el silencio sepulcral.

Por esta vez fue el cura Pascual quien dejando su actitud de recogimiento, con mirada vaga y voz clara, dijo:

—Alabad todos a Dios, porque, dando hoy la gloria a una santa en el cielo, redime a un pecador en la tierra. ¡Hijos míos! ¡hijos míos! ¡perdón! ¡Pues yo prometo en este templo augusto, aquí frente a las reliquias de una mártir, que para este pecador comenzará una era nueva!...

Todos quedaron estupefactos, y miraban al cura Pascual, creyendo que estaba loco.

Pero él, sin darse cuenta, continuó:

—No creáis que en mí hubiese muerto la semilla del bien que deposita en el corazón del hombre la palabra de la madre cristiana. ¡Desdichado el hombre que es arrojado al desierto del curato sin el amparo de la familia! ¡Perdón! ¡Perdón!...

Y volvió a caer de rodillas, entrelazando las manos en actitud suplicante.

—Desvaría —dijo uno.

—Se ha vuelto loco —observaron otros.

Don Fernando, adelantando varios pasos, tomó del brazo al cura Pascual, lo levantó y lo condujo a su escritorio o cuarto de trabajo, para ofrecerle un descanso.

Lucía, dirigiéndose a los presentes, dijo:

—¡Dios mío!... pero... ¡Vamos! Dejemos en paz a quien no es ya de aquí.

Y señaló el cadáver de Marcela.

Manuel, tomando de un brazo a Margarita, contestó con voz dulce:

—¡Señora, si Marcela ha partido al cielo arrancando lágrimas, esta niña viene de allá infundiendo esperanzas!...

—Dice bien, Manuel. Margarita, si no puedes hacer felices los días de tu madre, haré colmados de dicha los años de tu existencia; ¡tú serás mi hija! —repuso Lucía dirigiéndose a la huérfana.

Aquellas palabras cayeron como lluvia vivificante sobre el joven que, mirando a Margarita, se repetía interiormente:

—¡Qué linda! ¡es un ángel! ¡ah! yo también trabajaré por ella.

—¡Vamos! —repitió Lucía tomando del brazo a don Sebastián, que parecía una estatua de sal—. Tenemos que cumplir los últimos deberes con la que fue Marcela.

Y le sacó dejando que Manuel llevase a la huérfana, que por una misteriosa combinación salía de la vivienda mortuoria de su madre conducida por el hombre que tanto iba a amar en la vida.

XXV

Positiva es la influencia simpática que ejerce ante sus semejantes el hombre que reconociendo la mala senda se detiene para desandar lo andado y pide el amparo de los buenos.

Por descorazonado y egoísta que sea el actual siglo, es falso que el arrepentimiento no inspire interés y merezca respeto.

Las palabras del cura Pascual habían conmovido los nobles sentimientos de don Fernando Marín, en grado tal, que adquirió completa disposición para apoyar o mejor dicho, defender al párroco de las complicaciones que sobreviniesen en el curso de los acontecimientos iniciados con la intervención del juzgado; pero el señor Marín era hombre de mundo, conocedor del corazón humano, y en la actitud del cura Pascual se vio una faz diferente de la que el vulgo veía, y dijo para sí:

—Esta es la explosión del susto, el sacudimiento nervioso que produce el miedo; yo no puedo tener fe en las palabras de este hombre.

Mientras tanto el cura Pascual, como adivinando por intuición el pensamiento del señor Marín, dijo a éste:

—No quiero detenerme, don Fernando. Las resoluciones acompañadas de vacilación se desvirtúan. He sido más desgraciado que criminal. Mienten los que, sentando una teoría ilusoria, buscan la virtud de los curas lejos de la familia, arrojados en el centro de las cabañas, cuando la práctica y la experiencia, como dos punteros de la esfera, que han de señalar infalibilidad la hora nos marcan que es imposible conseguir la degeneración de la naturaleza del hombre.

—Usted ha podido ser un sacerdote ejemplar, cura Pascual —contestó el esposo de Lucía casi apoyando las últimas palabras de su interlocutor.

—Sí, en el seno de la familia, don Fernando, pero hoy, ¡puedo decirlo delante de usted!, solo, en el apartado cuarto, soy un mal padre de hijos que no han de conocerme, el recuerdo de mujeres que no me han amado nunca, un ejemplo triste para mis feligreses. ¡Ah! . . .

La voz del párroco estaba ahogándose, gruesas gotas de sudor corrían por su frente y su mirada infundía, más que respeto, miedo.

—Cálmese, cura Pascual, ¿a qué tanta exaltación? —dijo don Fernando con ademán compasivo, a la vez que con la fisonomía demudada por la sorpresa, pues aquél que tenía delante no era el cura Pascual que vio y trató tantas veces; era el león despierto del letargo con el dolor de una herida mortal, desgarrándose sus propias entrañas.

—La revelación de Marcela . . . —dijo el cura por toda respuesta, tapándose la cara con ambas manos y volviéndose a descubrir para levantarlas al cielo como sobrecogido de espanto.

¿Eran horribles, acaso de magnitud y trascendencia, aquellas palabras de la revelación sacramental? Indudablemente.

Cualesquiera que ellas fuesen, cayendo sobre un ánimo ya preparado por el terror que le infundía el resultado de la asonada y la sobreexcitación cerebral producida por el licor y los placeres que apuró en brazos de Melitona, agregándose a esto las palabras que lanzó Manuel como un tremendo reto, todo debía producir su estallido.

En tales situaciones el hombre va a los dos extremos de la vida social: la virtud o el crimen.

Pero el pobre organismo del cura estaba gastado totalmente, y la reacción para el bien no podía ser indicio de perseverancia. Aquel era el delirium tremens que asalta el cerebro, mostrándole fantasmas que hablan y amenazan. Sus labios secos, su respiración quemada; mas el cura, continuando su discurso interrumpido por una lucha interior, dijo:

—La mujer es como la miel; tomada en cantidad agota la salud... ¡estoy... resuelto, don Fernando!...

El cura Pascual deliraba, y cayó al suelo completamente privado, de donde lo levantaron presa de una fiebre tifoidea, y fue preciso conducirlo a su casa, desierta de los afectos y cuidados de familia y de todo auxilio.

No había para el infeliz más asistentes que su pongo y sus mitayas forzosas, ni más cariño que el de su perro.

XXVI

Todas las elevadas cumbres de las montañas que rodean Killac estaban cubiertas de esa palidez que a veces derrama el astro rey al hundirse en el ocaso, y que en el país se ha dado en llamar el sol de los gentiles.

Estaba tranquila la tarde y las cigarras comenzaban a cruzar el espacio, anunciando la llegada de la noche con ese zumbido del qquésqqués.

Lucía y Manuel, en presencia de don Sebastián, se ocupaban de los últimos arreglos para el entierro de Marcela, cuando entró don Fernando, a quien dijo su esposa:

—¡Fernando! ¡qué cosas! ¿no? Sigue el arrepentimiento del pobre cura?

—Hija, el cura Pascual se está muriendo con fiebres y en el delirio dice cosas que estremecen el alma —contestó don Fernando pasándose la mano por la frente.

—¡Dios me ampare y me favorezca! ¡Ahora no falta más que vengan las justicias; francamente, esto es horrible! —repetía golpeándose la frente con la palma de la mano.

—Calma, don Sebastián, no vaya usted a ponerse malo —dijo don Fernando llevando la mano al hombro del gobernador.

En aquel momento lanzó su primer clamor la campana del templo, tocando a muerto y pidiendo en su doble una oración para Marcela, mujer de Yupanqui.

Lucía, que tenía cerca a Margarita, la atrajo hacia su corazón, y estrechándola contra su pecho, le dijo:

—Vamos a buscar a tu hermanita Rosalía; hace tantas horas que no la vemos...

Y dirigiéndose a su marido, agregó:

—Fernando, tú entiéndete con ellos; yo voy a preparar el albergue prestado para las dos AVES SIN NIDO.

—¡Margarita! ¡Margarita! —murmuró Manuel al oído de la niña—. ¡Lucía es tu madre, yo seré... tu hermano!

Y resbaló una lágrima por el rostro del joven, como la perla valiosa con que su corazón pagaba a Lucía el corazón por la huérfana, cuyo altar de adoración ya estaba levantado en su alma con los lirios virginales del primer amor.

¡Amar es vivir!

Segunda Parte

I

El corazón del hombre es como el cielo cargado de nubes, infinito en sus fenómenos e igual en el curso de sus sacudimientos tempestuosos.

Después de la noche de tormenta clarea el día de luz y de sol.

Tras de los sucesos tristes que dejamos narrados en la primera parte de esta historia, la población de Kíllac entró en un periodo de calma, semejante al desfallecimiento que sigue al trabajo inmoderado, aunque la tempestad levantada en el corazón de Manuel tomaba proporciones considerables, impulsada por la soledad y la falta de ocupación consiguientes.

Transcurrieron así meses y meses.

Instaurado el juicio respectivo para descubrir a los verdaderos culpables del asalto, las diligencias preparatorias, con su tecnicismo jurídico, no habían podido señalarlos, ni averiguar nada de lo que nosotros sabemos, siguiendo el proceso con la lentitud alentadora del reo, lentitud con que en el Perú se procede dejando impune el crimen y tal vez amenazada la inocencia.

Sin embargo, el expediente engrosaba; cada día se añadían pliegos de papel sin sellar con el respectivo cargo de reintegro oportuno, constando en autos extensas declaraciones de testigos que ni al expresar su edad, estado y religión, decían verdad convincente.

Citaron al señor Marín al juzgado para prestar una instructiva como perjudicado, y no obstante el propósito que le asistía de no empeñarse en aquel juicio, se presentó, obedeciendo la citación, al juzgado de paz, comisionado por el de primera instancia para instruir el sumario.

El juez de paz, que era don Hilarión Verdejo, hombre ya entrado en años, viudo de tres mujeres, alto y cacarañado, actual propietario de "Manzanares", que compró a la testamentaría del obispo don Pedro Miranda y Claro, estaba gravemente sentado en el despacho ante una mesa de pino, en un sillón de vaqueta y madera, de los que se fabricaban en Cochabamba (Bolivia) hace cuarenta años, y que hoy son, en las ciudades del Perú, una rareza de museo.

Acompañaban a Verdejo dos hombres de los que sabían rubricar, quienes iban a servir de testigos de actuación, y no tardó en llegar el señor Marín, a quien recibió el juez alargándole la mano y diciéndole:

—Usté perdonará, mi señor don Fernando, que lo haiga hecho venir pacá; yo hubiese ido pallá; pero el señor jués de instancias...

—Nada de excusas, señor juez, está muy en orden —contestó el señor Marín, y don Hilarión comenzó la lectura de algunos documentos que persuadieron a don Fernando, una vez más, de que sería risible de su parte proseguir aquel juicio, digno de ser tratado por gente seria.

—¿Vamos a la actuación, señor juez? —preguntó don Fernando.

—Esperamos otro poquito, mi señor; no tardará mi plumario pa quescriba —repuso Verdejo algo turbado acomodando su sombrero en una esquina de la mesa y dirigiendo miradas ansiosas hacia la puerta por donde, al fin apareció Estéfano Benites llevando la pluma sobre la oreja derecha. Saludó muy de prisa, y arrastrando una silleta, dijo:

—Mucho me he tardado, señor; usted dispense —tomando al mismo tiempo la pluma, sopándola en el tintero y colocándose en actitud de trasladar al papel que tenía delante el dictado de don Hilarión, que dijo:

—Ponga usté el encabezamiento, don Estéfano, con buena letra, qués cosa de nuestro amigo el señor Marín.

Benites, después de llenar algunos renglones contestó:

—Ya está, señor.

Entonces don Hilarión tosió para afinar la voz, y con tono magistral, o mejor, como escolar que repite su lección de memoria, comenzó así:

—Preguntando si sabe y le consta que hubieron desórdenes con armamentos de fuego en este pueblo, la noche del cinco del mes corrientes, respondió:

—Que sí sabe, y le consta, por haber sido su domicilio atacado —se apresuró a contestar don Fernando, deseoso de ahorrarle algunos aprietos de redacción al juez.

—Con esta declaración los mata usté a sus enemigos, mi don Fernando —dijo Verdejo haciendo paréntesis en el dictado.

Don Fernando se concretó a callar, y el juez continuó:

—Preguntando si sabe quién atacó la casa o conoce a los autores del atentado . . .

—Que sí —dijo don Fernando con firmeza.

Al escuchar esta respuesta, Estéfano levantó la cara con la sorpresa consiguiente a tan inesperado golpe, observando el semblante del señor Marín, y aunque en él no pudo descubrir nada que le hiciese sospechar que estaba al cabo de su participación, desde aquel momento varió algo la forma de su letra, lo que demostraba que su pulso no iba firme.

Los testigos cruzaron entre sí una mirada significativa, y el juez no dejó de observar.

—Siendo esto así, condenados tendremos —y creyendo haber [illegible] bajado lo suficiente, agregó—: Por hoy basta, don Fernando; ma[illegible] continuaremos, si Dios nordena otra cosa, porque mestán esp[illegible] pa un deslinde. ¡Jesús!, qué ocupao vive un jes y todavía sin . . [illegible] rascando la palma de la zurda con los dedos de la diestra.

—Como usted guste, señor juez, a mí no me urge esto —r[illegible] don Fernando Marín, tomando su sombrero y despidiéndos[illegible]

Iban a salir, cuando se le allegó Estéfano con aire miste[illegible] dijo a media voz:

—Señor Marín, dispense usted, ¿quién me abonará r[illegible] de . . . secretario?

—No sé, amiguito —contestó don Fernando movien[illegible]beza, y abandonó el santuario de la ley.

Luego que se encontraron solos, observó Verdejo [illegible]ndose a su plumario:

—Ha dicho que los conoce, ¿eh?

—Sí, don Hilarión; pero en la prueba están las [illegible]as muelas, como había dicho el Cachabotas —respondió Benites limpiando la pluma con un pedacito de papel.

—Eso también he pensado yo, don Estéfano, que pa algo, pues, sirve llevar tantos años de judicatura, e siquiera queda experiencia.

—Y ahora que recuerdo, señor; para que todo vaya bien aparejado, hay que decretar primeramente el embargo del ganado del campanero; porque hasta el presente folio resulta el único comprometido en esto —instruyó Benites, obedeciendo a un plan ya preconcebido.

—Ajá, ya meiba olvidando; ponga usted decreto fuerte.

Autorizó el juez, y Benites redactó enseguida una especie de auto de embargo de las vacas, ovejas y alpacas de Isidro Champi, campanero de Killac, para quien aquel ganado representaba la suma de sacrificios sin nombre soportados por él y su familia durante su vida. Después de escribir, consultó Estéfano al juez y dijo:

—El depositario que exige la ley puede ser nuestro amigo Escobedo; es persona, abonada, honrada y toda nuestra, señor juez.

—¿Escobedo? —repitió don Hilarión rascándose la oreja; y después de una ligera pausa—: Sí, siestá bien, ponga usté a Escobedo —respondió Verdejo ordenando los papeles desparramados sobre la mesa y tomando enseguida su sombrero para salir.

II

La situación de Manuel era de las más complicadas.

Encerrado en su cuarto por largas horas, durante casi el día y casi toda la noche se decía en frecuentes sililoquios:

—Por mucho que el nombre de don Sebastián no conste todavía en los autos, él está repetido de boca en boca, signado por acusación y prueba. Las explicaciones de mi conducta dadas a los extraños que me vean frecuentar la casa de don Fernando Marín, no podrán ser satisfactorias por el momento ni honrosos para mí los comentarios que se hagan. Será, pues, necesario fortalecerse; iré al sacrificio para ser algún día digno de ello... Dejaré de visitar la casa; pero ¡en qué momentos me impongo este alejamiento! ¡Dios mío! Cuando mi corazón pertenece a Margarita, cuando mi anhelo es poder participar de los arreglos que la señora Lucía proyecta para la buena educación de la huérfana. ¡Dolor del alma! ¡tú te llamas Fatalidad, y yo soy tu hijo!...

Al decir estas últimas palabras cayó Manuel sobre el sofá de su pequeño cuarto, y con la cabeza apoyada en las palmas de las manos y los codos sobre las rodillas, permaneció como quien se abisma en los mares sin orilla de la duda y la meditación.

Manuel, indudablemente que tenía un plan concebido en su cerebro, acaso dictado por su corazón, y ejecutarlo era la exigencia ineludible.

Había comenzado a preparar el campo para realizar ese plan concebido por él.

Un día, después de reñidas vacilaciones, el sentimiento avasalló a la voluntad, y se dijo:

—Sea tiempo de arrostrar todo comentario, y esta noche voy.

Y por la primera vez, desde su llegada, puso esmero en su peinado y vestido. Sacó unos guantes que estaban en el fondo del baúl y que fueron de estreno en sus exámenes universitarios; preparó sus botas de charol y se fue a hacer tiempo en el jardín de su casa.

El pensamiento de Margarita lució vivo entre las flores, y el joven, absorbido por sueños ilusorios, cogió una porción de lindas violetas rellenas, que en tanta abundancia se producían debajo de las enramadas del arrayán; formó con ellas un perfumado ramillete, y lo guardó en el bolsillo de la pechera interior de su gabán diciendo:

—Las violetas son las flores que representan la modestia, y la modestia es virtud que resalta más en una mujer hermosa, porque la fea debe serlo. ¡Para mi Margarita las violetas! Cuando a mi edad se las arranca, enmedio de los rayos de luz que alumbran el corazón enamorado, involutariamente se va dejando un pedazo de alma en cada flor para que toda ella vuelva a juntarse con el alma de un ser amado. Los veinte años son, dice, la poesía de la existencia, las flores sus rimas y el amor la propia vida. ¡Oh! ¡yo siento, sé que vivo desde que amo!

Llegó por fin la ansiada hora y Manuel, calándose los guantes y perfumando su ropa, se lanzó por enmedio de las obscuras calles de Killac, cuyo empedrado desigual devoró con pasos de gigante palpitante de emociones, que para él trascendían ambrosía.

Al entrar al salón de recibo, encontró a Lucía dando las últimas puntadas a una relojera de razo celeste, en que había bordado con sedas matizadas de colores una flor de nomeolvides con las iniciales de su esposo al extremo.

Cerca de ella estaba Margarita, más linda que nunca, con su cabellera suelta sujeta a la parte de la frente con una cinta de listón, y se ocupaba en acomodar en una caja de cartón las flechas del tablero contador, en el cual ya conocía todas las letras.

Rosalía, junto con una muchachita de su edad, reían, lo más alegre del mundo, de una muñeca de trapo a la que acababan de lavar la cara con un resto de té que había en una taza.

Manuel se quedó extasiado por algunos segundos contemplando aquel hermoso cuadro de familia, donde Margarita representaba para su corazón el ángel de la felicidad.

Lucía volvió la cabeza creyendo encontrarse con don Fernando, pero, al ver a Manuel, dijo sorprendida y dejando su labor:

—¡Ah! ¿era usted, Manuel?

—Buenas noches, señora Lucía. Y ¡cómo se ha sorprendido usted con mi presencia! ¿si iré a morirme? —repuso Manuel con ademán alegre, descubriéndose y dando la mano a la señora Marín.

—No diga usted eso; si me he sorprendido es porque usted se ha perdido tantos días —contestó con amabilidad la esposa de don Fernando, correspondiendo a la salutación de Manuel, e invitándole un asiento con la mano.

—Razón de más para que ustedes hayan vivido a toda hora en mi memoria y en mi corazón —repuso el joven fijando la vista en Margarita, a quien saludó en ese momento, diciéndole:

—Y ¿cómo está la dichosa ahijada?

Y tomó la diminuta mano, que al rozar la suya produjo para ambos jóvenes el afecto del contacto de dos almas.

—Bien, Manuel; ya conozco todas las letras del tablero —contestó la niña sonriendo de contento.

—¡Bravísimo!

—Parece broma, pero cada día me siento más satisfecha de mi ahijada, ¿no? —dijo Lucía mirando a la huérfana.

—¿A ver? Quiero someterte a examen —dijo Manuel tomando la caja.

—Y vaciando las fichas comenzó a escoger letras, enseñándoselas a Margarita.

—A, X, D, M —decía la niña con viveza encantadora.

—Aprobada —dijo riendo Lucía.

—Ahora ya debes combinar, yo seré tu maestro —propuso Manuel tomando seis letras y después nueve, y colocándolas en orden, dijo:

—¡Mira! . . .

Y le hizo deletrear:

—MARGARITA, MANUEL.

Lucía conoció la intención de Manuel, y con tono amable, acompañado de una sonrisa, le dijo:

—Bueno maestro, no se desentiende de sus intereses; quiere grabar su nombre en la memoria de las discípulas.

—A algo más llega mi audacia, señora; quisiera grabarlo en el corazón —contestó Manuel en tono de broma.

Margarita no apartaba la vista del tablero. Sin arriesgar apuesta, parece que podríamos asegurar que ya sabía combinar aquellos dos nombres. Manuel se encontraba emocionado por el giro que tomaban las cosas, y como quien disimula, preguntó:

—Señora, ¿don Fernando no está en casa?

—Sí, está; cabalmente a la entrada equivoqué a usted con él, y no debe tardar. Pero a todo esto ¿por qué se ha alejado usted de casa? —preguntó Lucía.

—Señora, no quiero enfadarla con explicaciones dolorosas; he creído prudente hacerlo mientras duren estos asuntos judiciales.

—Es usted precavido, Manuel, pero nosotros, que estamos al corriente de todo, que usted nos salvó . . .

—No por ustedes, sino por los demás —se apresuró a decir Manuel, sin desatender el interés que Margarita manifestó para oír las palabras de su madrina.

En estos momentos entró don Fernando, colocó su sombrero en una silleta y alargó la mano a Manuel, quien se puso de pie para recibirle.

III

El cura Pascual salvó milagrosamente del ataque de tifoidea que le tuvo siete días postrado en el lecho del dolor, de donde lo arrancó la asistencia caritativa.

Su convalescencia iba a ser tardía, no obstante la benignidad del clima y la abundancia de leche y alimentos nutritivos. Su cerebro necesitaba cambio de lugar, de objetos y de costumbres para quedar desposeído de las imágenes que en él vivían con todo ese comején de los remordimientos, y resolvió ir a la ciudad en busca de un facultativo y de algún consuelo, dejando temporalmente el curato a un fraile exclaustrado de los antiguos franciscanos, que llegó a Kíllac casi al mismo tiempo que la nueva autoridad nombrada por el supremo gobierno para regir la provincia. Elegido fue el coronel Bruno de Paredes, hombre conocidísimo en todos los partidos del Perú, así por gozar de influjos conquistados en torneos del estómago, o banquetes, como por sacar con frecuencia las manos del plato de la justicia. Paredes era, además, antiguo camarada de don Sebastián, y hasta compañero de armas en una revuelta que hubo en pro no sabemos asegurar si de don Ramón Castilla o don Manuel Ignacio Vivanco.

La edad de don Bruno pasaría de los cincuenta y ocho años; sin embargo, estaba conservado y mozo con ayuda de un poco de tinte de Barry para el pelo y los trabajos del dentista Christian Dam para la boca, novedades que él llevó de Lima la primera vez que marchó de la capital como diputado dual por los Sacramentos.

Alto y grueso, de facciones vulgares y color más que modesto, cuando reía a carcajadas descompuesta dejaba ver la dentadura ajena por debajo de sus labios, resguardados por unos mostachos atusados en forma de cepillo. Vestía pantalón negro, chaleco azul cerrado hasta el cuello por botones amarillos de la patria, que también lucía, aunque más grandes, en la levita de paño café obscuro con enormes presillas de coronel; y gastaba un sombrero faldón de paño negro, con un herraje de caballo en miniatura como remache del cintillo ancho, de gro rayado. Nunca hizo ninguna clase de estudios militares, es verdad, pero las circunstancias le pusieron los galones el día menos pensado, y él tampoco cometió la candorosidad de despreciarlos. Su instrucción pecaba de pobre y su habla se resentía de pulcritud.

A su llegada a Killac se puso en relación inmediatamente con su antiguo camarada don Sebastián, a cuya casa se dirigió; supo los acontecimientos ocurridos en la población, y sostuvo el siguiente diálogo, donde rebosaba la confianza de otras épocas:

—¡Qué diantre! y ¿usted, mi don Sebastián, todo un hombre que viste calzones, se ha dejado manejar por un muchacho de escuela como es Manuelito? Pues no faltaba más.

—Mi coronel, francamente, declaro a usted que no se puede de otro modo. Ese muchacho me ha reflexionado como un libro, y Petruca ha remachado el clavo con sus lloros . . .

—¡Bonita va la cosa! Llénese usted de lloros de mujeres, y veremos como anda la patria. No, señor; usted se planta en sus trece; y yo le sostengo; sí, señor.

—Es que mi renuncia ya se está tramitando en la prefectura, francamente, mi coronel . . .

—¡Caracoles! Usted parece niño de teta, don Sebastián; ¿no sabe usted que quien tiene padrino se bautiza? ¿dónde está esa bravura de otro tiempo? sí, señor . . .

—¿Y cómo arreglaríamos? . . . pues, francamente, esto es serio —respondió don Sebastián revelando alegría inusitada.

—Lo arreglaremos en dos patadas, sí, señor; usted retira o no retira su renuncia y yo le nombro otra vez gobernador —dijo el coronel poniendo ambas manos en los bolsillos del pantalón, suspendiendo éste como quien lo sujeta a la cintura, y paseándose con calma.

—Francamente . . . —observó don Sebastián, pasándose la mano por debajo del pelo como quien busca ideas, y agregó—: La Pascua está cerca; también podemos mandar un torillo a la prefectura; pero . . . francamente, ¿y don Manuel, mi coronel?

—Ríase usted de Manuel. No tiene usted para qué darle a saber nada. Y, usando de nuestra antigua franqueza, voy a decirle claro a usted mi don Sebastián: necesito de su brazo; he venido contando con usted. Esta subprefectura tiene que sacarme de ciertos apuritos, sí, señor; usted sabe que el hombre gasta; hace cinco años que persigo este puesto, como usted no ignora, y mis planes son bien meditados.

—Así la cosa, francamente, ya varía de cara —repuso don Sebastián acercándose más a su interlocutor.

—¡Y qué! ¿me ha creído usted un tonto, don Sebastián? Yo sé que cuando se alquila una vaca lechera se devuelve bien exprimida. ¿Acaso han sido pocos mis empeños para conseguir esto?

—Esa es mucha verdad, mi coronel; tantos tísicos, ¿no engordan aquí...? pero, a todo esto, francamente, y eso del juicio de la tal asonada...

—¿Lo del juicio? ¡ja! ¡ja! ¡já! ¡Cómo se conoce que usted también es bisoño, serrano a las derechas! Teniendo miedo al juicio, sí, señor, deje usted que sus tataranietos digan de nulidad, y no pensemos más en el juicio.

—¡Mi coronel, francamente, usted me ensancha!

—Y ¿qué es del cura Pascual?

—Nuestro cura, mi coronel, ha ido a la ciudad a convalecer; francamente, casi se nos muere.

—Lo siento, pues el curita habría sido un buen apoyo para nuestros proyectos; tenemos que juntar buenos soles este año —dijo don Bruno sacando ambas manos de los bolsillos.

—¡Cómo no, pues, mi coronel! Francamente, el cura Pascual nos convenía, tan bueno, tan condescendiente como es.

—¿Y sigue enamoradizo?...

—Eso, mi coronel, maña y figura hasta la sepultura, y francamente, también uno es hombre...

—Sí, señor, uno es hombre. ¿Y Estéfano Benites y los amigos de aquí? —preguntó don Bruno con manifiesto interés.

—Todos buenos, mi coronel, y, francamente, a mí me gusta mucho Benites.

—Pues hágalos llamar, don Sebastián. Yo quiero dejar todo nuestro plan administrativo acordado, para seguir mi viaje, porque no debo demorar mi juramento.

—En el instante, mi coronel, aunque francamente, no tardarán en venir a felicitar a usted; ya en el pueblo se sabrá su llegada —repuso don Sebastián, que se sentía totalmente reanimado.

Todos los escrúpulos que las palabras de Manuel levantaron en su alma, habían desaparecido al influjo de la voz del coronel Paredes, con la misma rapidez con que se cambian los dorados celajes de verano o las buenas ideas ante la superioridad moral de quien las combate.

IV

La visita de Manuel a casa de don Fernando resolvió uno de los puntos importantes de su vida, como se verá más adelante.

Don Fernando Marín refirió a Manuel los pormenores de lo ocurrido en el juzgado, y terminó así:

—Y todo esto, ¿no le da a usted la más triste idea de lo que son estas autoridades, don Manuel?

—¡Don Fernando! Tengo el alma herida, y cada nueva de éstas pone el dedo en la llaga. ¡Ah, si yo pudiese arrancar a mi madre! —dijo el joven conmovido, colocando sobre la mesa una ficha del tablero de Margarita, que por distracción tenía entre las manos.

—Por esto, Manuel, hemos resuelto mandar a las chicas a educarlas a otra parte —dijo Lucía interesándose en la conversación.

—Y ¿qué lugar han elegido ustedes? —preguntó Manuel vivamente interesado.

—Lima, por supuesto —respondió don Fernando.

—¡Oh, sí, Lima! Allí se educa el corazón y se instruye la inteligencia; y luego creo que Margarita en un par de años hallará un buen esposo. Con esa cara y esos ojos no se alarga ningún soltero —dijo Lucía riendo a satisfacción.

Pero Manuel, palideciendo, volvió a preguntar:

—¿Han resuelto ya ustedes la fecha del viaje de las chicas?

—No está aún resuelto el día, pero será en todo este año —contestó don Fernando poniéndose de pie y dando algunos paseos.

—Viajar a Lima es llegar a la antesala del cielo y ver de ahí el trono de la gloria y de la fortuna. Dicen que nuestra bella capital es la ciudad de las hadas —respondió Manuel disimulando sus emociones.

Y desde aquel momento se fijó en su mente la idea de ir también a Lima en seguimiento de Margarita.

Lucía hizo un ligero aparte con su esposo que, acercándosele, permanecía de pie junto a ella; y Manuel se aprovechó de esa pequeña distracción para entregar a Margarita su ramillete de violetas, diciéndole con voz apagada y muy ligero:

—Margarita, estas flores se parecen a ti; quisiera encontrarte siempre modesta, como ellas. Guárdalas.

Margarita tomó con ligereza el ramillete y lo escondió en el seno con la agilidad infantil que hace ocultar un juguete codiciado por otro niño.

¿Por qué el amor se inicia con este sigilo instintivo? ¿Por qué brota la flor de la simpatía entre la maleza del egoísmo, del disimulo y de la ficción? ¿Quién había podido decir a Margarita que era acción vedada aceptar las flores de un joven, ofrecidas con el rocío del afecto?

¡Ese es el misterio de las almas!

Se lo dijo el fuego de las pupilas de Manuel, que, partiendo de sus ojos fosforecentes, fue a incendiar el corazón de la niña, corazón de virgen que comenzaba a sentir esos ligeros estremecimientos que, pasando inadvertidos al principio, acaban por dejar temblorosa en las pestañas la lágrima que arranca el amor.

¡Lágrima de felicidad!

Lágrima que anuncia al corazón la hora del sentir; lluvia que rocía la flor de las esperanzas.

El corazón de la mujer, si no lo han helado las dos únicas tempestades terribles: la incredulidad y la depravación.

Lucía, cambiando por completo el tema de la conversación, dijo a su esposo:

—¿Sabes, Fernando, que Manuel tiene mil escrúpulos para seguir visitándonos?

—Ante nosotros, hija, no tiene por qué, pero ante los demás, sí tiene razón; sin embargo —dijo dirigiéndose al joven— puede usted venirse en las noches.

—Gracias, señor Marín.

—Y me dicen que hoy ha llegado la nueva autoridad; ¿sabe usted, Manuel, dónde tomará alojamiento? —preguntó don Fernando, a quien replicó Manuel:

—Sí, señor, estuvo hoy en casa; pero continuó su camino enseguida. Yo le vi y saludé muy ligero; me parece que no hemos simpatizado. El me conoció niño . . .

—Lo siento; un joven como usted vale por veinte de los viejos de esa calaña. No es lisonjearle, pero creo que la autoridad ganaría más con la amistad de usted.

—¡Gracias por tantas bondades, don Fernando! pero los que nos conocieron en pañales rara vez nos quieren ver de otro modo —contestó Manuel sonriendo y tomando su sombrero para salir—. Buenas noches, señora, señor Marín, Margarita —dijo Manuel.

—Buenas noches —repitieron los demás, y Margarita agregó con cocesita suplicatoria—: Manuel, volverás, ¿no?

En breve se halló Manuel entregado a su pensamiento enmedio de las lóbregas calles de Killac, cuyo silencio infundía pavor al espíritu de quien recordase las trágicas escenas del 5 de agosto y el cuadro de la muerte de Juan Yupanqui. Pero Manuel estaba profundamente preocupado con los efluvios que, partiendo de su corazón, invadían su cabeza, para poder pensar en nada extraño a su amor. Hablaba consigo mismo, es decir, pensaba en alta voz, y decía:

—¡Sí! ¡me iré a Lima! dentro de tres años ya seré abogado, y Margarita una bella mujer de dieciséis o diecisiete abriles, risueños y floridos... ¡Qué linda se pondrá Margarita con ese clima suave y puro de Lima, donde las flores brotan purpurinas y olorosas!... ¡y entonces!... ¿y ella sabrá pagar mi amor?... ¡ah!... ¿me verá como al hijo victimador de sus padres? ¡gracias, Dios mío, gracias!... por la primera vez de mi vida me siento satisfecho de mi verdadero padre. Pero... ¿por qué no puedo llevar su apellido, ese apellido que todos respetan y veneran?... ¡no es mandato de Dios, es aberración humana, es ley cruel, ley fatal!... ¡Margarita, Margarita mía... yo... no tendré inconveniente en declarárselo a don Fernando, y entonces serás mi esposa! ¡El amor estimula mis aspiraciones; quiero ser abogado cuanto antes!... ¡Llegaré a Lima tras ella; en la famosa Universidad de San Marcos estudiaré con desvelo, sin tregua! ¡Sí! ¡la voluntad lo puede todo!... ¡pero ella es preciso que me ame!... ¡ah! ¡tal vez sueño! ¡ella me ama porque ha acogido mis violetas con todo el entusiasmo del amor, y al despedirse me ha pedido que vuelva!... ¡acaso deliro!... Si ya fuese una mujer le podría revelar todo mi pensamiento, pero Margarita aún es niña y esa niña me ha robado el alma. ¡Sí! ¡yo seré digno de la ahijada de esa angelical señora, de Lucía!

Manuel parecía un loco rematado; tal era el fuego con que hablaba en momentos en que el ladrido de un perro que amenazaba devorar sus pantorrillas lo sacó de su abstracción, mostrándole que estaba en las puertas de su casa, abiertas, porque el cariño de doña Petronila esperaba su regreso con el supremo amor de madre, que no se doblega ante la vigilia ni ante el sacrificio.

Aquella casa no estaba tranquila, pues los primeros pasos que avanzó Manuel en el zaguán, advirtió una algazara de Dios es Cristo.

V

La reunión de los vecinos en casa de don Sebastián se verificó rápidamente como éste lo presumía, calculando el tiempo en que se generalizase la noticia del arribo de la nueva autoridad a Killac.

Los vecinos que iban llegando se dirigían al subprefecto, que esperaba gravemente apersonado en el salón de don Sebastián en estos términos:

—Muchos nos alegramos el saber que usía venía, mi coronel —dijo uno.

—Sí, usía somos de usté —dijeron varios. Agregó otro:

—Felicitamos a usía todos los vecinos notables del lugar —aclaró el de más allá.

El coronel les contestó arreglándose el sombrero faldón:

—Yo vengo con las más sanas intenciones, trayendo el firme propósito de apoyar en todo a los del lugar.

—Eso es lo que queremos —gritaron varios.

En tales momentos llegó Estéfano Benites.

El subprefecto agregó:

—A mi vez, espero que ustedes me apoyarán también, caballeros... ¡Hola, amigo Benites! —terminó don Bruno reparando en el recién llegado.

—Cuente con nosotros usía y tenga muy santas tardes —contestó Estéfano alegre como un villancico.

—Sí, usía, somos de usté —dijeron varios.

—Yo voy a dejar mis instrucciones al señor gobernador; espero que mis amigos lo apoyen y le secunden —dijo el coronel, señalando a don Sebastián.

—¿Sigue siempre de gobernador don Sebastián, usía? —preguntaron en coro.

—Sí, caballeros, me parece que no estarán ustedes descontentos —respondió el subprefecto.

—¡Ahora, sí! Eso mismo les dije yo que convenía —repuso Estéfano mirando a un lado y otro.

—Y bien; debemos aprovechar de la estación para hacer nuestro repartito moderado, ¿eh? En lo legal a mí no me gustan abusos —dijo el coronel velando su intención y mirando los retratos del empapelado.

—Sí, eso es justo, francamente; y así lo acostumbran todos los subprefectos, mi coronel —dijo don Sebastián apoyando.

—Sí, pues, ¿qué tiene eso? Es costumbre, y también se protege a los indios comprando aquí mismo —opinó Escobedo, que estaba presente.

—Y sabe usía de las bullangas con don Fernando Marín —preguntó Estéfano Benites, como para asegurar de un punto de partida según la respuesta.

—Mucho que las sé; pero ustedes han sido mal aconsejados; esas cosas no se hacen así; para otra vez hay que . . . tener prudencia —dijo el subprefecto variando la primera forma de su pensamiento, pues comprendió que iba a decir una inconveniencia . . .

—Eso mismo les manifesté, usía; pero la culpa solamente la tiene el bribón del campanero, que fue a tocar las campanas y alborotar la población —objetó Estéfano, alcanzando la admiración de sus colegas, que dijeron:

—Esa es la verdad, como ya consta del juicio.

—¿Eso está probado ya en el expediente? —preguntó con vivo interés el subprefecto?

—Sí, usía, y hasta ahora no se toma ninguna medida con el indio campanero, y están comprometidos sólo los nombres de personas respetables —repuso Estéfano.

Y don Sebastián agregó listo:

—Mi coronel, francamente, sin la ocurrencia del campanero no habría habido nada; porque también, francamente, don Fernando es buen hombre no más.

—¿Y quién es el campanero? —dijo don Bruno.

—Un indio, Isidro Champi, usía, muy listo y muy metido a gente, porque tiene bastante ganado —repuso Escobedo.

—Pues, mi gobernador, ahora mismo ponga un oficio al juez excitando su celo; ordene usted la captura de Isidro Champi y póngalo en la cárcel a disposición del juzgado, y . . . a mi regreso arreglaremos —dijo el coronel.

—Eso es, hay que proceder con energía y con justicia —observó Estéfano.

—Muy magnífico, mi coronel, francamente, también el indio Champi debe pagar su culpa —apoyó don Sebastián.

—¡Bien! Y ahora, a las órdenes de ustedes. ¿Mi caballo? —dijo el coronel saliendo a la puerta de la sala.

Durante aquellos acuerdos, los agentes y comisarios de don Sebastián habían preparado un gran acompañamiento para la salida del nuevo subprefecto, y en el patio de la casa aguardaban ya muchos caballos ensillados, y una banda de música con tamboriles, clarines, bocinas y clarinete. Un alcalde, vestido de gala con su sombrero de vicuña, sol de plata en el pecho, manto negro, vara alta con canutillos de plata y la trenza de sus cabellos cuajada de hilos de vicuña, se presentó trayendo de las riendas un brioso alazán en que cabalgó el coronel don Bruno de Paredes.

En la calle aguardaba una cuadrilla de wifalas, indios disfrazados con enaguas y pañuelo de color terciado al hombro, llevando otro pañuelo amarrado a un carrizo, que tremolaban al son del tamboril, bailando para la autoridad y siguiendo el paso de los caballos.

—¡Viva el subprefecto, coronel Paredes! . . .

—¡Vivaaa! —gritaron multitud de voces.

El subprefecto oía satisfecho su nombre vitoreado por aquellas turbas desgraciadas, hinchado como la rana de la fábula, envanecido como todo ser que llega a un puesto que no merece; y con tan brillante séquito tomó la orilla izquierda del río para seguir el camino aguas abajo.

Don Sebastián hizo seña a Estéfano para que se quedase, y ambos combinaron la forma de cumplir las órdenes del subprefecto.

—Pues mi don Estéfano, francamente, que es usted de comérselo —dijo don Sebastián estrechándole la mano a Benites.

—Me place que mi salida haya sido tirada de veterano —repuso Estéfano satisfecho.

—¡Ahora sí que nos salvamos, francamente; una vez en la petaca el indio Champi, ya no habrá quien diga chus ni mus.

—Cabales; vamos, pues, a redactar el oficio.

—¿Qué oficio ni qué purisimitas, don Estéfano? Francamente, váyase usted en el acto con dos alguaciles y póngalo preso, que todos han oído aquí la orden del señor subprefecto —contestó el gobernador y Estéfano salió afanoso y contento en busca de los alguaciles de gobierno.

Don Sebastián quedó solo; pero no estaba contento, porque pensó inmediatamente en que tenía que presentar nueva batalla doméstica. Su mujer y su hijo no tardarían en esgrimir las armas de las reflexiones y acaso terminarían por desvanecer el nuevo fantasma de ambición, en cuyos brazos dormía el sueño de gratísimas ilusiones, ensanchándose el corazón del ex gobernador con las alentadoras promesas del coronel Paredes y la oportuna salida de Estéfano Benites.

¿Caería derrotado otra vez, tristemente derrotado?

Era preciso armarse; levantar trincheras, fabricar reductos y esperar resuelto. Para esto apeló don Sebastián al supremo esfuerzo de los cobardes, y golpeando la mesa con tono altanero, dijo:

—¡Qué canarios! ¡Francamente, aura ya no me hago el chiquito ya! ¿Pongo? —gritó con todo el garbo de un hombre dueño de algunas pesetas; voz a que obedeció el consabido indio presentándose en la puerta, y a quien ordenó don Sebastián:

—Anda, pega un brinco, y dile a doña Rufa que me mande... francamente una botella, y que apunte.

El indio salió y volvió como una exhalación, con una botella de cristal verde y un vaso.

Don Sebastián se sirvió una ración respetable, y la apuró murmurando la frase sacramental de los que rinden culto a la vid:

—«Manojito de canela, en mi pecho te guardo» —dijo, llevó el vaso a los labios, agotó el licor, hizo un gesto medio feo, se limpió la boca con un extremo de la sobremesa, y continuó:

—¡Que vengan, pues, francamente, aura nos veremos cara a cara!...

Lo que bebió don Sebastián no era siquiera un licor de uva; era alcohol de caña de azúcar ligeramente dilatado con agua, que le dio un viso blanquizco. Sus efectos debían ser instantáneos; por eso no tardó el brebaje en evaporarse por el organismo, invadiendo la razón en sus asilos cerebrales y en doblegar al hombre dejando al bruto.

Doña Petronila observaba con atención las evoluciones de su casa, desde la llegada de la nueva autoridad, ante quien no se presentó ella; y cuando vio entrar al pongo con la provisión de bebida al cuarto de su marido, iba a lanzarse sobre él, arrebatarle la botella y estrellarla contra el suelo. Pero una ráfaga de buen sentido iluminó su espíritu moderando el primer ímpetu, y se dijo:

—No, tatay, mejor aguardaré a Manuelito que él tiene modos —y se puso a dar vueltas en el interior de la casa, sin sospechar que su hijo estuviese recogiendo todas las violetas del jardín, cultivadas por ella, entregado al amparo de los dioses alados y con el corazón impregnado de esa suprema ambrosía que exhala el amor.

Estos son, pues, los espejismos de la vida.

Mientras que doña Petronila tejía planes con todo el prosaísmo de la tierra para impedir que don Sebastián bebiese. Manuel soñaba sueños de topacio.

¡Dichosa juventud, porque puede amar!

¡Edad venturosa del hombre igualado a la rosa en botón con sus distintivos de edad, aroma y unión, sumando felicidad!

¡Dichosa época en que la ventura pende en el rozar de un vestido; en la duración de una flor arrancada a los cabellos; en la dulzura de una mirada que envía su alma en busca de otra alma!

Si la madre de Manuel hubiese podido distinguir el color de los sueños de su hijo, los habría velado sin atreverse a despertarle; y tal vez su pecho habría ahogado aquel suspiro tierno que en su vago murmullo dice: amor de madre, sacrificio de mujer.

Estaba avanzada la noche.

De improviso oyóse una voz ronca que decía:

—¡Qué caracho! ¡francamente, a mí no me manda nadie!

Y al mismo tiempo sonó un golpe como de una silleta derribada con fuerza.

Doña Petronila acudió presurosa, y entrando en la habitación, contempló por algunos segundos a don Sebastián, que seguía gritando como un loco:

—¡Sí, señor! ¡qué! ¡francamente, nadie . . . sí, nadie me manda a mí!

Su lengua se resistía a expresar la palabra con claridad y sus pies tambaleaban. Cuando don Sebastián distinguió a doña Petronila, lo primero que hizo fue gritar:

—¡Aquí está la fiera! . . . ¡fuego, señor, francamente! . . .

Y agarrando una silleta la lanzó en dirección de su esposa.

Doña Petronila, impasible, contestó:

—Hombre de Dios, parece que me desconoces . . . voy a llevarte a tu cama . . . es ya tarde.

Y asiéndolo de un brazo intentó conducirlo; pero don Sebastián, tomando aquella acción por un acto despótico, pegó brusca sacudida y agarrando la botella, ya vacía, y todo lo que pudo coger, lo arrojó sobre doña Petronila con gritos y bulla infernal.

—¡Mujer de los diablos! . . . aura no . . . francamente, ¡nadie me ensilla! . . .

—Dios mío, ¿qué es lo que ha sucedido?

—¡Soy gobernador sobre tus barbas, francamente, qué canarios! . . .

—¿Qué es esto? ¿qué ha entrado en este pueblo? ¡Sebastián, cálmate por Dios! —repetía suplicante doña Petronila.

Mas Pancorbo, con esa tenacidad del crapuloso, repuso:

—Nadie me manda, ¿eh?

Y cayó otra silleta junto a doña Petronila, que huía el cuerpo de un lado a otro, enjugando sus lágrimas con el extremo de su pañolón.

A la bulla acudieron algunos vecinos, y en aquellos momentos también se recogía Manuel, quien entrando precipitadamente, como lo vimos, tomó a don Sebastián por la cintura, lo levantó cuan alto era, y lo llevó al dormitorio.

VI

No empleó mucho tiempo ni tuvo mayores trabajos Estéfano Benites, para encontrar a los alguaciles de vara y servicio; y en el momento fue con su gente a la choza de Isidro Champi, quien se estaba despidiendo de su familia porque debía ir a la torre y estar listo para el toque del avemaría que se da con la campana grande, al cerrar la tarde.

Isidro Champi, conocido con el sobrenombre de Tapara, era un hombre alto, fornido y ágil, con cuarenta años de edad, una mujer y siete hijos, de los que cinco eran varones y dos mujeres.

Aquella tarde vestía su único terno de ropa, formado de pantalón negro con campachos colorados, chaleco y camiseta grana, y chaqueta verde claro. Su larga y espesa cabellera caía sobre la espalda sujeta en una trenza cuyo remate estaba hecho de cintilla tejida de hilo de vicuña, y su cabeza cubierta por la graciosa monterilla andaluza traída por los conquistadores y conservada en uso por la afición que existe entre los indios a los vestidos de fantasía y de colores vivos.

La aparición de Estéfano y su séquito en la casa de Isidro alarmó grandemente a toda la familia, porque habituados estaban a ver aquella clase de visitas como el presagio de fatalidades puestas en ejecución inmediata.

Estéfano habló el primero y dijo:

—Bueno, pues, Isidro, tienes que ir a la detención, por orden del nuevo subprefecto.

Un rayo caído en la choza no habría producido el efecto que la palabra de Benites en los indios, recelosos y suspensos desde que lo vieron.

Las mujeres se arrodillaron a los pies de Estéfano, empalmando las manos en ademán suplicante, anegadas en llanto; los hijos se abalanzaban a su padre, y enmedio de semejante confusión apenas pudo decir Isidro:

—¡Niñoy wiracocha, y qué! . . .

—En vano son estos alborotos, marcha no más, y no tengas miedo —interrumpió Estéfano, y dirigiéndose a la mujer, le dijo—: Y tú también, que empiezas con estos gritos, no es nada; vamos a aclarar eso de las campanadas, y basta.

Al oír esto la conciencia limpia de Isidro le infundió confianza, y dijo a su mujer:

—Tranquilízate, pues, y más tarde llévame los ponchos.

Y se adelantó con resolución al lugar donde le condujeron los alguaciles.

El corazón de la mujer de Isidro no podía tranquilizarse, porque era corazón de mujer, de madre y esposa amante, que todo lo teme cuando se trata de los seres que son suyos; y llamando a su hijo mayor, habló así:

—Miguel, ¿no te dije cuando rebalsó la olla y se cortó la leche que alguna desgracia iba a sucedernos?

—Mama, también yo he visto pasar el cernícalo como cinco veces por los techos de la troje —repuso el indiecito.

—¿De veras? —preguntó la india, cuyo rostro apareció velado por la palidez del terror.

—De veritas, mamá; y ¿qué hacemos?

—Voy, pues, donde nuestro compadre Escobedo; él puede hablar por nosotros —contestó la mujer tomando sus lliclias de puito, y salió de la casa seguida de dos perros lanudos, a los que Miguel llamó, acompañado cada nombre con un silbido particular:

—¡Zambito! . . . ¡Desertor! . . . ¡is! ¡is!

Zambito, dócil a la voz de Miguel, regresó moviendo la cola con ligereza, y Desertor, inobediente, o tal vez más leal, siguió las huellas de su ama mostrando la lengua de rato en rato, con la respiración jadeante.

VII

Don Fernando se iba preocupando cada día más seriamente acerca del porvenir que le aguardaba en Killac, sin fiar en la calma del momento que él juzgaba aparente, pues empleaba dinero en practicar averiguaciones secretas y estaba al corriente de que pasaba en el vecindario, aunque no lo comunicaba a Lucía, cuyo estado era delicado.

La Providencia iba a bendecir aquel hogar con la intervención de un vástago, circunstancia que hacía pensar con frecuencia al futuro padre en la necesidad de tomar una resolución definitiva, transcurriendo enmedio de vacilaciones tres meses desde cuando Manuel hizo la visita de que salió llevando un mundo de proyectos.

—Los progresos de Margarita, la docilidad de Rosalía, que promete ser una buena muchachita, el estado de mi Lucía, todo me muestra una nueva faz encantadora para la familia. Estoy llamado a no despreciar la ocasión y ser cuanto más feliz sea posible en la vida con una esposa como Lucía. ¡Sí, he de resolverme!

En esos días la nueva autoridad, después de prestar el juramento de ley, recorría los pueblos de su jurisdicción política, donde los subalternos le ofrecían mesa suculenta a costa de contribuciones de víveres que imponían a los indígenas.

En la República se agitaban cuestiones de alta trascendencia; nada menos que las elecciones de presidente y de representantes de la nación.

Cuando don Fernando supo que el campanero de Kíllac yacía sepultado en la cárcel, tembló más de indignación que de horror.

—Ese es el débil, ese es el indefenso, y sobre él caerá la cuchilla preparada para los culpables —se decía, cuando una voz fatídica repercutió por los ámbitos de la patria delatando la sangrienta victimación de los hermanos Gutiérrez, cubriendo el rostro de la civilización una nube de ceniza humana.

El relato hizo, pues, temblar a don Fernando, quien abrigaba sospechas fundadas de que podía repetirse un asalto igual al de la noche del 5, pues no le eran desconocidas las palabras alentadoras pronunciadas en corta frase por el coronel Paredes en su entrevista con don Sebastián. Después la actitud profundamente melancólica de Manuel, que se mantenía en estudiada reserva, confirmó su juicio, porque adivinó que había lucha tenaz entre el joven estudiante de derecho y don Sebastián, naciendo al mismo tiempo en la mente del señor Marín las sospechas de que ese honrado y pundonoroso joven no podía ser hijo del abusivo gobernador de Kíllac.

—Voy a cortar este nudo gordiano con el filo de una voluntad inquebrantable —dijo don Fernando golpeando su frente con la palma de la mano, y se fue en busca de Lucía para comunicarle la resolución que acababa de adoptar.

Cuando don Fernando entró en el dormitorio de su esposa, ésta se hallaba delante de un espejo de cuerpo entero que proyectaba su superficie límpida desde la puerta de un armario negro de caoba perfectamente charolado y en cuya claridad se retrataba la figura esbelta de la esposa de Marín, con una ancha bata de piqué y su blonda cabellera suelta sobre los hombros en graciosas ondas de seda.

Acababa de salir del baño.

Al pisar el umbral de la habitación, don Fernando apareció también duplicado por el espejo, y al verle sonrió Lucía y volviendo la cara para recibir al original que llegaba en actitud de abrazarla.

—Vengo a darte una buena noticia, hijita mía —dijo Marín tomándola entre sus brazos.

—¿Buenas nuevas en tiempos tan calamitosos? ¿De dónde las sacas, Fernando mío? —preguntó ella correspondiendo al abrazo.

—De mi propia voluntad —repuso él retirándose hacia el centro de la habitación.

—Claro, pero explícate mejor . . .

—Este lugar estorba nuestra felicidad, querida Lucía; vas a ser madre y no quiero que el primer eslabón de nuestra dicha halle la vida aquí.

—¿Y qué? . . .

—Partiremos para siempre, dentro de veinte días, sin falta alguna.

—¡Tan presto! ¿Y adónde, Fernando?

—No arguyas, hija. Todo lo tengo meditado, y sólo vengo a prevenirte que prepares los pocos objetos que debes llevar como equipaje.

—¿Y adónde vamos, Fernando? —volvió a preguntar la esposa, cada vez más sorprendida de una resolución tan repentina.

—He de llevarte a una región de flores, donde respires la dicha peruana —contestó don Fernando acercándose a Lucía y tomando mientras hablaba una guedeja de los cabellos sueltos de su esposa, enredando sus dedos en ella y volviéndolos a soltar.

—¡A Lima! —gritó entusiasmada Lucía.

—¡Sí, a Lima! Y después que el hijo que esperamos tenga vigor suficiente para resistir la larga travesía, haremos un viaje a Europa; quiero que conozcas Madrid.

—¿Y Margarita y Rosalía? ¿Qué será de las huérfanas sin nosotros? Tenemos que cuidar de su existencia por gratitud, querido Fernán . . .

—Ellas son nuestras hijas adoptivas, ellas irán con nosotros hasta Lima, y allá, como ya lo teníamos pensado y resuelto, las colocaremos en el colegio más a propósito para formar esposas y madres, sin la exagerada mojigatería de un rezo inmoderado, vacía de sentimientos —repuso Marín con llaneza.

—Gracias, Fernando mío, ¡cuán bueno eres! —dijo Lucía volviendo a abrazar a su esposo.

En aquellos momentos sonaron dos suaves y acompasados golpes dados a las mamparas.

—¡Adelante! —dijo don Fernando apartándose un poco de su esposa, y apareció la simpática figura de Margarita, embellecida aún más notablemente por la estimación y los cuidados.

—Madrina —dijo la niña—, está en la sala Manuel y dice que quiere hablar con mi padrino.

—¿Hace rato que espera?

—Sí, madrina.

—Allá voy —dijo don Fernando, y salió dejando juntas a la madrina y a la ahijada.

Lucía contempló embebecida a Margarita por algunos momentos, diciéndose interiormente.

—Alguien ha dicho que las mujeres responden más que cualquier otro ser al engreimiento y trato fino ¡ah! mi Margarita es la realidad de ese pensamiento.

En efecto.

Engreída y estimada la mujer, gana un ciento por ciento en hermosura y en cualidades morales. Si no, acordémonos de esas infelices mujeres hostigadas en los misterios del hogar por los celos infundados; gastadas por la glotonería de los maridos; reducidas a respirar aire débil y tomar alimento escaso, y al punto tendremos a la vista a la infeliz mujer displicente, pálida, ojerosa, en cuya mente cruzan pensamientos siempre tristes, y cuya voluntad de acción duerme el letárgico sueño del desmayo.

VIII

Para conservar la ilación de los sucesos en esta historia, necesitamos retroceder en busca de los personajes que hemos dejado rezagados.

Los elevados sentimientos de cristiana reforma, la confesión que hizo ante el lecho mortuorio de Marcela y el estado grave en que condujeron a su desierta casa al cura Pascual, obraron, naturalmente, en el corazón generoso de Lucía, despertando vivo interés por la suerte de aquel ser desamparado.

El barchilón de Killac, eximio combatiente contra el tifus, enfermedad endémica del lugar, atendió y salvó al enfermo que, una vez declarado en convalescencia, pensó en viajar a la ciudad, quedando en su lugar el inter.

En las naturalezas carcomidas por el vicio, es casi imposible la duración de lo que pide la santidad moral.

Quien ha enlodado su juventud en el fango de los desórdenes, que tanto distan del placer encerrado en los moderados goces del amor casto; quien ha gastado su fuerza nerviosa en esas emociones materiales que van aflojando los resortes del organismo hasta dejarlo sin fuerza ni armonía para desempeñar las funciones que le señaló la Naturaleza con cálculo perfecto; quien no conserva el vigor de su organismo, sujetándolo a la práctica de esa ley moral que rige la naturaleza del hombre, y abusando sólo del instinto brutal, consume su existencia en el libertinaje, es un enfermo grave, que no puede encontrar la salud codiciada en el momento que se proponga.

Con todo, la rehabilitación de un hombre proscrito de la faena de los buenos, está en el terreno de lo posible cuando en su corazón no se han paralizado aquellas fibras delicadas que, en dulce sensación, responden a los nombres de Dios, patria, familia.

El cura Pascual dejó por algunos días el uso del licor y la amistad de las mujeres; y esta abstención brusca excitó grandemente su sistema nervioso dando más elemento motor a la fantasía, que durante su viaje por las laderas y los pajonales le presentaba con mayor vivacidad cuadros que pasaban ante sus ojos con la rapidez de mágicas representaciones.

¡Fantasmas voluptuosos con fisonomías risibles unos, aterrados otros, llevando el sello de la orgía; ángeles de alas blancas ostentando la verde palma del triunfo y batiéndola sobre la inmaculada frente de una madre o una esposa, ya junto al hijo de la santa unión; ya al pie de los altares que tenían inscrito en el ara el nombre de Dios! . . . ¡Oh! . . . cuánto pasaba por aquel cerebro próximo a desquiciarse en semejante lucha fantasmagórica.

Si el cura Pascual hubiese estado bajo la acción de un clima enervante y débil, su planta habríase dirigido al manicomio; pero el aire helado de las cordilleras andinas, prestando tonicidad a sus órganos encefálicos, los aseguró contra los trastornos violentos y decisivos de una locura.

¿Ese hombre saldría victorioso de la lucha, purificado o mártir? . . .

El cura Pascual, aterrado por todos los sucesos que presenció y de que era factor directo; oyendo a cada instante la revelación misteriosa de Marcela; midiendo y comparando su propia conducta, estaba desesperado y quiso huir desde el primer día del teatro de sus tristes hazañas, y en las horas en que determinamos su estado mental habría querido huir de sí mismo.

La conciencia, ese gran argumento puesto en la válvula de respiración llamada corazón contra los seres desgraciados que descifran el problema de la vida con la nada de la muerte, la conciencia duerme tranquila a veces, pero ¡ay! que al despertar golpea con martillo incesante el alma del hombre.

El cura Pascual pudo correr del teatro del crimen, podía recorrer el universo todo; pero su juez inexorable le hablaba a toda hora el lenguaje pavoroso del remordimiento, para el cual no hay otra réplica que la reforma.

Y en esta desoladora actitud de ánimo iba el cura tragando leguas y devorando distancias al paso llano de su macho, cuando llegando a la ladera del "Tigre", distinguió la posta con la hermosa dueña a la puerta.

Aplicó espuela a los ijares del bruto, y en diez minutos se apeaba pidiendo una botella de refresco, que sediento apuró, no sin invitar a la posadera.

Y allí, ¡adiós ensueños de reforma! Las alegres palabras de otros días brotaron de sus labios y fueron a herir los oídos de la dueña de la posta; y el alcohol tomó posesión de su antigua residencia, y a los sueños reflexivos siguieron los delirios del beodo.

El marido de la posadera, que era maestro de postas, llegó y dijo:

—Se ha venteau este caballero y subámoslo a su jaco.

—Sí, Leoncito, que en este caso más sabe el jaco que el hombre, y se lo llevará en derechura a su querencia —repuso la posadera.

Pensado y hecho.

Cuando el cura Pascual se vio acomodado en su silla, enderezó la cintura y aplicó espuelas y correa a su cabalgadura, que siguió la ruta conocida sin oponer resistencia.

Aquella era la última posta, y en dos horas más llegaba el viajero a la esperada ciudad, cuyas elevadas torres y minaretes aparecieron para él como otros tantos fantasmas en ademán amenazante, vacilando su razón en el claroscuro de la realidad y la ilusión, cuando de súbito dio un quite su bestia y salió a corcovos descompuestos, haciendo cabriolas y dando saltos y coces.

Lo primero que voló al aire fue el sombrero del cura Pascual, renovando la nerviosidad del macho, que se espantó con los pendones de unas ventas de picante que flameaban; tambaleó el jinete por unos minutos y por fin, perdió el equilibrio, cayó por tierra privado de sentido.

Sucedía esto en las cercanías del convento de los Descalzos. Muchas gentes curiosas se agolparon, y la conmiseración condujo al desconocido hacia las puertas del convento, donde la caridad de los frailes recibió al enfermo.

El guardián era un fraile grave, en cuyo corazón Dios sabe qué misterios de bondad se escondían.

Este conoció al cura Pascual en repetidas veces que estuvo de tránsito en Kíllac; le prodigó su asistencia, y cuando recobró los sentidos, le dijo:

—¡La misericordia de Dios es grande, hermano! —y le señaló una celda para alojamiento.

En el silencio del claustro vióse el cura Pascual de nuevo desnudo moralmente, solo, absolutamente solo en el mundo. ¡Ah! ¡no! le seguían sus fantasmas, y tornó al delirio calenturiento, diciendo entre sollozos y frases entrecortadas:

—¡Sí, Dios mío! . . . Tú has hecho al hombre sociable; has puesto en su corazón los vínculos del amor, de la fraternidad y la familia. El que renuncia, el que huye de tu obra, execra tu ley natural y . . . cae abandonado . . . como yo en el apartado curato . . . .

«¿Quién? ¿quiénes han salvado sin quebrantos en su huida fatal? . . . ¡aquí . . . en la soledad, en estos claustros de piedra! . . . ¿cuántos? . . . ¿uno? . . . ¿mil? . . . ¿Han ceñido su frente con la diadema virginal, sanos o enfermos? . . . ¡no! . . . ¡no!» —y batía las manos.

Ya eran incoherentes las palabras del cura Pascual.

Sus ojos estaban inyectados de sangre, sus labios secos, su respiración quemante como el vapor que despide la brasa sumergida por instantes en el agua. Las venas de las sienes se levantaban visiblemente, y la sed que devoraba su pecho le impulsó a apurar un vaso de agua que distinguió junto al velador de la cama.

—Este será un trago que alargue la vida —dijo tomando el vaso con sus temblorosas manos.

Y llevándolo a los labios apenas pudo beberlo enmedio de ese castañeteo que produce el movimiento convulsivo de los dientes sobre el cristal. Agotó la última gota, y sin alcanzar aún a colocar el vaso en su sitio, cayó al suelo lanzando un grito. Tendido cuan largo era su cuerpo, agitóse estertoroso, y un ¡ay! tenue y final dejó en su rostro la rigidez de la muerte.

Un lego que pasaba cerca, al oír la voz exánime del enfermo entró en la celda, y viendo tendido al alojado, tocó una campanilla colocada hacia la puerta principal, con golpes tan acelerados, que no tardaron en presentarse varios frailes y entre ellos el guardián.

—¡Se ha insultado! —dijo uno.

—¡Está helado, santo Dios absolvámosle! —dijo otro repitiendo las palabras sacramentales.

—Toquen a la comunidad; tal vez podamos prestarle los últimos auxilios —ordenó el guardián mientras los otros levantaban el cuerpo sobre la cama.

—¿Ha muerto ya? ¡Dios misericordioso! —exclamó el guardián empalmando las manos y alzando los ojos al cielo.

—¡Requiescat in pace! —dijo con gravedad quien repitió la fórmula de la absolución. Mientras tanto, la comunidad ya estaba reunida; se cantó la vigilia de estilo, derramándose el agua lustral.

El guardián, llamando a un lego, dijo:

—Hermano Pedro, prepare una mortaja y váyase con el hermano Cirilo a disponer la sepultura.

Y salió de la celda mortuoria en compañía de otro fraile, ambos platicando de este modo:

—Por mucho que el materialismo pregone lo contrario en "Fuerza y materia", la verdad, reverendo padre, es que la clase de muerte del sujeto, y los respetos tributados a sus restos, forman un epílogo a la vida y a la manera de ser del individuo.

—Según esto —repuso el otro fraile calándose la capucha—, el cura Pascual ha debido ser un buen cristiano, puesto que muere tranquilo y halla manos piadosas que le sepulten; y los comentarios que se cruzan son tan diversos, padre guardián. . .

—Dios nos libre de muerte repentina; pero juzgando con caridad cristiana, el arrepentimiento sincero es la puerta de la salvación, y ese sacerdote acaso ha expirado en alas de la contricción —contestó el guardián colocando las manos cruzadas dentro de los manguillos de su largo hábito.

—La muerte repentina podrá ser cómoda para quien no cree en un más allá, o para el justo que a toda hora se halla dispuesto a partir; pero para los que ni estamos preparados, ni dudamos que existe en el hombre un espíritu motor e inmortal, es aterradora verdad de a folio también que se muere como se vive —reflexionó el fraile llegando ambos a la celda de la guardianía, en cuya puerta se separaron.

Ignoraban estos filósofos los crueles momentos que pasó el cura Pascual antes de entregar su espíritu a Dios. La tortura de su alma, comprendiendo la posibilidad de haber sido un hombre moral y útil, sin las aberraciones de las leyes humanas contrarias a la ley natural; sus angusias sin una mano amiga que dulcificase tanta amargura, ni una palabra que consolase sus congojas, ¿podían constituir los dolores de una prolongada agonía?. . .

La muerte repentina del cura Pascual ha sido una verdadera desgracia para nosotros, que esperábamos explotar en mucho el curso de su vida. Tal es, sin embargo, la realidad humana. La muerte asalta de improviso y hiere en los momentos en que más necesaria es la existencia, cuando entregados los hilos de la vida a la urdimbre social, comenzaba a tejerse la tela humana en sus formas diversas.

La única palabra que podemos pronunciar en la solitaria tumba de aquel cura desgraciado, sin familia legal y sin los vínculos de afecto que le arrancó la ley de los hombres, es el lacónico: ¡Descanse en paz!

Volvamos a Killac.

IX

Atendida la debilidad de carácter de don Sebastián, después de la conferencia que tuvo con el subprefecto y los incidentes ocurridos con doña Petronila, era natural que su situación se complicase.

Para Manuel fueron humillantes las escenas ocurridas en el dormitorio de don Sebastián, cuando le llevó por la fuerza para salvar a su madre de las torpezas de un hombre beodo.

Sin embargo, Manuel sabía que hay escenas de familia que realizadas bajo el techo paterno no humillan, y así soportó con serenidad varonil las invectivas del esposo de su madre, no tardando el sueño en cerrar los párpados de don Sebastián y poner paz entre padre e hijo.

Cuando Pancorbo se quedó completamente dormido, Manuel fue en busca de su madre, a quien encontró llorando. Besó su frente, enjugó sus lágrimas y le dijo:

—Valor, madre; guarda tus lágrimas para cuando falte yo a tu lado.

—¡Hijo mío, es que soy muy desgraciada! —contestó entre sollozos doña Petronila.

—¿Desgraciada tú, madre? ¡blasfemas de Dios! ¿No te ha dado un hijo, no tienes mi corazón y la sangre de mis venas, que derramaré por ti? —repuso con calor y a la vez con cierto aire de resentimiento el joven.

—¡Sí, sí, blasfemo, pero Dios me perdonará como me perdonas tú por haber olvidado tu nombre, hijo Manuelito, hijo mío; sí soy madre! —dijo doña Petronila tomando de las manos a su hijo y haciéndole sentar a su lado.

—¡Pobre madre! —articuló Manuel lanzando un suspiro y contradiciendo su primer pensamiento.

—¡Pobres mujeres, debes decir, Manuelito! Por felices que parezcamos, para nosotras no falta un gusano que roa nuestra alma —contestó Petronila, ya un tanto calmada, pasando los dedos por la flecadura de su pañolón.

—Madrecita, dejémonos de quejas y hablemos con calma, tratemos de algo real.

—¿Qué quieres? ¡habla!

—Deseo que veamos la renta de nuestra casa. En este mundo no se puede dar un paso, madre, sin tocar una puerta que llaman de "FONDOS" y "ENTRADAS".

—¡Qué! ¿acaso quieres volverte al colegio, dejándome envuelta en esta Babilonia? —preguntó sorprendida doña Petronila.

—No te adelantes, madre. Yo, como tú dices, soy un niño; pero acuérdate que el trato con los libros y con los hombres nos envejece, dándonos experiencia y enseñándonos a pensar. ¡Yo me creo un hombre! —dijo Manuel con aire arrogante.

—¡Vamos, eres un hombre! —afirmó doña Petronila fijando una mirada orgullosa en el rostro de su hijo.

—Sí, madre; quiero decir que, habiendo pensado con madurez, espero llevar a cabo lo que proyecto en provecho de tu porvenir y el mío; lo demás . . .

Iba a decir una frase dura; pero el nombre de Margarita cruzó por su mente como el suave rayo de luna que se refleja sobre la superficie de un manso lago, dejándole suspenso y arrancándole un hondo suspiro.

—¡Qué gusto tengo de oirte hablar, así, hijo mío! Sí, con razón don Fernando y doña Lucía me han felicitado tanto por ti.

Manuel cobró nuevo aliento después de la ligera vacilación, y repuso:

—Deseo saber, madre, a cuánto asciende nuestra renta; pero sin contar para nada la de don Sebastián.

—¿Nuestra renta? —repitió doña Petronila tomando de nuevo los flecos de su pañolón y jugando distraída con ellos—. ¿Cómo podré calcular nuestra renta? Tenemos buenos topos de terrenos que producen maíz, trigo, cebada, ocas, habas, papas, chochos y quinua; tenemos algunos cientos de ovejas, vacas, alpacas y yeguas cerreras que trillan la cosecha; yo cultivo los campos, reduzco vellones y graneros a plata, y parte de eso va para ti al colegio. ¿Te parece bien la cuenta?

Manuel escuchaba a su madre atento y satisfecho, y cuando llegó al final fue a besarle la frente silencioso y pensativo, llevando en su corazón la plegaria de gratitud y adoración que pedía aquella santa abnegación y amor de madre. La cuenta, en verdad, no dejaba números redondos en limpio para los cálculos que se había forjado, y con timidez volvió a preguntar:

—¿Y no has guardado nada?

—¿Qué me has creído una despilfarradora? ¿No sé qué tengo hijo? ¿No te tengo a ti para cuidar tu porvenir? ¿No pienso en que alguna vez querrás tomar estado? ¡Guá! ¡Guá! Yo... he ahorrado una mitad, y ahí tengo bien escondiditas cinco talegas de a dos mil soles flamantitos; tú no pasarás vergüenzas como otros que se casan sin camisa.

—¡Benditas sean las madres como tú! ¡Para ustedes la dicha está en el bien de los hijos! Tomaré, pues, por base de mis cálculos, los diez mil soles. Pienso proponerte un plan, y... ni un segundo más —dijo Manuel con resolución.

—Eso es lo que dije, querrás dejarme...

—Recuerda, madre, que un año perdido en mis estudios sería, tal vez, la pérdida de la profesión que he abrazado; pero no partiré solo, ni tampoco iré a la Universidad menor de San Bernardo.

—Será, pues, como quieras; pero antes de nada acuérdate que soy la esposa de Sebastián, y a quien me liga... la gratitud, y a quien tú tienes que respetar como... a un padre verdadero —contestó Petronila bajando la vista por dos veces.

—No lo olvidaré, madre mía; y ahora vamos a descansar de tan afanoso día —repuso Manuel besando la mano de su madre como despedida nocturna.

X

Una vez encerrado en la cárcel el campanero Isidro Champi, las puertas no volvieron a abrirse para restituirle la libertad.

Sepamos lo que pasó con su mujer la tarde en que se dirigió a casa de su compadre Escobedo, en demanda de apoyo y consejos.

—¿Con qué está preso mi compadre? —dijo Escobedo después de cruzar los saludos y comunicada la noticia por la india.

—Sí, compadrey, wiracocha. ¿Y qué hacemos pues? Socórrenos tú —repuso la mujer compugida.

A lo que Escobedo respondió, dándole una suave palmada en el hombro:

—¡Ajá! Pero a pedir favor no se viene así... con las manos limpias... y tú, que tienes tantos ganados, ¿eh?... comadritay...

—Razón tienes, wiracocha compadre, pero salí de mi casa como venteada por los brujos, y mañana, más tarde... no seré mal agradecida, como la tierra sin agua...

—Bueno, bueno, comadritay, eso ya es otra cosa; más para ir a hablar con el juez y el gobernador debes decirme qué les ofrecemos...

—¿Les llevaré una gallina?

—¡Qué tonta! ¿qué estás hablando? ¿Tú crees que por una gallina habían de despachar tanto papel? Mi compadre ya está en los expedientes por esas bullas, donde murieron Yupanqui y los otros —dijo con malicia Escobedo.

—¡Jesús, compadritoy! ¿Qué es lo que dices? —preguntó ella estrujándose las manos.

—Claro, eso es cierto, pero habiendo empeños, lo sacaremos. Dime, ¿cuántas vacas tienes? Con unas cuatro creo que...

—¿Con cuatro vacas saldrá libre mi Isidro? —preguntó toda confundida la mujer.

—¿Cómo no, comadritay? Una daremos al gobernador, otra al juez, otra al subprefecto, y la última quedaría pues, para tu compadre —distribuyó Escobedo paseando de un extremo a otro de su habitación, mientras que la india, sumida en una noche de dudas y desolación, repasaba en su mente uno a uno los ganados, determinándose por sus colores, edad y señales particulares, confundiendo a veces los nombres de sus hijos con los de sus queridas terneras.

—¡Caray, cómo piensas, roñona! Parece que tú no quieres a tu marido! —interrumpióla Escobedo.

—¡Dios me libre de no quererlo, compadritoy, a mi Isidro, con quien hemos crecido casi juntos, con quien hemos pasado tantos trabajos! ... ¡ay! ... pero ...

—Bueno, dejémonos de eso, yo tengo mucho qué hacer —dijo Escobedo precisando el desenlace.

—Perdóneme, pues, mis majaderías, wiracocha compadritoy, y ... digo que sí, daremos las cuatro vacas, pero ... serán vaquillas, ¿eh? yo me iré a separar las dos castañitas, una negra y la otra afrijolada, ¿pero tú lo sacas bien a mi Isidro? ahora ...

—Ahora sí, ¿cómo no? lueguecito me pongo a las diligencias, y mañana, pasado, dentro de tres días, todo arreglado; mira que tengo que hablar primero con ese don Fernando Marín, que es el que sigue el pleito.

Al oír el nombre de Marín un rayo de luz cruzó por las tinieblas de la mente de la mujer del campanero, y se dijo:

—¿Por qué no he acudido a él primero? Tal vez mañana cuando cante el gallo no será tarde —y salió diciendo a Escobedo—. Wiracocha compadritoy, anda, pues, sin cachaza, yo tengo que llevar los abrigos para Isidro y le contaré que tú vas a salvarnos; adiós.

—Ratón, caíste en la ratonera —díjose riendo Escobedo, y enseguida se preparó para ir en busca de Estéfano Benites, para comunicarle el negocio que había arreglado, de que partirían por mitad, dejando las cuatro vaquillas exentas del embargo decretado, pues aparecerían como propiedad de Escobedo o de Benites.

XI

Los acontecimientos políticos realizados en la capital de la República debían influir poderosa y directamente en el resultado de los negocios de reparto planteados con calor y entusiasmo por las nuevas autoridades de la provincia y de Kíllac.

El subprefecto Paredes se encontraba de visita en uno de los pequeños pueblos de su jurisdicción, y allí topó con unos ojos que, colocados en peregrino rostro de mujer, le miraron hasta la médula del corazón, y como en materia de batallas libradas en los verdes campos de Cupido era condecorado no sólo con cruces, sino aun con heridas que rememoraba ufano en alegres corros de hombres, y como para la autoridad había siempre fieles ejecutores, su señoría dio por ganada la brecha a muy poca costa.

Es de advertir que allí en Kíllac, como en los pueblecitos limítrofes donde reina la sencillez de costumbres, es absolutamente desconocida la carcoma social que mina las bases de la familia, alejando a la juventud del matrimonio y presentándose bajo la triste forma de la mujer perdida.

Las seducciones arteras llevan el sello del infortunio y tras de cada una aparece, casi siempre, la figura de un potentado cuya superioridad maliciosa gana la víctima salvando al victimario.

Esta vez la escogida por el coronel para formar número en la ya larga lista de su martirologio de hombre emprendedor, era, pues, una graciosa joven en cuya casa recibió sincero hospedaje la nueva autoridad. Teodora, entrada ya en sus veinte años, era de pequeña estatura, ojos vivos y mirar sereno. Vestía un gracioso traje de percal rosado con ramajes teñidos de color café, rodeado el cuello con un pañuelo de seda color carmesí en forma de esclavina, sujeto hacia el pecho con un prendedor de oro falso con piedra imitación topacio. Sus largos cabellos, esmeradamente cuidados, estaban trenzados y sujetos al extremo con cintas de listón negro.

El corazón de Teodora no estaba desierto. Apalabrada en matrimonio, debía ir a los altares tan pronto como llegase su novio, destinado en la administración de una finca, donde ahorraba parte de sus sueldos para atender a los gastos de una boda decente, con padrinos notables, tres días de mantel largo y música de viento.

Teodora nació con carácter impetuoso y varonil. Salvada la niñez, sus pasiones se manifestaron ardientes.

Amaba a su novio, y la ausencia de éste aumentaba tal vez el calor del sol de sus ilusiones virginales, haciéndola suspirar por las cotidianas visitas y las amorosas frases repetidas a media voz en las horas de delicioso romanticismo, que sirven de portada al alcázar conyugal.

Cinco días se contaban de continuo jolgorio en casa de Teodora, fomentado por el subprefecto, quien se consagró por completo a la beldad campestre, cuya resistencia no dejó de llamarle la atención, aumentando sus deseos.

Barricadas de vino, cajones de cerveza, todo iba con profusión. Los dos ciegos violinistas del pueblo no cesaban de manejar el arco, arrancando, mozamalas y huainus a las sonoras cuerdas del violín.

El coronel llamó a un lado al teniente gobernador y muy quedito le dijo al oído. Este se sonrió maliciosamente y repuso a media voz:

—Prontito cazaremos a la rata, sí; sin gasto no se llega al trasto en el acto, mi usía —y salió apresuradamente.

Teodora, cuyos oídos habían herido ya repetidas palabras terminantes o de intimación del coronel, llamó también a su padre hacia la puerta, y más compugida que timorata, le dijo:

—¡Padre, mi corazón padece en el purgatorio!

—¿Por qué causa, Teoco? Más bien debías estar contenta, pues tantas visitas . . .

—Precisamente, esa es la causa; el subprefecto tiene malas intenciones para conmigo, y si lo sabe Mariano . . .

—¿Qué dices? . . . ¡mire qué diantre! . . . ¿Con que de esos tratos era usía? —repuso Gaspar pasándose la mano por la boca, que llevaba húmeda.

—Sí, padre; me ha dicho que a buenas o a malas, pero . . . que me roba —dijo la muchacha poniéndose roja y bajando los ojos.

—¡Hum! —trinó el viejo mordiéndose los labios, y dando una vuelta para inspeccionar el campo, agregó—: El bocado se le ha de caer de los labios. ¡Qué! ¿Yo soy acaso zorro muerto? . . .

—¡Padre! . . .

—Entrate no más a la sala, disimula, deja que gaste un poco la plata hurtada a los pueblos, y . . . no apartes tu corazón de tu novio,

¿eh? Yo sabré lo que me hago después —dijo el padre de Teodora empujándola al centro de la reunión.

Uno de los convidados que vio esto, dijo entredientes:

—¡Viejo mañoso! ¡Vean cómo entrega a su hija!

Al poco rato llamaron a comer y todos fueron a la mesa, donde se sirvió, sobre manteles no tan blancos ni tan negros, una comida bien aderezada, sirviéndose los cuyes rellenos, asados al rescoldo, gallo nogado con almendras, papas adobadas con habas verdes y el locro colorado con queso fresco.

El subprefecto se colocó junto a Teodora, y con cierto aire de triunfo dijo, levantando a la vez los cantos del mantel sobre las faldas:

—Yo siempre busco mi comodidad, señores, junto a una buena moza.

—¡Claro! Y ese asiento le corresponde a usía —respondieron varios con intención.

—¿Y qué es de don Gaspar, señorita Teodora? —preguntó uno de los invitados con sorna.

—¿Mi padre?... no tardará en venir —respondió la muchacha mirando en torno.

Dos mozos secretearon con picardía; y otro dijo a media voz:

—¡Si el viejo sabe las de Quico y Caco!... no quiere hacer sombra.

Y en aquel momento apareció don Gaspar frotándose las manos, y agarrando una botella para servir, dijo con marcada alegría:

—Un abre ganitas, caballeros.

—¡Venga! ¡Qué a tiempo hace las cosas este don Gaspar! —respondió el subprefecto.

La comida comenzó alegre y bulliciosa, dejando la amabilidad de Teodora, sospechar al coronel que estaba tomada la fortaleza.

XII

Manuel, después de la despedida de su madre, se fue a su cuarto, y engolfado en pensamientos esperó desvelado, la llegada del nuevo día.

A hora competente tomó su sombrero y se dirigió a la casa de don Fernando. Entró en la sala de recibo, donde encontró a Margarita sola, leyendo en un cuaderno con láminas iluminadas los cuentos de "Juan el Pulgarcito". Al verla, se dijo Manuel con alegría:

—¡Qué propicia ocasión para sondear su corazón y decirle mi afecto!

Y llegándose a la niña y abrazándola, dijo:

—¡Qué solita y cuán hermosa te encuentro, Margarita!

—Manuel, ¿cómo estás? —repuso la niña colocando el cuaderno sobre la mesa.

—¡Linda Margarita!, es la primera vez que voy a hablarte sin testigos; acaso sean minutos cortos, porque busco a don Fernando, y por lo mismo, te pido que me escuches, ¡Margarita mía! —dijo Manuel tomando una mano de la niña para acariciarla entre las suyas, reflejando las ilusiones de su alma en sus pupilas, que despedían rayos de ternura, y de amor en cada mirada.

—¡Guá!, Manuel, ¡qué extraño vienes! —dijo Margarita fijando sus hermosos ojos en los de Manuel y volviéndolos a bajar candorosamente.

—No me llames extraño, Margarita; tú eres el alma de mi alma y desde que te conozco te he dado mi corazón y... ¡yo quiero ser digno de ti! —repuso Manuel acentuando las últimas frases, porque todo el temor que Manuel abrigaba, era que Margarita repudiase al hijo del sacrificador de Marcela, idea que no podía existir en la niña de hoy, pero posible en la mujer de mañana.

La huérfana permanecía muda y ruborosa como la amapola cuyo seno guarda la adormidera.

El acariciaba la diminuta mano de Margarita, que se perdía entre las suyas.

Hay ocasiones en que el silencio dice más que la palabra humana.

Manuel estaba ebrio de amor contemplando a la hermosa muchacha, y volvió a decirle:

—¡Habla! ¡responde, Margarita mía! ¡Sí! ¡eres aún niña, pero tú sabes ya que te amo!... Recuerda que junto a tu bendita madre te pedí ser tu hermano, hoy...

—Sí, Manuel, también yo, desde ese día, te veo en mis alegrías, en mis tristezas; serás, pues, mi hermano —repuso la niña.

Pero Manuel rectificó con calor:

—No, ángel mío; hermano es poco, y yo te amo mucho; ¡quiero ser tu esposo!

—¿Mi esposo? —preguntó aturdida Margarita en cuya alma se acababa de descorrer el velo de las creaciones infantiles sacudiendo su organismo, clavando en su corazón el dardo del narcotismo de la juventud que, en el sublime sopor de las almas enamoradas, le iba a hacer soñar en ese mundo de poesía, temores y confianzas, risas y lágrimas, luces y sombras, en que vive la castidad de una virgen.

Margarita sabía desde este momento que era mujer. Sabía que amaba.

Para Manuel las impresiones se sucedían con la rapidez del pensamiento, si bien con distintas emociones que Margarita, porque su alma había perdido ya esa virginidad que es la ignorancia de los misterios reales de la vida.

Manuel amaba con intención.

Margarita sólo con sentimiento.

El primer ímpetu de Manuel fue sellar con sus labios la palabra esposo pronunciada por los labios de la mujer adorada, pero la reflexión contuvo la materia como la brida detiene el corcel lanzado en la carrera, y sólo dijo:

—¡Sí, tu esposo!... Y besó la frente de Margarita.

Ese no fue el ósculo de la brasa encendida sobre la fresca hoja de la azucena, pero su huella era indeleble.

Margarita sintió cruzar por sus venas una corriente desconocida; sus carrillos se tiñeron de grana, y salió corriendo de la habitación, diciendo a Manuel:

—Voy a llamar a mi padrino —y se dirigió a las viviendas de Lucía, deteniéndose instintivamente cuando llegó al pasadizo, para serenar su turbación.

Manuel continuaba en el arrobamiento del alma, que en nada se parece al sueño del cuerpo, y del cual sólo vino a sacudirlo la serena palabra de don Fernando.

Manuel era el esclavo de una mujer.

De una mujer, que sólo es en suma,

Para un médico, aparato de reproducción.

Para un botánico, planta ligera.

Para un gordo, buena cocinera.

Para el vicio, placer, sensación.

Para la virtud, una madre.

Para un corazón noble y amante, ¡alma del alma!

Nadie irá a disputar sobre la exactitud de estas definiciones que, indudablemente, tendrán su inspirador, pero la verdad es que la última correspondió a Manuel con legítimo derecho, y por esto al ver partir a Margarita la despidió con ese suspiro que dice ¡alma de mi alma!...

XIII

Informada Lucía de la resolución de su esposo, y encontrándose sola con Margarita, se manifestó muy complacida con la idea del viaje, y dijo a su ahijada:

—Qué contenta vas a ponerte, Margarita, con la noticia que te guardo.

—¿Madrina?... —interrumpió la niña fijando su mirada en el rostro de Lucía.

—Ya no haréis solas, tú y Rosalía, el viaje a Lima.

—¿Quiénes más vamos, tú? —preguntó con vivacidad la huérfana, en cuya mente revoloteaban las mil mariposas de la ansiedad, el entusiasmo y la curiosidad.

—Yo, tu padrino, toda la familia —contestó Lucía enumerando con los dedos de las manos y moviendo la cabeza.

—¡Tú, mi padrino, Rosalía! ¡ay, qué gloria! ¿y Manuel irá? —preguntó entusiasmada Margarita.

Lucía fijó su atención sobre las facciones de su ahijada para medir la impresión de su respuesta, y dijo:

—Manuel no irá; él tiene sus padres aquí.

Siguió un corto silencio.

Los ojos de Margarita se llenaron de lágrimas que en vano trató de esconder tras el velo del disimulo, preguntando:

—¡Qué linda ciudad debe ser Lima! ¿no?

—Es la más linda del Perú. Más... ¿por qué lloras, hija? —preguntó Lucía tomando a Margarita de ambas manos, sentándola a su lado y diciéndola—: Mira, hija mía, yo noto que te inclinas mucho a Manuel, y ahora acabo de comprender que ese joven ha impresionado tu corazón de niña, y me asaltan los temores de que mañana le pertenezca tu corazón de mujer.

—¡Madrina! Es que Manuel es muy bueno, nunca le he visto hacer nada malo —repuso Margarita con manifiesta timidez.

—Exactamente, hija, su bondad me ha hecho caer en una red, que es preciso cortar para libertarse. Tú no puedes querer al hijo del sacrificador de tus padres. ¡Ah, me horrorizo!... ¡pobre Manuel!

Al terminar la frase, Lucía estaba emocionada; el temor y la duda asaltaron su corazón, variando visiblemente el timbre de su voz. Por su mente cruzaban, uno en pos de otro, pensamientos que torturaban su pecho, e interiormente se preguntaba:

—¿He cometido una indiscreción al hablar de amor a mi ahijada?

He arrojado el eterno baldón sobre la frente de Manuel, a quien Margarita verá desde este momento como el hijo del verdugo de sus padres... ¡Y luego, Manuel!... ¡ah!... ¡corazón lleno de abismos!... ¡madeja de misterios!... ¡corazón humano!

Para Margarita, ¡cuánto decía también el silencio aparente de su madrina! Muda y temblorosa permanecía, como una azucena sobre cuyo tallo ha intentado posarse el ruiseñor sin haber plegado las alas, porque la debilidad de la planta le ha hecho continuar el vuelo en busca de mejor asilo.

Después de la entrevista que acababa de tener con Manuel, aquella declaración de su madrina era cruel, destrozaba su alma, tronchaba al nacer las flores de las esperanzas de dos corazones ligados por los lazos que constituyen la felicidad humana, de dos corazones que se amaban.

Por fin pudo rehacerse la esposa de don Fernando, y cortando el hilo de la conversación anterior, dijo a Margarita:

—Cuida, pues, de tener tu baúl listo para el jueves, y no olvides las cosas de tu hermanita, ¿no? Tú eres la mayor y debes ayudarla.

—Sí, madrina —respondió Margarita levantando maquinalmente una madeja de seda azul que vio en el suelo.

Púsola sobre la mesa y salió; Lucía, al verse sola, tornó a decir:

—¡Pobre Manuel! ¡Lleno de prendas, dotado de aspiraciones nobles! ¡Es indudable que ama a Margarita, de quien le separa un abismo!... pero... es verdad, en la vida práctica las aberraciones del corazón señalan el mundo insondable como la parte más poética del amor. ¿Acaso hay fuego comparable con el que alimentan los amores imposibles? ¿Acaso existe anhelo semejante al de acercarse a la posesión del objeto amado rompiendo ligaduras, traspasando cadenas de montañas formadas de espinos que han ensangrentado la planta; trepando empinadas cordilleras donde la nieve del imposible, derretida por el sol del amor, ha formado raudales de lágrimas?

¡Héroes del dolor, pobres desterrados del Paraíso de la Ventura, no sois comprendidos por el mundo! ¡Víctimas inmoladas en los altares del infortunio, las almas generosas os ofrecerán tal vez el incienso de su simpatía y permaneceréis amando en el dolor!

Lucía cayó sobre el sofá al terminar su soliloquio llevándose la mano derecha sobre sus mejillas, encendidas con el tinte de las amapolas de mayo. Después, entrelazando sus dedos y estrujándolos hasta producir el sonido del desconyuntarse los nudos, se preguntó:

—¿Qué hago, pues? Mi situación es difícil y dramática, a la par que la de Manuel y Margarita: si se aman con el primer amor, irá éste a sublimarse con esos suspiros que, llenos del aroma del amor virginal, exhala el pecho oprimido por la nostalgia del ser amado... ¡Si acaso intentase algo directo!... ¡Ah!... ¡Pero mi Fernando salvará mis dudas, compartiremos nuestras ideas, y brotará la luz, porque no puedo olvidar que Marcela murió legándome los dos pedazos de su corazón!...

Tenía razón; ella compartiría con don Fernando sus dudas, sus temores y sus esperanzas, apartando las sombras del momento. Manuel podría compartir con su madre, con el más noble de los corazones, las penas que acongojaban el suyo; esconderse en el regazo maternal y llorar hoy sus lágrimas de hombre como ayer enjugó su llanto de niño.

—¿Pero Margarita?

Pobre huérfana, ave sin nido, tendría que buscar sombra de árbol extraño para entonar bajo su fronda el idilio de su alma enlazada a otra; tendría que esconder sus propios pensamientos; reir con los labios y llorar con el corazón.

Lucía era, para Margarita, la mejor de las mujeres; pero ¡Lucía no era su madre!

XIV

Vamos a viajar por un momento en busca del coronel Paredes, a quien dejamos sentándose a la mesa de Teodora.

La comida fue alegre y abundante, y no bien hubo terminado, entrada ya la noche, todos se dirigieron a la sala de recibo, donde echarían una cana al aire con el zapateo y el bailecito de pañuelo.

Don Gaspar llamó a su lado a su hija y le dijo a secas:

—Sígueme, Teoco.

Y ambos fueron a una cerca inmediata donde había tres cabalgaduras, una de ellas con arreos de silla de gancho y todo lo concerniente al equipo femenino, custodiadas por un indio mitayo.

—¿A dónde vamos, padre? —preguntó Teodora.

—A Kíllac, a casa de mi comadre doña Petronila, que, como sabes, es una señora a las derechas, y a su lado estarás segura como la custodia en el altar —repuso don Gaspar sin detener su paso, que era seguro y de grandes trancos a pesar de la obscuridad de la noche.

—Bueno, y vale que don Sebastián ya no es gobernador; así que estaremos en paz hasta que venga Mariano —respondió Teodora siguiendo menudamente el paso acelerado de su padre.

Un bulto alto y emponchado se destacó de la sombra en este instante.

—¿Anselmo? —llamó don Gaspar.

—¡Señor! —contestó el llamado a secas, y todos tres siguieron la marcha hasta llegar adonde estaban los caballos.

Los dos varones levantaron a Teodora, que, con la agilidad de la campesina, se colocó en su jaco, llamado el Chollopoccochi, sin duda por ser negro y tener las patas blancas.

Cabalgaron después don Gaspar y Anselmo, que era un criado de toda la confianza de la casa, y el padre de Teodora dijo al mitayo con expresión de mandato:

—Vuelve a casa, atiza la candela, que no falte el té con bastante tranca; y si nos echan de menos, ya sabes, ¿eh?

—Sí, tatay —contestó el indio emprendiendo el regreso.

Sonaron tres latigazos simultáneos en las ancas de los brutos, que se lanzaron como una exhalación entre las tinieblas de la noche, llevando sus pesados jinetes, dando resoplidos por las abiertas narices y mordiendo con rabia los frenos.

El viejo iba sumergido en meditaciones, pues el cerebro elaboraba sin cesar la idea y el pensamiento no se somete de grado a la quietud del cuerpo.

—Padre, moderemos el paso —dijo Teodora refrenando su caballo.

Pero don Gaspar no prestó atención o no oyó a su hija, que volvió a decir en voz más alta:

—¡Padre!

—¿Eh? ¿Te has fatigado tan pronto? —contestó el viejo moderando a su vez la marcha.

—¡No estoy fatigada, qué disparate! pero he pensado una cosa.

—¡Habla! —repuso don Gaspar gobernando las riendas para acercarse más a Teodora.

—Sería mejor que te volvieras de aquí no más. Llegarás a casa en media hora; su presencia alejará toda sospecha, y seguirán otro rato sin echarme de menos . . . y tú . . . al fin, darías muchas disculpas.

—¿Y tú . . . seguirás . . . sola? . . . —observó don Gaspar tosiendo repetidas veces.

—No corro riesgo alguno yendo con Anselmo. Chollopoccochi es manso y conoce bien el camino, la distancia es ya corta, la luna no tardará en alumbrar; y sobre todo, si a ellos se les ha ocurrido averiguar por nosotros, si por acaso descubren lo del viaje no dudes que nos sigan, nos alcancen, nos pillen, y borrachitos...

—¡Cataplum! Teodora, hablas como el misal de la parroquia —interrumpió el viejo deteniendo el caballo, y agregó con sonrisa maliciosa—: Lo cierto es que las mujeres se pintan para urdir estos lances.

—Ahí está, pues, ya estás constipado; regresa no más, que si viniese alguno, con tu vuelta perderá la madeja.

—¡Cabalorum! Y en cuanto a que yo declare en dónde estás, que me descueren —contestó don Gaspar, y dando voces al criado que estaba lejos—: ¡Anselmo! ¡Anselmo! —dijo.

El sirviente asomó su caballo al grupo, y sostuvo este diálogo entre padre e hija:

—Pues, hasta dentro de cuatro días, en que iré a buscarte.

—Adiós, padre; abrígate la boca, estás con mucha tos.

—Golpeas con tientas la casa, y cuéntale todito a mi comadre doña Petronila; sabe el sapo en qué agua se echa a nadar.

—Sí, yo le diré bien todo.

—Anselmo, cuida a la niña y... hasta pronto, ¿eh?

Al terminar esta frase, don Gaspar volvió bridas, aplicó con toda fuerza los talones desprovistos de espuelas en los ijares de su potro lobuno, en cuya anca sonaron también un par de chicotazos, que le estimularon el brío juntamente con la vuelta a la querencia.

Serían las once de la noche cuando se apeaban a la puerta de la casa de doña Petronila Hinojosa, Teodora y Anselmo. Tocaron con fuerza el leoncito de bronce que sirve de llamador, y a los golpes respondieron cuatro o cinco perros con ladrido desesperado, dejándose oír una voz soñolienta que preguntó con enfado:

—¿Quién es?

—Yo, que vengo de parte de don Gaspar Sierra a entregar a doña Petronila una prenda que le manda.

El portero, que era el consabido pongo, no necesitó de más explicaciones; descorrió la aldaba, y las hojas de la puerta de la calle giraron sobre sus goznes, dando paso a la fugitiva Teodora, que fue recibida por doña Petronila con el cariño proverbial de la madre de Manuel.

No hubo caminado dos millas don Gaspar desde el sitio en que se separó de Teodora, cuando distinguió gritería y tropel de gente a caballo. En pocos momentos más no abrigó duda de que esa era la comitiva del subprefecto.

—Sí, bien dijo la Teoco. ¡Qué diantres! ¡las mujeres todas son brujas! Y lo gracioso es que todos los hombres nos dejamos embrujar, a oídas y vistas, a sabiendas o a callandas —se dijo don Gaspar, y siguió caminando al paso llano de su lobuno.

XV

Al poco rato de la fuga de Teodora se apercibió de ella la reunión. El teniente gobernador, dando el primer apunte, dijo:

—El viejo polilla es quien tiene la cuchara, mi coronel, porque ella estaba ya llana, por lo visto, para complacer a usía.

—¿Se me burla así? ¿a mí? no lo consentiré, no, señor . . . ¡no lo consentiré, a fe de militar! —decía Paredes dando paseos acelerados en la habitación.

—Vamos a buscarla, amigos —propuso el teniente, agarrando una vela encendida, y en actitud de salir.

—¡Sí, señor! he de sacar a mi hurí del fondo de la tierra, ¡sí, señor! —repetía con rabia el subprefecto mientras los oficiosos salieron a registrar toda la casa, sometiendo a interrogatorio inquisitorial a la servidumbre, aunque pongos, mitayos y alcaldes no discrepaban en la respuesta.

—Han salido a la calle —repetían todos ellos.

Alguno preguntó como encontrando la hebra:

—¿Salieron a pie?

—No, señor, salieron en aguelillo —repuso uno de los alcaldes.

—Pues, usía, iremos tras ellos —dijeron en coro—, que el camino es uno, llano y ligero.

—A la obra, pues, amiguitos; y al que me traiga la niña . . .

—Juro que yo seré el afortunado —interrumpió el teniente gobernador.

Se nombró la comisión y los designados salieron en pos de sus caballos.

La cólera del subprefecto estaba a medio estallar, porque se decía:

—¡Canalla de viejo! sí, señor, a presentárseme en estos momentos, lo fusilo sin formar el consejo de guerra. Para algo es uno autoridad. Pero . . . los muchachos estos son tan listos, y . . . conviene descansar un momento —diciendo esto se echó largo a largo sobre la cama colocada en una esquina, y se puso a dormitar.

A pocos momentos se oyó un tropel de caballos y abriendo los ojos don Bruno Paredes, dijo entre dientes:

—Son ellos... ¡ya parten!... sí, señor; pronto quedaré complacido mediante la actividad de mis... subordinados. ¡Sí, estos muchachos valen la plata del Cerro de Pasco! ¡uff!...

Simultáneamente salían los esbirros en pos de Teodora y llegaba un chasqui, alguacil de gobierno, que, caminando a pie por las sinuosidades de la quebrada desde la capital de la provincia, ganó terreno con rapidez prodigiosa. Ese chasqui conducía un pliego cerrado con lacre colorado, sellado con las armas de la República, en cuyo sobrecito se leía: "Oficial.—Urgente.—Al coronel don Bruno de Paredes."

Cuando el propio puso el papel en manos de la autoridad, ésta se puso a leer medio recostado como se encontraba, pero no bien se impuso de los primeros renglones, salió como lanzado por una fuerza eléctrica, palideció primero y después le subió a la cara toda la sangre del corazón, quedándose suspenso por algunos momentos con el pliego abierto entre las manos.

De improviso lo arrojó sobre la cama y dando una patada en el suelo, dijo:

—¡Caracoles! ¡Esto huele feo!... No hay más remedio que asegurarse, sí, señor... A ver, alcalde... ¡quién vive por ahí! —dijo dando voces, a que acudieron varios indios de servicio y los nacionales de su escolta.

—¿Mi caballo?... ¡pronto, pronto! —gritó don Bruno, siendo obedecido como por ensalmo.

Cabalgó, y seguido de tres personas, tomó el galope del tordillo el camino de la ciudad, murmurando para su capote:

—Huir el bulto es de los prudentes, en la ciudad hallaré escondite cómodo, mientras se serena la tempestad política...

La gente que fue en seguimiento de Teodora, y topó con don Gaspar, rodeó al buen viejo, y encerrándolo en un círculo, habló así el teniente gobernador:

—Hola, compadrito, qué escapada tan fea; ¿dónde está la niña Teodora?

—¡Cómo! —repuso don Gaspar aparentando inquietud—. ¿Ustedes buscan a mi hija? ¿qué? ¿no la dejé con ustedes en la casa? ¡Jesús!... Felizmente, ella es honrada y... allá estará, vamos.

Y aplicó un latigazo al lobuno, que lo hizo brincar con fogosidad.

—¡Despacito, taita! —observaron varios, torciendo las riendas de sus cabalgaduras y amenazando así al teniente:

—Vamos, pues; pero si no entregas la prenda, Gaspar, ¡tente por frito!

—Regresemos, sí —dijeron varios, y entre cuchicheos se oyó esta reflexión:

—No habrá salido la dómina, pues no hay tiempo para ir y volver de ningún pueblo vecino.

—Y si tú no saliste con Teodora, don Gaspar, ¿a qué vino por estos lugares? —observó el teniente.

—¡Vaya, catay! que tú no pareces del lugar; habrás llegado de Lima con bejuco y cuello tieso; he venido a hacer la ronda de los pastales —respondió don Gaspar con mucha formalidad.

—Ha salido al rodeo —dijo uno.

—¡Que cante el gallito! —gritaron dos, y se detuvo la comitiva. El teniente sacó de la bolsa del pellón una botella de pisco, y de ella fueron tomando sucesivamente, midiendo la cantidad por un silbido que daba el inmediato, operación que se repitió con mucha frecuencia en el trayecto, llegando los viajeros a la casa de don Gaspar entre gallos y medianoche.

La blanca luna lucía todo su disco plateado sobre aquella planicie de Saucedo, donde se alzaban las alegres cabañas de los indios peruanos, por cuyas puertas cruzan al rayar la aurora el venado de pieles grises y la perdiz de codiciadas carnes.

La casa de don Gaspar estaba como la morada de un ex en toda regla: escueta y desmantelada.

Los pongos fueron los únicos que, acurrucados en el zaguán, roncaban como sochantres, siendo preciso sacudirlos para despertarlos y preguntarles algo.

—¿Qué es del señor subprefecto?

—¿Sin duda duerme?

—¡Vamos! ¿y la niña Teodora?

—¡Encienda un fósforo, hombre!

Estas fueron las palabras de unos y otros, cuando uno de los pongos aclaró las dudas, diciendo:

—El señor subprefecto ha salido a caballo.

—¡Qué canarios! —exclamó el teniente.

—Sin duda, hemos tardado mucho, y habrá ido tras de nosotros.

—¡Cabales! El que espera desespera, y cuando está enamorado... ¡chist!...

Entre tales dichos penetraron en la sala, que estaba abierta. Don Gaspar encendió la vela que estaba junto a la cama. Con la luz lo primero que distinguieron fue el pliego cuya lectura hizo poner los pies en polvorosa al coronel Bruno de Paredes.

Todos se juntaron, para leer en coro, y al terminar, dijo el padre de Teodora:

—Se ha huido, pues, nuestro subprefecto.

—¡Si era un papanatas el tal coronel de Guardia Nacional! —dijo el teniente gobernador.

—¡Un cobarde! —agregó otro.

—¡Coronel de . . . soldados de habas! . . .

—¿Qué? un comerciante, un peculado, a mí me consta —dijo aquél.

—¡Cobarde! ¡desertor! —opinó éste.

—¡Una ex autoridad! —aclaró don Gaspar riendo con la risa del que ha vivido mucho y oído mucho.

Y tomando la guitarra que estaba en la esquina de la habitación, se puso a rasgar, cantando con voz acatarrada:

Pájaro que vas volando
A las orillas del mar,
¿Cómo no has de ir de miedo
Pues vas sin atapellán?

Quedando reconciliados raptores e injuriado a los acordes de tan extraña cantata, nosotros regresamos a Kíllac, donde los nuestros nos esperan.

XVI

Don Fernando encontró a Manuel todavía abismado en las impresiones que le dejó la repentina salida de Margarita.

—¡Hola, don Manuel! —dijo al entrar alargando la mano al joven.

—Excuse usted mi visita, don Fernando; la hora no es aparente, pero en estos casos la urgencia de los asuntos es la carta de pase —contestó Manuel al mismo tiempo que estrechaba la mano de su amigo.

—Nada de cumplimientos, don Manuel. Usted sabe que soy su amigo, y eso basta —dijo don Fernando arrastrando una silleta e invitando a sentarse al joven.

—Tanto lo sé, que sin la amistad de usted me habría vuelto loco mi posición tan difícil ante usted después del asalto aquel, los acontecimientos tan íntimos y contradictorios que se desarrollan desde mi llegada a este pueblo, donde los notables no acatan ley, ni conocen religión, y todo lo que pienso y medito, no son para menos.

—Verdad, querido Manuel, que horroriza el estado actual de esta pequeña sociedad, pero más preocupado que usted me traen las noticias que acabo de recibir de la ciudad.

—¿Serán de interés privado para usted?

—¡No! Son de interés público. Me comunican el triste fin del cura Pascual, ese desventurado hombre a quien escuchamos palabras de dolor, echando de menos la sana influencia que ofrece la familia en su seno a los párrocos del porvenir.

—¿Ha muerto?

—Sí, amigo, y de una manera desastrosa.

—¿Y cómo y de qué ha muerto? —continuó preguntando Manuel con interés creciente prestando toda su atención a la respuesta.

—Ha muerto, en los Descalzos. Fue arrastrado primero por la bestia, recogido por la conmiseración de algunos y asistido por los frailes; dicen que al beber un vaso de agua sufrió el accidente final —replicó el señor Marín.

—¿Al tomar un vaso de agua en el convento?

—Sí, y los médicos han opinado que ha sido un derrame seroso.

—¡Pobre hombre! . . . ¡descanse en paz! . . .

—Hay otras noticias más graves que me han hecho vacilar . . .

—¿Si serán las que ya sabemos en casa? ¿Las de la tormenta política descargada en la capital, y conjurada después de un delirio horrorizador?

—¡Exactamente, amigo Manuel! pero . . . bien mirado, esto será temible en las primeras horas por las medidas violentas que imponen las situaciones anormales. Después, ¡no! Tengo fe en la administración civil de su tocayo don Manuel —dijo don Fernando levantándose de su asiento.

—Asimismo la abrigo don Fernando; porque don Manuel Pardo es un hombre de talla superior, pero lo que me abruma en estos momentos es . . . diré, amigo, aunque sea brusco el cambio . . .

—¿De opinión?

—No, señor, de tema; me abruma la tormenta doméstica. Veo que es imposible vivir en este pueblo sojuzgado por la tiranía de los mandones que se titulan notables.

—¿Qué de nuevo puede usted decirme, amigo Manuel? Sé que han reducido a prisión al campanero acusándolo como culpable del asalto a mi casa . . .

—¿No le digo? ¡si esto hace perder el juicio! y como por otra parte, de todos modos debo terminar mis estudios y recibirme de abogado, es preciso que me marche; pero no me resuelvo a dejar a mi madre en esta jauría de lobos.

—Pues, amigo Manuel, casualmente yo acabo de resolver este grave asunto en casa en igual sentido. Dentro de breves días me retiro con mi familia.

—¿Usted, don Fernando? —interrumpió Manuel, en cuyo semblante se pintó la sorpresa sombreada por el dolor o la duda.

—Sí, amigo; he arreglado un traspaso de mis acciones en los minerales y los objetos de mi propiedad con unos judíos que me dan veinte por ciento, y así, salgo satisfecho.

—¿Y a dónde se dirige?

—A la capital; en Lima presumo que el domicilio tendrá garantías, y que las autoridades conocerán lo que es cumplir su misión. Quisiera sólo hacer algo antes de salir por la libertad del campanero.

—Don Fernando, mi brazo es suyo. Ambos haremos todo por ese indio infeliz. Ahora parece que el destino me sonríe. He venido a hablarle de algo relativo a mis proyectos.

—¡Con cuánto gusto le escucho!

—Como dije, deseo arrancar de aquí a mi madre. He tomado todas las medidas necesarias para llevarla con pretexto de un paseo a Lima, y una vez allá, no habrá buque para regresar.

—Perfectamente. ¿Y don Sebastián? —preguntó don Fernando con curiosidad.

—Usted sabe que la madre de familia es el sol de la casa, cuyo calor busca el corazón; tras de mi madre . . . llevaría a don Sebastián, cuyo porvenir es también de los más tristes aquí . . . ¡ah, don Fernando! usted no adivina los actos opresivos que soporto por amor a mi madre.

—¿Y qué? Don Manuel, su modo de expresarse respecto a su padre, hace tiempo que llama mi atención —dijo don Fernando inspirando con el tono de su voz cierta confianza al joven.

—Lo presumía, señor Marín. Mi nacimiento está envuelto en un velo misterioso, que si alguna vez se descorre por mi mano, será ante usted, que es un caballero y que es mi mejor amigo —dijo el joven turbado.

Don Fernando acababa de saber todo lo que necesitaba, porque para él no pasaron inadvertidas las recíprocas impresiones de Manuel y de Margarita. Manuel no era, no podía ser hijo de don Sebastián.

—¿Quién será su padre? —pensó don Fernando—. Puedo interrogarle de nuevo, exigirle una confidencia de amigo a amigo, obtener el secreto y tener el campo por mío; pero es necesario respetar la prudente reserva de este joven; la ocasión llegará —y dirigiendo la palabra a Manuel, dijo—: Gracias, don Manuel; creo ser digno de su confianza, más... volvamos a su solicitud. Decía usted...

—Que deseo me facilite usted la traslación de unos fondos a Lima y la colocación garantizada de ellos en una casa comercial.

—Con el mayor agrado, don Manuel, adquiriremos unos libramientos para cualquiera de los bancos, el de "La Providencia", el de "Londres, México y Sudamérica", en fin, el que usted elija.

—Será el de Londres.

—Bien, y ¿cuánto desea usted remitir?

—Por ahora, unos diez mil soles. Más tarde será otro tanto, porque pienso realizar todas las propiedades de acá —repuso el joven.

—Téngalo por hecho, querido don Manuel. Esta tarde puede usted dejar el dinero donde Salas, en mi nombre, y mañana tendrá usted todos los libramientos. Ahora, permítame felicitarlo por su resolución. Muy bien pensado. Usted será un hombre útil al país como tantos otros que han ido de provincias a la capital; honrará a su familia, se lo aseguro —dijo don Fernando acentuando sus últimas frases.

Manuel inclinó la cabeza, como agradeciendo, y detuvo en sus labios una palabra inoportuna, pues iba a manifestar a don Fernando que el móvil de todas sus aspiraciones era Margarita, pero la reflexión paralizó este movimiento.

—¿Su madre ha debido sufrir mucho? —preguntó don Fernando rompiendo el silencio momentáneo y sacando un cigarro.

—¡Oh, cruelmente! ¡alma de ángel en corazón de mujer!... ¡pobre madre mía!... —respondió Manuel suspirando. Y tomando un nuevo giro su pensamiento continuó—: Creo que usted no sabe otras noticias de bulto que se han realizado anoche como el complemento de esta situación.

—¿Qué ocurrencias son esas? —dijo don Fernando con curiosidad.

—Nos han venido del pueblo vecino, de Saucedo, una joven asilada en casa por las persecuciones del subprefecto Paredes.

—¿Esa niña pagaría algún impuesto o renta fiscal? ¿Tal vez precios?...

—Nada, don Fernando; el coronel gustó de su belleza juvenil y quiso hacerla suya sin otra bendición que la de su voluntad dictatorial —dijo Manuel riéndose con expansión.

—¿Y?...

—Ha huido del hogar.

—¿De modo que por estos mundos las víctimas salvadas de manos del cura caen a la hoguera de la autoridad?

—Como usted lo oye —contestó Manuel turbándose visiblemente con las palabras de don Fernando.

—¡Esto horroriza! ¡Y si fijamos la mirada en los indígenas, el corazón tiene que desesperarse ante la opresión que éstos soportan del cura y del cacique! . . .

—¡Ah, señor don Fernando! desconciertan estas cosas al hombre honrado que viene de otra parte, ve y siente. Cuando haga mi tesis para bachiller pienso probar con todos estos datos la necesidad del matrimonio eclesiástico o de los curas.

—Tocará usted un punto de vital importancia, punto que los progresos sociales tienen que dilucidir antes que el siglo decimonono cierre su último año con el pesado puntero que va marcando las centurias.

—Esa es mi convicción, don Fernando —dijo Manuel.

—¿Y qué me dice usted de las autoridades que vienen a gobernar estos apartados pueblos del rico y vasto Perú?

—¡Ay, amigo! Ellas buscan empleo, sueldo y comodidad, sin que ninguno de los elegidos haya tenido noticias de las palabras de Epaminondas para saber que "es el hombre el que dignifica los destinos", cosa que nos enseñan en la escuela.

—Es que en el país impera el favor —dijo don Fernando sacando una caja de fósforos y encendiendo el cigarro que, armado, tenía hacía rato entre los dedos.

—¿Usted podría decirme, don Fernando, en qué estado está el expediente relativo al asalto de su casa? —preguntó don Manuel aprovechándose del pequeño silencio que hubo para variar de conversación; y al preguntar aquello sus carrillos se tiñeron del carmín más encendido.

—El expediente . . . ni sé qué decirle, amigo . . . sólo ayer he preguntado algo de eso al saber que han apresado al campanero, a quien creo completamente inocente; ¿le interesa? —contestó don Fernando arrojando una bocanada de humo.

—¡Mucho, don Fernando! Ya hemos acordado salvar al campanero, cuyo nombre ignoro, y por otra parte, desearía que . . . si Margarita conoce aquellos detalles algún día . . . los conozca bajo otra forma . . .

—¡Pif! ¡Fue tan trágico el fin de los infelices padres de la muchacha!

—¡Cuánto daría porque conociese en su verdadero fondo ese fin trágico la digna ahijada de ustedes! ¡Margarita! Y Margarita...

Iba a decir Manuel todo el secreto de su alma, cuando apareció en la puerta doña Petronila acompañada de Teodora, a quien presentó con manifiesto cariño.

XVII

Martina, la mujer de Isidro Champi, luego que salió de la casa de su compadre Escobedo, después de sacrificar las cuatro cabezas de ganado vacuno ante la avaricia del compadre, asustada con la noticia de que la prisión de su marido era realmente por las campanadas de la asonada, fue corriendo a su casa, tomó los ponchos de abrigo de Isidro y se dirigió a la cárcel.

El carcelero le dejó entrada libre, y cuando vio a su marido se echó a llorar como una loca.

—¡Isidro, Isidrocha! ¿dónde te veo?... ¡ay! ¡ay! ¡tus manos y las mías están limpias de robo y de muertes!... ¡ay! ¡ay!... —decía la pobre mujer.

—Paciencia, Martina, guarda tus lágrimas y pide a la Virgen —contestó Isidro procurando calmar a la mujer que, secándose los ojos con el canto de uno de los ponchos, repuso:

—¿Sabes, Isidro, he ido a ver a nuestro compadre Escobedo y él dice que prontito te saca libre?

—¿Eso ha dicho?

—Sí, y aun le he pagado.

—¿Qué cosa le has pagado? Te habrá pedido plata, ¿no?

—¡No! si ha dicho que te han traído por las campanadas de esa noche de las bullas de la casa de don Fernando. ¡Jesús! ¡y tantos muertos que hubo!... y ese wiracocha dice que tiene plata y nos perseguirá... —dijo la india santiguándose al mentar a los muertos.

—Así dijo también don Estéfano —contestó Isidro, e insistiendo en la primera pregunta, pues harto conocía a los notables del lugar, dijo—: ¿Y qué cosa has pagado, pues, claro?

—¡Isidrocha!... ¡tú te enojas!... ¡tú te estás poniendo amargo como la corteza del molle! —repuso la india con timidez.

—¡Vamos, Martina! tú has venido a martirizarme como el gusano que roe el corazón de las ovejas. Habla, o si no, vete y déjame solo... Yo no sé por qué no quieres decir... ¿qué le pagaste?

—Bueno, Isidro. Yo le he dado a nuestro compadre lo que ha pedido, porque tú eres el encarcelado porque yo soy tu paloma compañera, porque debo salvarte, aunque sea a costa de mi vida. No te enojes, tata, le he dado las dos castañitas, la negra y la afrijolada... —enumeró Martina acercándose más hacia su marido.

—¡Las cuatro vaquillonas! —dijo el indio empalmando las manos al cielo y lanzando un suspiro tan hondo, que no sabemos si le quitaba un peso horrible del corazón o le dejaba uno en cambio del otro.

—Sí, él quería que se le diese vacas, y apenas, como quien arranca la raíz de las gramas, le he arrancado el sí por las vaquillas, porque una es para el gobernador, una para el subprefecto, otra para el juez y la afrijolada para nuestro compadre.

El indio, al escuchar la relación, inclinó la cabeza mustio y silencioso, sin atreverse a decir nada a Martina, quien después de algunos momentos salía en pos de sus hijos, enjugando nuevas lágrimas y con el corazón repartido entre la cárcel y la choza.

Entretanto, Escobedo, que encontró a Estéfano, le dijo:

—Compañero, aseguratan...

—Ratan —contestó Benites.

—Y como reza el refrán. Ya el indio Isidro aflojó cuatro vaquillonas.

—¿Eh?

—Como lo oyes; vino la mujer lloriqueando y le dije que era grave la cosa, porque la prisión era por las campanadas.

—¿Y?

—Me ofreció gallinas; ¿qué te parece la ratona de la campanera?

—¿Pero aflojó vaquillas?

—Sí, pues; ahora ¿cómo nos partiremos?

—Le daremos una al subprefecto, mejor ir derecho al santo, y las tres para nones —distribuyó Benites.

—Bueno, ¿y el indio sale o no sale?

—Ahora no conviene que salga; lo embromaremos unos dos meses, y después la sentencia hablará, porque primero está el cuero que la carne, hijo —opinó Benites.

—Eso es mucha verdad, que uno no está antes que dos. ¿Y el embargo?

—El embargo que se notifique por fórmula y con eso sacamos cuando menos otras...

—Cuatro vaquillas, claro. Si tú sabes como un vocal Estefito, y con razón todos te hacen su secretario —agregó Escobedo frotándose las manos.

—¿Y para qué estudia uno en la escuela del Rebenque, sino para dictar la plana y ganar la vida, y ser hombre público y hombre de respeto? —dijo con énfasis sacando su pañuelo sin orlar y limpiándose la boca.

—¿Cuándo hacen el embargo? —preguntó Escobedo.

—Podemos hacerlo dentro de dos días, y se me ocurre una idea, ¡qué canarios! . . . Tú no vayas al embargo, cosa que al indio le hacemos creer que tú, por ser su compadre, te has empeñado en guardar los ganados, porque si es otro el depositario se los lleva.

—¡Magnífico! Por ahora tu zorro te dicta como libro —repuso Escobedo riéndose y preguntando enseguida—: ¿Qué dirá don Hilarión?

—El viejo ni lee lo que pongo. A todo dice amén como que es sobrino de cura.

—No seas deslenguado. ¿Y don Sebastián? —advirtió y preguntó Escobedo.

—Don Sebastián dirá francamente, que así me parece bien, y nosotros de esta hechada estrenamos ropa y caballo para la fiesta del pueblo —repuso riéndose a carcajadas Estéfano Benites, en cuyo cerebro quedaba combinado todo su plan para explotar la inocencia de Isidro Champi, con el apoyo del compadre Escobedo, padrino de pila del hijo segundo del campanero.

—Muy bien, compañerazo, y ahora que tenemos todo trazado a las claras, la lengua pide un mojantito —opinó Escobedo.

—De ordenanza, compadrito; pediremos un par de copas, a la pasada, donde la quiquijaneña, o donde la Rufa —contestó Estéfano aceptando la idea de su colega y arreglándose la falda del sombrero.

XVIII

Teodora, en la plenitud de su vida, como ya le hemos descrito al llegar a su pueblo, lucía una cabellera tan abundante y larga, que a tenerla destrenzada habríale cubierto las espaldas como una ancha manta de vapor ondulado. El conjunto de su persona era tan simpático y atrayente, con esa expresión dulce que enamora, que al verla don Fernando formuló en su pensamiento una especie de disculpa al subprefecto. Invitó asiento a las recién llegadas, y llamó desde la puerta:

—¿Lucía, Lucía? —arrojando afuera el pucho del cigarro que fumaba.

Mientras tanto doña Petronila dijo quedito a su hijo:

—Te pillé, bribonazo, te pillé en tu querencia —y sonrióse maliciosamente.

—¡Madrecita! —articuló Manuel como una disculpa de niño.

Don Fernando preguntó a Teodora:

—Señorita, ¿usted es recién llegada?

—Sí, señor; soy de Saucedo, y sólo hace horas que estoy aquí —contestó la joven con desenvoltura.

Lucía no se hizo aguardar, y entrando dijo:

—¿De dónde bueno por su casa, doña Petronila?... ¿y esta señorita?... —y abrazó a una y a otra.

Doña Petronila, desprendiéndose el pañolón sujeto al hombro, y con aire de franqueza, exclamó:

—¿Qué les parece a ustedes el dichoso coronel Paredes, que después de dejar el asperjes de la discordia en mi casa se fue a la de mi compadre don Gaspar a querer robarle su joya? —y señaló a Teodora.

—¡Madre! —dijo con timidez Manuel.

—¡Guá! ¿por qué no he de hablar claro —continuó doña Petronila— si don Fernando los conoce muchísimo y asimismo la señora Lucía? —y relató punto por punto todo lo ocurrido en Saucedo.

Cuando terminó su relación, que los esposos Marín escuchaban cambiando la mirada de la joven a doña Petronila y de ésta a aquélla, los carrillos de Teodora eran dos cerezas, permaneciendo ella con la mirada clavada en sl suelo sin atreverse a levantar los ojos. En esa actitud soportó uno de los momentos más difíciles de su vida, ora recogiendo los pies bajo la silleta, ora estrujando sus manos escondidas debajo de su pañolón de cachemira.

Manuel se sonreía a veces. Lucía bastillaba la orla de su fino pañuelo, encarrujándolo y volviendo a soltarlo.

—¿Así que esta señorita es una heroína del amor a su prometido? —dijo don Fernando.

—¡Muy bien! ¡qué simpática! ¡así fieles deben ser todas las mujeres cuando quieren! —expuso Lucía.

—¡Qué felicidad la de encontrar un cariño así! Envidio a Mariano —agregó Manuel.

—¡Pues me gusta la pasada corrida al subprefecto; bien, muy bien, señorita Teodora! —dijo don Fernando levantándose de su asiento y estrechando la mano de Teodora—. Me parece que estos pueblos se irán poniendo trabajosos día por día —continuó el señor Marín—; aquí abusan y nadie corrige el mal ni estimula el bien; notándose la circunstancia rarísima de que no hay parecido entre la conducta de los hombres y de las mujeres . . .

—¡Si también las mujeres fuesen malas, esto ya sería un infierno, Jesús! —interrumpió Lucía guardando su pañuelo en el bolsillo de la bata.

—Usted, doña Petronila, debe salvar a su esposo y a su hijo, que es un cumplido caballero —dijo don Fernando dirigiéndose a la madre de Manuel, cuyos ojos brillaron con la luz del gozo materno. Manuel sonrió inclinando la cabeza, adivinando que la intención de su amigo era prepararle campo para convencer a doña Petronila.

Lucía salió en apoyo de su esposo, diciendo:

—Efectivamente, amiga, esto ya no es para nosotros, debemos alzar el vuelo a otras regiones serenas; nosotros nos retiraremos pronto.

—¿Se van? . . . ¿ustedes se van? . . . —preguntó doña Petronila con interés.

—Sí, señora, lo hemos resuelto —contestó don Fernando apoyando a Lucía.

—¡Jesús! ¡qué noticia tan triste la que vengo a recibir! —dijo doña Petronila, a quien Manuel insinuó diciendo:

—Ahora falta que tú te resuelvas, madre, y todos quedaremos contentos.

—Eso . . . veremos . . .

—¿Cómo? ¿qué veremos? . . . ¡ah! pronto ha de saberse cuál de nosotros triunfa —repuso Manuel acompasando sus últimas palabras con golpecitos dados en el suelo con el tacón de sus botas.

—¡Margarita, Margarita, ven! —gritó Lucía al ver a la huérfana que pasó junto a la puerta. Lucía tuvo el deliberado intento de ver qué impresión producía el conocimiento de la niña en el corazón de doña Petronila, pues desde la conversación que tuvo con su ahijada, en cuyo corazón existía para con Manuel mayores preferencias de las que ella alcanzó a medir, estaba preocupada con el porvenir de la huérfana.

—Presentaré a usted a mi ahijada Margarita —dijo Lucía tomando a la niña de una mano y dirigiéndose a la madre de Manuel.

—¡Qué linda señorita!

—Simpática y amable.

Fueron las palabras que simultáneamente repitieron doña Petronila y Teodora.

—¡Margarita! ¿no es verdad que lleva bien su nombre de flor? —agregó Manuel en momentos que su madre abrazaba a la huérfana, prodigándole palabras de alabanzas que sonaron como música celestial en el corazón de Manuel, que, ebrio de felicidad, no cabía en el pecho.

A interrumpir esta escena de calma venturosa llegó una mujer despavorida, llorosa y confundida, que desde la puerta dijo entre sollozos:

—Señor, wiracocha Fernando ¡caridad por la virgen!

—¿Quién es esta infeliz? —preguntó Marín sorprendido.

—Esta es la Martina... mujer del Tapara —repuso doña Petronila, cuando Lucía se tapaba los ojos con ambas manos, murmurando para sí:

—¡Marcela! ¡Marcela! Parece su hermana.

Don Fernando volvió a preguntarle:

—¿Di quién eres, qué pides?

—Soy la mujer de Isidro Champi el campanero...

La última frase descorrió por completo el velo.

Don Fernando y Manuel se demudaron notablemente, y el primero dijo:

—¡Ah!... ya lo sé, hija; tu marido está preso, ¿no?...

—Sí, wiracochay, también ahorita se han llevado todos nuestros ganados.

—¿Quién?

—¿Quiénes?

Preguntaron a una vez Manuel y don Fernando.

—¡Las justicias, señor! —repuso lacónicamente Martina.

—¡Las justicias! Pero ¿quiénes son esas justicias! —replicó Manuel

—¡Jesús! ¡qué cosas! —exclamó doña Petronila mientras Lucía, muda de emoción, apenas abrió sus labios para decir a Margarita:

—Hija, anda, ve a Rosalía y pide un vaso de agua.

Manuel, que en otra circunstancia habría sentido aquella despedida, dirigió a la señora de Marín una mirada que traslucía toda su gratitud, y sin desplegar los labios permaneció mirándola por varios segundos.

—¡El alcalde mayor[1] y el gobernador, wiracochay, misericordia! —dijo Martina arrodillándose a los pies de don Fernando.

—¡Oh! ¡levántate!... ¡tranquilízate!... —repitió el señor Marín dando la mano a Martina.

[1] Juez de paz.

—¡Por Dios! ¡que te salvaremos; se remediará todo; sosiégate! —dijo Manuel acercándose hacia Martina.

—Bueno, ¿tú no nos persigues? —preguntó Martina a don Fernando.

—¡No, hija, no!

—¿Tú nos salvas entonces, sacas de la cárcel a Isidro y nuestros ganados del corralón de embargo?

—¡Sí, te defenderé!

—¿Sí?

—¡Crueles!

—¡Descorazonados! —repitieron sucesivamente, y Martina, sin más promesa que la de don Fernando y Manuel, salió llena de esperanzas, que su amante corazón de esposa quería transmitir sin tardanza al del esposo encarcelado.

XIX

El cambio de autoridad se efectuó pacíficamente en la provincia. El nuevo subprefecto dirigió las circulares de estilo a los funcionarios de su dependencia, invocando la ley, la justicia y la equidad.

Finalizada la diversión en casa de Teodora, don Gaspar llegó a Kíllac para relatar por sí mismo a su virtuosa hija todo lo ocurrido en Saucedo después de su fuga, agradecer a su comadre doña Petronila el hospedaje, y volver en compañía de Teodora a hacer nuevamente la tranquila vida del campo, mientras se vencía el plazo señalado en los esponsales del honrado Mariano.

Nadie supo dar razón del paradero del coronel don Bruno de Paredes; porque, a pocas millas de su salida, despidió a su escolta y, solo ya, buscó un refugio seguro.

Súpose, sí, en los días posteriores, que estaban bien mermadas las rentas de predios rústicos y urbanos, y en manos de los indígenas una respetable cantidad de recibos de una contribución personal y forzosa, creada ad hoc por su señoría, titulada DERECHOS DE INSTRUCCION POPULAR.

Don Sebastián, mohíno y cariacontecido, se golpeaba el pecho repitiendo:

—Francamente, mi mujer y Manuel sabían la media de la misa; francamente, me pesa, me pesa no haber seguido sus consejos.

Tal confesión era un nuevo apoyo para que Manuel llevase a la práctica sus teorías en la casa, donde su opinión prevalecería respetada y obedecida.

Manuel pasó toda la noche en vela, lápiz en mano, marcando y borrando números sobre un pliego de papel que tenía cerca, y recorriendo su dormitorio con pasos acelerados, que de rato en rato se detenía para apuntar algo o buscar ligero descanso en el sofá.

—¿Y por qué mi anhelo se reduce a dejar el pueblo donde he nacido —se decía— cuando es propensión innata del hombre amar el engrandecimiento del suelo donde vio la luz primera? . . . ¿por qué no aspiro a vivir aquí donde nació Margarita, y donde, junto a ella, brotó lozana y bella la flor de mis amores? . . . ¡Ah! mi contrariedad se explica por la palabra de una experiencia razonada. Los lugares donde no se cuenta con garantías para la propiedad y la familia, se despueblan; todos los que disponen de medios suficientes para emigrar a los centros civilizados lo hacen, y cuando uno se halla en la situación en que yo me encuentro, solo contra dos, uno contra cinco mil . . . no queda otro remedio que huir y buscar en otro suelo la tranquilidad de los míos y la eterna primavera de mi corazón . . . ¡Margarita! ¡Margarita mía! A ti te entumecería el invierno de los desengaños en esta puna, donde se hielan los buenos sentimientos con el frío del abuso y del mal ejemplo. Tú vivirás bella y lozana, donde se comprenda tu alma y se admire tu hermosura; ¡tú serás el sol que me dé calor y vida bajo la sombra de árbol extraño! . . .

Por la mente del hijo de doña Petronila cruzaban, revoloteando, mil aristas chispeantes, llevando un enjambre de ilusiones sostenidas en su corazón por dos fuerzas activas: nobleza de sentimiento y pureza de pasión. Dio unas cuantas vueltas por la habitación, distraído y embebido en sus pensamientos, y sacó un cigarro guardado en una cajita de caucho. Manuel fumaba en raras ocasiones. El tabaco, lejos de constituir un vicio, era un agente de pasatiempo. Armó el cigarro, y después de encenderlo a la lumbre de la vela de sebo, darle tres chupetones seguidos y arrojar humo por la boca y narices, dijo:

—¡Sí! ellos salen pronto . . . ¡yo iré a encontrarlos, así sea al confín del mundo! . . . y lejos ya de Kíllac, lejos del teatro de la tragedia del 5 de agosto, abriré mi corazón ante don Fernando, pediré la mano de Margarita, y una vez aceptado, fijando un plazo, seguiré con fe y aliento el término de la carrera que he abrazado. ¡Sí, sí! ¡estoy resuelto! . . . confiaré a don Fernando, a Lucía, a mi Margarita, el secreto de mi nacimiento, porque esa confidencia asegurará mi felicidad; pero . . . antes hablaré a mi generosa madre, sobre cuya frente no puedo yo arrojar . . . ni las sombras siquiera de la deshonra. ¡Madre! ¡madre querida! . . . la fatalidad me colocó en tu seno, y después . . . ¡ay! ¡mi presencia torturó tu vida, reflejándose en la terquedad de un padrastro! . . . Y, hoy que me siento hombre, ¿por qué no es para ti todo el calor de mis afectos? ¡¡Margarita!! . . .

El primer rayo de aurora, apacible y sereno, penetró por los resquicios de la puerta y ventana del dormitorio de Manuel, que veló desde la tarde a la mañana, de claro en claro, con el primer insomnio del amor y el deber.

XX

El objeto de la visita de doña Petronila a la casa de los esposos Marín no era sólo presentar a Teodora y transmitir las noticias de Saucedo, sino obtener unas recomendaciones de don Fernando para la nueva autoridad. Por esto, luego que salió Martina, la mujer del campanero, dijo al señor Marín:

—He venido a molestarle, mi don Fernando, con una súplica.

—Molestia no será jamás, mi doña Petronila.

—Me han dicho que usted es amigo del nuevo subprefecto.

—Le conozco, verdad, aunque muy de lejos; pero . . . ¿qué se ofrecía?

—¡Lástima! Yo quería una carta de recomendación para Teodorita y mi compadre don Gaspar; después de todo lo que ha pasado, figúrese usted cómo no estarán temblando los pobres de que vaya otra gente de malos tratos como ese militar —dijo doña Petronila prendiendo su pañolón.

—Siento contrariedad al no complacerla; pero yo trataré de buscar la influencia de otro amigo —contestó Marín.

—Salas es pariente del nuevo subprefecto —indicó Lucía.

—Sí, pero no es él de quien pienso valerme sino de Guzmán; porque éste me ayudará a trabajar en favor de Isidro Champi.

—También usted, doña Petronila, por su parte, vea cómo arregla con Sebastián el asunto del campanero —recomendó Lucía.

—Eso queda a mi cargo, y . . . hasta prontito —dijo doña Petronila despidiéndose junto con Teodora y Manuel, a quien dijo don Fernando:

—Nos veremos luego para acordar lo de Champi.

Margarita, que fue al interior de la casa en busca de Rosalía, respiró un poco de aire libre lejos de su madrina, cuyas miradas se le habían hecho sospechosas desde las confidencias que tuvo con ella y el modo como se expresó de Manuel.

El aire que la soledad brinda a los corazones que sufren en la asfixia del dolor, está impregnado de melancolía, y parece entibiado por el bálsamo del consuelo.

El amor es como una planta.

Colocado en terreno fértil, exuberante y rico, crece con rapidez sorprendente.

El temperamento vigoroso y el físico robusto de Margarita abonaban el desarrollo prodigioso de sus simpatías por Manuel, y las condiciones en que la había colocado el destino constituían un nuevo elemento motor, dándole a los catorce años los impulsos de un cerebro maduro y las fruiciones de un corazón de veinte primaveras.

Quedaban solos don Fernando y Lucía en el salón y ésta dijo:

—No dirás, querido Fernando, que es adelantamiento de juicio femenino, pero creo saber que Margarita y Manuel se aman, y...

—Sería afecto celebrado por mí.

—¡Cómo, Fernando! ¿y los miramientos sociales y los deberes de conciencia? ¡Margarita es la hija de Marcela, madre heroica, víctima de don Sebastián, y Manuel es el hijo del verdugo!...

—Aquí te gané la partida, hija mía —dijo don Fernando sonriendo y tomando la mano de Lucía—. Manuel me ha dejado entrever un misterio en su nacimiento. Esa historia espero conocerla, y te aseguro que yo no he creído jamás que ese joven tan digno sea hijo de don Sebastián. Nunca lo he pensado, ni antes de que Manuel dejase escapar algunas frases en momentos de franqueza.

—¡Dios mío!... ¿ese viejo tan feo?... ¿Me ganarás, Fernando? Ese detalle importa la solución de un problema que me llena de pesar; porque he sembrado la semilla de la aversión en el tierno corazón de nuestra Margarita.

—¿Cómo, de qué modo? —preguntó con sorpresa don Fernando soltando la mano de Lucía y mirándola con atención.

—Señalándole a Manuel como al hijo del matador de su madre...

—¡Imprudente!... —exclamó Marín con amargura; mas, como hallando reparación, agregó—: Si ella le ama, no habrá brotado el odio, y será doblemente feliz el día en que sepa que Manuel no es vástago del abusivo gobernador de Killac.

—¡Desde hoy trabajaré, Fernando mío, para disipar en el corazón de mi ahijada esa sombra que ha proyectado mi palabra imprudente!

Sí, conozco que, en realidad, es un partido ventajoso para nuestra Margarita.

—Inmejorable, querida Lucía; yo amo a esa juventud estudiosa y seria que encuentra en su propia inspiración el aliento para el trabajo; por esto amo a Manuel y preveo que será un abogado distinguido, capaz de dar lustre al foro peruano. Fuera de esto, sabrás, Lucía, que los medios materiales de que dispone son más que suficientes para sostener con desahogo a su familia.

—¡Tus palabras me comunican satisfacción infinita, Fernando! Es preciso que ellos sean felices.

—Coadyuvar a la ventura de Margarita es un deber para nosotros, hija mía.

—¡Sí, amado Fernando! Yo le juré esto a Marcela, cuando en los umbrales de la muerte depositó en mi alma el secreto de que Margarita es la hija de aquel hombre, y me reveló los pormenores que tú sabes. Luego, ¡Margarita será tan feliz como yo, si ella ama a Manuel como te quiero, mi Fernando!

—¡Adulona! —dijo don Fernando con voz cariñosa abrazando a Lucía.

¿Por qué había revelado a don Fernando el secreto de Marcela? ¿Es verdad que la mujer no puede ser nunca la guardadora de un secreto?

¡No!

Lucía amaba mucho a su esposo para haberle callado nada, y es de explicarse esa intimidad inherente al matrimonio que realiza la encantadora teoría de dos almas refundidas en una, formando la dicha del esposo, que permite leer, como en libro abierto, en el corazón de la mujer, que al dar su mano no esquivó la ternura del alma enamorada, como la ofrenda del amor perdurable jurado en el altar.

El matrimonio no debe ser lo que en general se piensa de él, concederle sólo el atributo de la propagación y conservación de la especie.

Tal será acaso la tendencia de los sentidos; pero existe algo superior en las aspiraciones del alma que busca su centro de repercusión en otra alma, como el ser espiritual unificado por las potencias de memoria, entendimiento y voluntad y estrechado por el vínculo santo del amor.

Lucía, que nació y creció en un lugar cristiano, cuando vistió la blanca túnica de desposada, aceptó para ella el nuevo hogar con los encantos ofrecidos por el cariño y las turbulencias de la vida, encariñada con aquella gran sentencia de la escritora española, que en su niñez leyó más de una vez, sentada junto a las faldas de su madre: "Olvidad, pobres mujeres, vuestros sueños de emancipación y de libertad. Esas son teorías de cabezas enfermas, que jamás se podrán practicar, porque la mujer ha nacido para poetizar la casa."

Lucía estaba llamada al magisterio de la maternidad, y Margarita era la primera discípula en quien ejercitara la transmisión de las virtudes domésticas.

—¡Bien, Fernando! queda convenido que yo varíe totalmente de parecer acerca de la inconveniencia de los amores de Manuel y Margarita, para quien buscaré una explicación en los límites de la prudencia —contestó Lucía.

—¡Bien! Pero yo tengo que ocuparme de esa pobre familia del campanero.

—¡Fernando, Fernando mío! . . . mi corazón tiembla de terror. ¡Ah! . . . cuando entró Martina creí ver la imagen de Marcela, y no sabes qué lúgubres presentimientos me han asaltado. No he dicho nada, he callado porque primero eres tú, y temo . . .

—No temas nada, hijita; no tomaré las cosas de frente, pero es imposible dejar que asesinen a otro hombre con el estoicismo del verdugo.

—¡Quisiera ya estar lejos de Kíllac para no ver estas cosas! . . . ¿Y Manuel qué hará?

—Ten paciencia, hijita; pocos momentos te quedan en este lugar ya odioso. Manuel se encargará de todo, de acuerdo con Guzmán, y voy a escribir a éste ahora mismo —dijo don Fernando dirigiéndose a su escritorio. Lucía se retiró también de la sala.

Sentado a su pupitre escribió don Fernando las siguientes líneas:

"Kíllac, a 13 de diciembre de 187 . . .

SEÑOR DON FEDERICO GUZMAN.

Aguas-Claras.

Querido amigo:

Estoy en vísperas de retirarme a la capital, resolución que he tomado por las razones que usted conoce.

Necesito de su amistad e influencia ante el nuevo subprefecto, para sacar de la cárcel a Isidro Champi, campanero de este pueblo, a quien han apresado los verdaderos culpables de la asonada del 5 de agosto. Estoy perfectamente convencido de que ese indio es inocente; pero aquí nada se puede hacer contra las maquinaciones en masa de los vecinos notables que consttiuyen los tres poderes: eclesiástico, judicial y político. Casi me atrevería a asegurar que Estéfano Benites, Pedro Escobedo y el gobernador Pancorbo son los verdaderos culpables, habiendo desaparecido ya el cura Pascual Vargas.

Tal vez extrañará a usted que pida la intervención de la autoridad política en este asunto sometido al juzgado, pero si reflexiona usted por un momento sobre el personal que administra aquí la justicia, conocerá la necesidad de que una autoridad recta y bien intencionada haga cumplir las leyes.

No tengo interés en la prosecución del juicio. Deseo únicamente dejar salvado al campanero, cuya suerte me contrista, y es todo lo que le recomiendo.

Si puede usted conseguir esto, se lo agradeceré en el alma.

Necesito una cartita de recomendación de usted para el subprefecto, a favor de don Gaspar Sierra y su familia. Todavía por acá se presta mucha importancia, amigo, a las cartitas de recomendación; lo que para mí es buen indicio, porque todavía se cree en la amistad y los servicios desinteresados, y no se ha olido que en otras partes no hay recomendación posible fuera de una onza de oro.

Prepáreme sus órdenes, querido amigo; acepte las memorias de mi Lucía, y disponga de la voluntad de su amigo y S.S.

FERNANDO MARIN."

Doblada y cerrada en un sobre azul, guardó don Fernando esta carta en el bolsillo interior de la levita, y salió en dirección a la calle, donde también esperaba ver a Manuel.

XXI

Martina penetró en el calabozo de su marido con paso acelerado y respiración agitada; pero la lobreguez que reina en ese recinto para quien entraba de la claridad, cegó de pronto sus pupilas.

La tenue luz que se cernía por los instersticios de una ancha claraboya tapiada de adobes, fue bañando la retina de la india, que al fin distinguió las paredes, el suelo, el poyo que hacía de cama, y sentada en él a su marido, el cual contemplaba a la recién llegada sin atreverse a preguntarle nada, temeroso de escuchar el anuncio de nuevas desgracias.

Martina, al distinguirle, dijo con entusiasmo:

—¡Isidro, Isidro! arranca de tu corazón la pena negra. El wiracocha Fernando no nos persigue, es mentira, le he visto.

—¿Le has visto? —repitió Isidro con indiferencia.

—¡Sí, le he visto, le ha hablado, y me ha dicho que te salva, que nos salva!

—¿Eso ha dicho? Y tú le crees, ¿no?

—¿Por qué no he de creer si él no es de aquí? ¡Isidro! sólo en nuestro pueblo sacudió su poncho el diablo derramando candela y mentira.

—¿Y qué te ha pedido en pago?

—¡Nada! Ni siquiera me ha preguntado si tenemos ovejas.

—¿De veras? —preguntó el indio abriendo más los ojos.

—De veritas, Isidro, y dice que él no te persigue. ¡Ay! ¡ay! yo creo que él nos salvará, como ha recogido a las hijas de Yupanqui; no lo dudes, Isidro, se enojaría el Machula de la oración... Las nubes tapan el sol, la tarde obscurece, pero esas nubes pasan recogidas por el mismo que las extiende, y el sol aparece y brilla y calienta de nuevo.

—¡Acaso, acaso, Martinacha! —dijo el indio ahogando un suspiro y estirando ambos pies.

—¡Por la Virgen, Isidro, nuestras penas pasarán también! Sin duda tú no has sabido encomendarte a la Virgen cuando tocabas las campanas del alba, y por esto nos ha caído tanta desgracia, como la helada que pone amarillas las hojas del maíz y malogra el choclo —dijo ella sentándose junto a Isidro.

—¡Pudiera ser, Martina, pero... nunca es tarde para llorar! ¡La tierra que está un año, dos, tres, hasta cuatro, sin dar fruto, de repente se sacude, y llena la troje con la cosecha!

—¡Bueno! Reza pues, el alabado. Y... hasta mañana; voy por nuestros hijos.

—¿Qué dicen nuestros hijos? ¿Por qué no me traes siquiera a la sietemesina?

—Cuando me preguntan por ti, digo que estás en viaje. Miguel calla y se agacha, porque ya él entiende y no lo puedo engañar. ¿Que los traiga?... ¡Jesús! ¿para qué?... ¡Ay! basta con que tú y yo conozcamos la cárcel... hasta mañana —dijo y besó a Isidro con el tranquilo y casto beso de las palomas.

Mientras pasaba esta escena entre Isidro y su mujer, en casa de Estéfano Benites se encontraban reunidos varios vecinos comentando los últimos sucesos entre copa y copa, cuando llegó Escobedo y dijo desde la puerta:

—¡A ver, qué convidan! Habrá miel cuando cargan moscas.

—¡Adelante, compadrito! —contestó Estéfano disponiéndose a servir una copa al recién llegado.

—Ni mandado llamar con alguacil de gobierno —dijo uno.

—Sus narices lo han traído, ha olido la tranquilla —aclaró otro riendo.

—Por acá siéntese —agregó el primero invitándole asiento.

—No, amigotes, gracias; de sobre paradito no más, que estoy ocupado —contestó Escobedo recibiendo la copa de Estéfano, a quien dijo en secreto—: ¡Te necesito, suena gordo!

—¡A la salud de ustedes! —brindó Estéfano, advirtiendo a su amigo con el mismo sigilo—: Allá voy.

Y después de trincar se retiraron los dos hacia la puerta, donde tuvo lugar el siguiente diálogo sostenido a media voz:

—¿Sabes que el tal don Fernando está dando pasos por el campanero?

—¡Hola! . . . ¿Pero no dicen que se va?

—Sí, es verdad que se va, y eso no se opone a que quiera defender al indio, y si mete el brazo perdemos soga y cabra.

—¡Eso no es posible! ¡Dejarse despabilar cuatro . . . qué! ¿por lo menos ocho vacas? ¡Eso no es posible!

—También el hijo de don Sebastián está en correteos . . .

—¿Cómo? . . . ¡no entiendo lo que quiere ese pedante! . . . bien dijiste que sonaba gordo.

—¿ . . . qué ideas, pues? . . .

Estéfano permaneció mudo por unos segundos con la vista fija en el suelo, y de improviso dijo:

—Me oculto con el expediente.

—Me parece bien.

—Lo que importa ahora es saber qué día se marcha ese bergante de Marín. Lo que es al peruétano de Manuelito no le tengo miedo, don Sebastián está de por medio, y . . . en último caso, le daremos una paliza.

—Así es. Yo averiguaré inmediatamente el día de la marcha, y los pasos que están dando, y . . .

—En el acto hago viaje de fondo de la tierra. Que me pillen . . . ¡pist! . . . —dijo Estéfano pegando un silbido y agitando el labio inferior con el dedo índice de la derecha.

—¡Magnífico! ¡dicho y hecho! y vamos a dejar pelao al entrometido de Marín.

—¡Tomemos otro trago, y a nadar, patos! —dijo Estéfano alargando la mano a su camarada.

—Bueno, compadrito —repuso Escobedo estrechándole la mano, y ambos se llegaron a la mesa, sirvieron todas las copas, e invitando a beber, dijo Escobedo—: ¡Salud, caballeros! este es el anda vete —vació su copa, limpió sus labios con la orla de la sobremesa, y salió a cumplir su comisión.

XXII

El transcurso de los días despejó el cielo de las nubes que lo entoldaban, y los arreglos económicos en casa de Manuel superaron todo cálculo.

Manuel iba a emprender su viaje a Lima para ingresar en San Carlos. Su alma recibió la esperanza de vivir cerca de Margarita, cuyo ingreso en uno de los mejores colegios de la capital era también cosa resuelta.

Entretanto, todos los pasos dados por don Fernando y Manuel para arrancar de la cárcel a Isidro eran estériles, pues el juez de paz se encerró en el castillo de las fórmulas, pidió informe al promotor fiscal y se contentó con ofrecer a los interesados el despacho rápido del asunto.

Para don Fernando era imposible postergar su viaje, y dijo a su esposa:

—He ideado una forma, hija, de ver la reconciliación general entre los vecinos de acá y nosotros, pero con el sólo propósito de alcanzar la libertad de Isidro.

—¿Cuál, Fernando? ¡Oh! Dios te inspire, porque verdaderamente nos sería doloroso irnos dejando en la cárcel a ese infeliz.

—Daremos un banquete de despedida para la mañana de nuestra salida, y allí comprometeremos a todos en favor de Isidro. Creo que éstos le han encarcelado sólo para que aparezca culpable y sincerarse ellos. Una vez que nos vayamos, desaparece todo motivo para continuar ese juicio, y la libertad de Isidro será cosa resuelta.

—Apruebo, querido Fernando, tu idea, y ahora mismo ordenaré que preparen todo, aunque ha de costarme algo caro, porque he visto que aquí explotan al recién llegado y al que se va.

—¡No importa, hija! ¡cuánto dinero se bota en cosas inútiles!

Y sobre todo, sea un capricho nuestro querer libertar a ese indio. Con cien soles tendremos de sobra, ¿no?

—No tanto, hijo; ¿no sabes que una gallina vale veinte centavos, un par de pichones de paloma diez centavos, y un carnero sesenta centavos? . . .

—¡Qué baratura, por Dios! ¿y así hay quienes le roban al indio?

—¡Admírate, hijito! ¡Oh! ¡pobres indios! ¡pobre raza! Si pudiésemos libertar a toda ella como vamos a salvar a Isidro . . .

Decía esto la señora Marín cuando tocaron a la puerta.

Era Manuel que llegaba con un rollo de papeles en la mano. Saludó, puso su sombrero sobre una silleta, y dirigiéndose a don Fernando dijo:

—Vengo con el ánimo contrariado, señor Marín. Después de tantas andanzas y haber presentado estos dos recursos que están con decreto, resulta que el expediente lo tiene Estéfano Benites, y éste no se halla en el pueblo. Su mujer me ha asegurado que ha ido a Saucedo, de donde volverá dentro de tres o cuatro días.

—¡Qué contrariedad, amigo Manuel! —contestó don Fernando.

—Tal vez se habrá escondido. Ese mocito tiene una cara de Pilatos . . . —opinó Lucía.

—Eso no lo creo, señora, porque aquí no media interés privado —repuso Manuel.

—Lo peor es que no puedo postergar el día de la marcha. Esto de estar sujeto al silbato del tren . . . —dijo don Fernando moviendo la cabeza.

—¿Siempre es mañana el viaje? —preguntó Manuel.

—Mañana, amigo; todo está listo, y de quedarse habría que postergar quince días la marcha; tenemos cinco días de a caballo, el tren viene sólo quincenalmente a la estación de los Andes, la última de la línea . . . en fin, usted que se queda . . .

—Sí, señor Marín, yo haré los esfuerzos posibles.

—Tal vez se arregle con tu plan —dijo Lucía.

—Veremos; he pensado invitar mañana a un almuerzo de despedida al vecindario, y allí hablar a todos por Isidro, comprometerlos, suplicarles . . .

—Encuentro feliz la idea, señor Marín, y concibo esperanzas de buen resultado.

—Se me ocurre una cosa, Fernando. Mándale una esquelita de invitación a Pilatos, y si está aquí, viene con seguridad —dijo Lucía.

—Vaya que lo has rebautizado al hombre, contestó riendo Marín.

Manuel agregó:

—No será de más, porque a su regreso verá que usted no le ha excluido de la invitación, y tal vez se preste a servirnos.

—Sí, está bien; ocupémonos de invitarlos, porque otros quehaceres no me quedan ya; ¡felizmente estoy libre! —dijo Marín.

—Yo también voy a inspeccionar el campo de la cocina; porque las cosas preparadas con calma son sabrosas y sustanciosas —dijo Lucía, y salió.

—Pues la ocurrencia de la señora no ha podido ser más feliz, señor Marín. ¿Sabe usted que esa invitación a Benites o Pilatos, como ha dicho con tanta gracia su esposa, es muy importante? —observó Manuel a don Fernando.

—¡Oh, amigo! las mujeres siempre nos ganarán en perspicacia y en imaginación. ¡Lucía tiene ocurrencias que me encantan! Le aseguro que cada día me siento más enamorado de mi mujer. Manuel, deseo que usted cuando se case sea tan feliz como yo —dijo Marín.

Manuel bajó los ojos, tomando sus carrillos el tinte de la grana, y el nombre de Margarita cruzó por su mente envuelto en el vaporoso tul de las ilusiones, y disimulando preguntó:

—¿En qué términos redactamos la invitación a Estéfano?...

—Eso es sencillo; aquí hay recado de escribir —dijo don Fernando sentándose a la mesa, y después de trazar varios renglones alargó a Manuel el papel, donde éste leyó lo siguiente:

"Casa de usted a 15...

Estimado amigo:

Debiendo retirarme mañana a la capital, y deseando despedirme de los vecinos notables del lugar del modo más cordial, espero almorzar mañana en unión de todos; y siendo usted uno de los vecinos que deseo abrazar al separarme de Killac, tal vez para siempre, ruégole quiera honrarme aceptando el insinuado almuerzo, a su muy atento y S.S.

FERNANDO MARIN.

Al señor don Estéfano Benites.
Pte."

—Está muy bien, señor Marín, aquí viene bien aquello de que estrechamos manos que quisiéramos ver cortadas —dijo Manuel doblando el papel.

—¡Exactamente! ¿cuánta farsa hay en la vida?, ¿no?

—¿Y qué se va a hacer, don Fernando? Bien; yo me encargo de remitir esta esquela con un sirviente.

—Gracias, amigo; y diga también a don Sebastián y doña Petronila que no falten, ¿eh?

—Así lo haré. Hasta pronto —dijo Manuel tomando su sombrero y saliendo.

XXIII

En el patio de la casa blanca se encontraban más de veinte caballos ensillados, pues los vecinos, al recibir la invitación de don Fernando, desearon hacerle los honores de costumbre, acompañándolo en su salida hasta una legua de la población.

Doce mulas, con sus aparejos y arreos de marcha recibían carga de varios capataces que levantaban ya maletones, ya baúles, ya almofreces de cuero.

Transcurrían las últimas horas de permanencia de don Fernando Marín en Killac.

Los invitados fueron recibidos con amabilidad según iban llegando, siendo de los primeros Manuel y su familia.

La mesa, arreglada en el espacioso comedor, ofrecía, como novedad de estación, las olorosas frutillas y las ciruelas moradas, artísticamente colocadas en fruteros de loza blanca, y enormes fuentes repletas de pichones, aderezados con el vinagre de manzana y ramos de perejil en el pico, incitaban el apetito.

La sala de recibo estaba llena de gente, y el judío a quien traspasó las existencias don Fernando paseaba de un lado a otro con semblante contraído, como vigilando que no sufriese más deterioro la que, mediante el contrato, pasó a ser su propiedad.

Por enmedio del barullo de bestias y cargadores que invadían el patio, pasaron vestidas de riguroso luto Margarita y Rosalía, conducidas por una sirvienta, y se dirigieron al cementerio, donde iban a orar por la postrera vez sobre la tumba de sus padres; a verter una lágrima de adiós, cuyo precio ignoraban ellas mismas.

Lucía cuidaba de que las huérfanas mantuviesen en su corazón la reliquia del amor filial.

El camposanto de Killac es un lugar desmantelado y pobre.

Allí no existen ni mausoleos que pregonen vanidad ni inscripciones que señalen virtudes. Sólo pequeñas prominencias de tierra, señaladas con una tosca cruz de palo o de espino, indican la existencia de restos humanos bajo su seno.

Pero los esposos Marín, solícitos y buenos hasta para el sepulcro de Juan y Marcela, hicieron colocar una cruz de piedra blanca. Al pie de ella se arrodilló Margarita, cuyo corazón estaba preparado para todas las escenas en que la ternura ofrece mayor caudal.

Margarita, que al separarse de su madre muerta quedó en el mundo como el ruiseñor sin alas expertas para buscar su alimento y el árbol donde colgar su nido, se llegaba hoy ante los mismos despojos con el corazón ocupado por el amor de los amores.

—¡Madre!, ¡padre! . . . ¡adiós! . . . —dijo Margarita después de recitar el padrenuestro y avemaría, cuyas palabras, aprendidas de Lucía, hizo repetir una a una a Rosalía.

¿Saben acaso las niñas de la edad de Rosalía lo que es despedirse para siempre del sepulcro de una madre, urna sagrada que guardan las cenizas del supremo amor? ¡Dolor de los dolores! ¡él podía resarcir los desvíos del corazón desnudo de afectos!

Mientras las huérfanas hacen esta visita, veamos lo que pasa en la casa blanca.

En momentos de ir al comedor, se presentó Estéfano Benites.

Al verlo, don Fernando, Lucía y Manuel cambiaron una mirada que encerraba un libro de filosofía moral, y Lucía sonrió con la sonrisa del triunfo.

—Señora, señor —se apresuró a decir Estéfano, y dirigiéndose a Marín, agregó—: Yo sólo, esta mañana he llegado de un viajecito que hice a Saucedo, y recibiendo su cartita en el acto, me he pasado, aun en el mismo caballo, porque deseo acompañar a ustedes.

—Tantas gracias, don Estéfano; eso esperaba de su amabilidad —repuso don Fernando.

En aquellos momentos llamaron a la mesa.

—A la cabecera la señora Petronila —indicó don Fernando.

—No, señor; ¡qué disparate! Estado aquí el señor cura inter . . . —replicó ella.

—Sí, es el señor cura quien debe presidirnos —opinaron varios.

—Como ustedes gusten; yo lo hacía porque las señoras . . .

—Sí, mi don Fernando, dice usted bien; la señora Petronila que se siente ahí; yo aquí me arrellano —resolvió el inter.

—Don Sebastián por este lado.

—Para mí, francamente, cualquier punto es de comodidá.

—¿Todos están instalados?

—Sí, señor, todos —dijeron varios.

—¿Tomarán una copita de biter? —preguntó don Fernando.

—Cualquier cosa, señor; para abrir mañas todas son iguales —dijo el inter.

—Para mí francamente, no hay como el purito; yo tomaré blanquito no más —pidió don Sebastián, que había cambiado la capa por un poncho de vicuña con fajas de seda color aroma.

—Gabino, sirve a todos —ordenó don Fernando al mayordomo.

—¿Y la señora Lucía, tomará algo? —propuso Manuel.

—Yo tomaré un poquito de vino y nos acompañará su mamá —contestó Lucía.

Estando todos servidos, don Fernando se puso de pie y dijo:

—Señores: no he querido irme de este generoso pueblo que me brindó su hospitalidad, sin despedirme de sus buenos y notables habitantes, y me he permitido reunirlos en este modestísimo almuerzo. Brindaré la primera copa por la salud y la prosperidad de los habitantes de Killac.

—¡Muy bien!

—¡Bravo! ¡bravo! —repitieron todas las voces masculinas, y siguió el almuerzo en íntimo regocijo, sirviéndose buenas y variadas viandas, sin faltar el cabrito al horno.

Manuel estaba próximo a Lucía, y le preguntó a media voz:

—¿Qué es de su ahijada, señora?

—Margarita y Rosalía han ido a cumplir un deber de despedida; las niñas almorzaron temprano . . .

—Día de viaje no era posible de otro modo.

—Pero no tardarán mucho.

La bulla aumentaba por grados, y la confianza por supuesto.

Don Fernando, que todo lo medía y calculaba, volvió a ponerse de pie, y dijo:

—Señores: todavía pido la atención de ustedes. Ruego que mis amigos me den una muestra de afecto; quiero irme de Killac llevando sólo impresiones gratas, sin dejar tras mí infortunio alguno. Creo que en la cárcel existe un preso, y parece que es el campanero, y aguardo que trabajen todos por la libertad del preso.

—¡Bravo! —gritaron muchos entre nutrido palmoteo, que duró algunos segundos.

Restablecida la calma y pasando al sirviente el plato que don Sebastián acababa de despachar, dijo:

—Mi cura inter que hable; francamente, a él le toca contestar.

El cura inter, cruzando el tenedor y cuchillo sobre el plato, limpióse los labios con la servilleta.

—¡Sí, el señor cura tiene la palabra! —vocearon varios chocando las copas sobre los platos.

—Aquí al señor juez le toca —repuso el inter dirigiéndose a Verdejo.

—Loqués yo ojalás soltara toitos los presos, que me dan más dolores de cabeza que mi mujer.

—¡Jaa! —exclamó a carcajadas la reunión encontrándole gracia al chiste de don Hilarión, y Escobedo dijo a media voz a Estéfano:

—Compadrito, aviente por acá esa fuente de alcachofas.

—Allá va, qué mal gusto tienes —repuso Benites pasando la fuente.

—¿Entonces, por dada la libertad? . . . —preguntó Manuel luego que hubo disminuido la algazara.

—En lo que me toca, ¿comoede decir que no, don Manuelito? —dijo el juez.

—Pues entonces, por la libertad de mi campanero —propuso el inter.

—Sí, señores, copa llena y . . . pensar en la marcha —dijo don Fernando dirigiendo sus últimas frases a Lucía, quien repuso:

—Sí, hijo, vamos; es más de la una.

—¡Salud, señores!

—¡Buen viaje, señor Marín!

—¡Qué desayuno tan suculento! pero así, así, yo no perdono el chocolate, que será del Cuzco —dijo el cura inter colocando la copa que acababa de vaciar, y limpiándose la boca con la servilleta.

Margarita y Rosalía, que acababan de dejar una lágrima y una plegaria en el altar de sus afectos, volvieron a la casa blanca, donde todo estaba listo para la marcha cuando los concurrentes comenzaban a salir del comedor.

Manuel fue a recibir en sus brazos a la huérfana, rebosando de felicidad, porque, allanadas por ensalmo las dificultades, los sueños de rosa, como los tornasolados celajes, que se apiñan en el horizonte, embargaron aquellos corazones juveniles, anunciando también venturosos días a los esposos Marín, interesados ya en tejer la cadena de flores que ligase para siempre aquella linda pareja.

¡Manuel! ¡Margarita!

Pluguiera al cielo que esos celajes de rubí no se tornasen nunca plomizos ni tétricos.

¡La virtud! Ese dorado sol de verano que todo lo embellece con su cabellera de oro extendida de los cielos a la tierra, que todo lo calienta y vivifica en los horizontes de la juventud, haciendo que el universo sonría de contento para quien ama y espera, no había plegado sus alas en el hogar de Lucía, pero la lucha es necesidad imperiosa de la vida para la perfecta armonía de lo creado.

Manuel y su madre tenían acordado ya su viaje a Lima, pero el primero iría antes a hacer los arreglos convenientes de casa, colocación de fondos y demás, estando ya resuelto que tomaría el inmediato tren para reunirse con don Fernando y su familia, quienes lo esperarían en el "Gran Hotel", para seguir juntos el viaje hasta llegar a las playas del Callao.

—¡Señora Lucía, adiós!

—¡Adiós, amigo!

—¡Margarita mía!

—Un abrazo don Fernando.

—¡Hasta la vuelta!

—¡No se olviden de Kíllac!

—¡Dichosos los que se van!

—¡Quien se va olvida, y quien se queda llora!

—¡Adiós, adiós!

Tales fueron las palabras que se cambiaron, rápidas unas, expresivas otras.

Lucía, vestida con su elegante bata de montar, sus guantes de cuero de Rusia y su sombrero de paja de Guayaquil con velo azul, iba a tomar la estribera cuando dejó caer su elegante chicotillo con puño de marfil.

Don Sebastián, que estaba próximo, se apresuró a levantarlo.

En ese instante apareció por el zaguán de la calle una partida de hombres armados, al mando de un teniente de caballería llamado José López que, dirigiéndose a don Sebastián, y mientras la tropa rodeaba la casa, dijo:

—¡De orden de la autoridad, dése usted preso, caballero!

Un rayo caído enmedio de aquella gente no habría producido el efecto que causó la palabra del teniente López, quien sacando un papel del bolsillo del talismán, desdoblándolo y leyendo, agregó:

—Estéfano Benites, Pedro Escobedo, Hilarión Verdejo, se darán igualmente presos.

—¡Traición! ¡Don Fernando nos ha tendido una red! —gritó colérico Benites.

—¡Miserable traición! —repitieron Verdejo y Escobedo dando un brinco.

—¿Y por qué me aprisionan a mí, francamente? —dijo don Sebastián, mientras que el pánico cundía entre los presentes, que no alcanzaban a explicarse el origen de las prisiones, pues ni memoria hacían del asalto de la noche del 5 de agosto y olvidaban el derecho que asiste a una autoridad nueva para hacer justicia desde los primeros días.

Don Fernando, sin hacer mérito de las palabras de Benites, llamó al teniente López y le dijo:

—Señor oficial, ¿puedo saber a qué orden obedecen estas prisiones?

—No hay inconveniente en ello —repuso López alargando a Marín el pliego que aún tenía entre las manos.

Don Fernando, a quien se acercó Manuel lleno de ansiedad, se impuso de una resolución judicial, expedida a pedimento de la autoridad política, que mandaba capturar a los de la referencia. Enseguida dijo a Manuel:

—Guarde usted, Manuel, su serenidad de hombre. La peor venda para los ojos de la razón es el acaloramiento, y con la frialdad necesaria proceda usted de frente. Póngase usted al habla con Guzmán, a quien escribiré por la primera posta.

—¡Jesús! ¡Si parece todo tramao! —decía Verdejo.

—¡No! ¿Cómo, a la cárcel? —gritaban Escobedo y Benites.

—Supongo que este incidente demorará la salida de usted —dijo don Fernando a Manuel, quien repuso, pálido como un convaleciente:

— Yo sabré salir del atolladero.

—Suplico a ustedes que no se alarmen tanto; esto se allanará en pocos días; yo respondo —dijo don Fernando intentando calmar los ánimos.

—No hay para qué desesperar —agregó Lucía queriendo también moderar la excitación general.

—Tomen sus cabalgaduras; ¡es hora de marchar! —ordenó en voz alta don Fernando, y salieron de la casa dos grupos con destinos muy opuestos. Uno a la cárcel y otro al camino real.

Manuel contempló a Margarita, que estaba conmovida y anegada en llanto. Sus lágrimas eran las valiosas perlas de mujer con que sembraba el camino desconocido que comenzaba a cruzar aquel día, dejando su mundo todo entre las playas donde se meció su cuna y nació su amor.

¡Triste del que sale como Margarita!

¡Más triste aún del que queda como Manuel, libando gota a gota el acíbar de la ausencia con los suspiros que arranca al corazón la nostalgia del alma que llora por otra alma!

XXIV

Una escena de prisión en los pueblos chicos es como la de un incendio en los pueblos grandes.

Cuando los soldados salieron de la casa de don Fernando conduciendo en el centro a don Sebastián, Estéfano y demás, todos los vecinos salían a las puertas de sus casas, los muchachos se agolpaban en multitud sorprendente, y por todas direcciones se oía decir:

—¡Jesús mampare! ¿es verdad?

—¡Jesús, María y José!

—¿Don Chapaco, Estefito?. . .

—¿Ques lo que ven estos ojos que se van a volver tierra?

—Diz que es traición de don Fernando, que los había convidao para hacerlos prender —notició una vieja.

—No, diz que más bien él ha salío fiador —afirmó un hombre recogiendo su poncho sobre el hombro derecho.

—¡Qué fiador! Así son estos forasteros, meten candela y se largan —dijo otro.

—Pa'eso que no lei comíu ni un pan —repuso la vieja dando una vuelta y mirando a su rededor.

—¡Valor, madre! No hay que asustarse; la confianza en Dios —dijo Manuel a doña Petronila, sobreponiéndose con toda su fortaleza viril al trance que torturaba su alma. Le ofreció el brazo y la condujo a su casa, tomando las calles más apartadas de la bulla.

—¡Déjame, Manuel, y anda, haz tu deber!

Manuel, que ya tenía algunos conocimientos generales de derecho, redactó inmediatamente un recurso de excepción de personería probando la inculpabilidad de su padre y ofreciendo en el otro sí la información de los testigos, cuya lista acompañaba en pliego separado, así como las preguntas que éstos debían absolver en el término probatorio del artículo.

Enseguida fue personalmente a donde el juez de primera instancia que debía actuar en la causa, y se puso al habla con diferentes personas.

Aquella noche Manuel la pasó íntegra en vela consultando el Código de enjuiciamientos, anotando artículos con lápiz y haciendo extensos borradores en grandes pliegos de papel.

Abrió el cajón de su mesa de escribir, y sacando algunos papeles se puso a revisarlos.

—Esta es la defensa de Isidro Champi; ¿hoy la abordaré en conjunto para defender a la vez al inocente y al culpable? —se preguntó.

—¡Aberraciones de la vida! ¡este es el tejido misterioso del bien y del mal! Entretanto, ¿hasta cuándo no podré salir de Kíllac? ¿cuántos meses, pasados como siglos, estaré lejos de mi Margarita? —volvía a preguntarse Manuel cayendo de plano sobre el sofá, descansando cortos momentos y tornando a su labor y a su soliloquio.

—Ante todo, es preciso sacar a don Sebastián y a Isidro; redactaré dos distintos recursos con un mismo fin, pidiendo la libertad bajo fianza de haz. ¡Sí! Pero quién podrá garantizar a Isidro. Necesito buscar un fiador, y lo haré mañana. A don Sebastián lo puedo fiar yo . . . Ahora que recuerdo, don Fernando me ha encargado ponerme de acuerdo con el señor Guzmán. Iré a donde Guzmán y no daré descanso a mi cuerpo mientras todo no quede allanado y pueda mi alma volar en busca de su centro . . . ¡Margarita! ¡Margarita!

Aquella innovación del joven fue la oración elevada al dios del sueño, y recibida por el ángel de la noche que, batiendo sus vaporosas alas sobre la ardorosa frente del estudiante de derecho, le dejó profundamente dormido sobre el sofá de su habitación, teniendo aún un libro entre las manos.

Doña Petronila lloraba y rezaba, elevando al cielo su cuidado por su esposo y su hijo; parecía resignada a todo género de calamidades, con esa resignación cristiana que lleva al hombre por encima de las desgracias a la cumbre del heroísmo.

—¡Tener fe y esperanza! —se dijo doña Petronila, y esperó el día de calma después de las horribles horas de tempestad.

XXV

Los viajeros ganaban terreno, dejando tras sí la tormenta desencadenada.

La Naturaleza, indiferente a las escenas dolorosas de Kíllac y sin armonizarse con la tristeza de algunos de los corazones, mostraba sus panoramas rientes y variados.

Al trote de los caballos cruzaba la comitiva de don Fernando pampas interminables cubiertas de ganado; doblaba colinas sombreadas por árboles corpulentos, o trepaba rocas escarpadas, cuya aridez, semejante a la calvicie del hombre pensador, nos habla del tiempo y nos sugiere la meditación. En cinco días que hay de Kíllac hasta la estación del tren, el viajero va hollando las flores de la campiña, cuyo aroma embalsama el aire que se respira; luego toca la empinada cordillera de los Andes, cubierta de algodón escarmenado, donde se refleja el sol derritiendo las nieves, que se precipitan en corrientes cristalinas; luego desciende nuevamente a la llanura, donde la paja repite el lenguaje murmurador de los vientos que la mecen.

—¡Fernando! ¿qué te parecen las cosas que suceden? —preguntó Lucía a su esposo, después de caminar un buen trecho en silencio.

—Hija mía, estoy abismado contemplando las coincidencias. ¡Ah! la vida es una novela —contestó el señor Marín deteniendo un poco su caballo.

—Dios no ha querido que saliéramos de Kíllac sin ver el castigo de los culpables —tornó a decir Lucía.

—En efecto, hijita; jamás debemos dudar de la Providencia justiciera, cuya acción tarda a veces, pero al fin llega.

—¡Cierto, Fernando; con razón se dice que para verdades el tiempo y para justicia Dios! ¿Cómo saldrá Isidro Champi?

—Espero que bien. Ese indio es inocente, no lo dudes.

—¿Yo? Jamás lo he dudado; sé que cuando hace algo malo el infeliz indio peruano es obligado por la opresión, desesperado por los abusos.

—¡Cuidado con esa zanja! . . . tuerce la rienda sobre la derecha —advirtió Marín.

—¡Jesús! si no me adviertes me habría llevado un susto con el brinco.

—Esto es si no caes a tomar posesión del sitio.

—A ese punto no, pues que no soy tan chambona para viajar a caballo. ¿Cuánto dista a la posta?

—Todavía algo; a las siete de la noche estaremos acampando, esto es, si apuramos el paso y no nos detenemos a conversar.

—Entonces . . . punto en boca y . . . ¡adelante! —dijo Lucía pegando un chicotillazo a su caballo . . .

En estas llanuras inconmensurables serpentea a las veces el rayo que terrífico lleva en cintas de fuego la destrucción a la cabaña, o la muerte al ganado, que huye despavorido en pos del refugio escondido.

Y enmedio de esas imponentes soledades, de improviso se distinguen dos sierpes de acero reverderantes extendidas sobre la amarillenta grama, y sobre ellas el humo del vapor que, como la potente respiración de un gigante, da vida y movimiento a grandes vagones. De súbito se oye el resoplido de la locomotora, que con su silbato anuncia el progreso llevado por los rieles a los umbrales donde se detuvo Manco Capac.

—¡El ferrocarril! —gritaron varias voces.

Era, en efecto, el tren que llegaba a la última estación del sur, situada en un pueblecito compuesto en su mayor parte de caseríos con techumbre de paja y paredes de adobe, sin ninguna pintura exterior, que ofrecen un aspecto tétrico al caminante.

Pocas horas después de distinguir el tren, y apeados de sus cabalgaduras, los viajeros se dirigieron a un pequeño salón situado en la misma estación.

Lucía, del brazo con su esposo, levantando las largas faldas de la bata con la correa, pendiente de la cintura; las dos niñas por delante, y enseguida varios sirvientes.

—Ustedes entren acá a arreglarse; yo voy a ver el regreso de los caballos, el embarque de los bultos y el pago de pasajes —dijo don Fernando soltando el brazo de su esposa y señalando el salón.

—A ver; ese maletón verde que venga por acá, Gabino —dijo Lucía, dirigiéndose al sirviente que cargaba.

—¿Madrina, nos cambiamos el traje? —preguntó Margarita aflo jando las cintas de su sombrero.

—Claro, hija; desde aquí ya no nos sirven las batas de monta —repuso Lucía sacando de su bolsillo un manojo de llaves con qu fue a abrir el maletón, diciendo a su ahijada:

—Ponte el vestido gris con lazos azules, Margarita. Ese se sient bien, y el color es aparente para viaje.

—Sí, madrina; ¿y tú cuál te pones? —preguntó la huérfana.

—Para mí siempre el negro; no hay vestido más elegante que e negro para una señora.

—¡Y a ti que te viene tan bonito!

—¡Lisonjera! A ver ese sombrero.

En estos momentos llegaba un tren de carga previniendo pas limpio con la voz de la campana.

Al verlo Gabino comenzó a santiguarse diciendo:

—¡Santísima Trinidad! . . . ¡allí va el diablo! . . . ¿quién otro pue de mover esto? . . . ¡Supay! ¡Supay!

Don Fernando, que regresaba, tocó la puerta y dijo:

—¡Apurarse mucho! ¡Señora, el tren no espera a nadie!

—¡Jesús, no vaya a dejarnos! —exclamó Lucía echando dentro del maletón la ropa cambiada, que estaba en desorden por el suelo.

—¿La botella de elíxir de coca? Hay que llevarla a la mano, porque es importante para precaverse del mareo y el soroche —dijo don Fernando entrando a la sala.

—Cabales, aquí está el elíxir de coca —repuso Lucía después de escudriñar el maletón, y alcanzando a su esposo un frasco cuidadosamente envuelto en una hoja de papel rosado con las etiquetas verdes de la imprenta de "La Bolsa" de Arequipa.

—Tampoco olvides los libros, Lucía; el tren sin lectura es un tormento, ya lo verás —previno don Fernando; y al oirle Margarita, sacó un paquete liado con cintas de algodón color café, forrado con su número de "El Comercio", y lo alcanzó a don Fernando diciendo:

—Padrino, aquí van los libros; tómalos tú, porque yo voy a llevar de la mano a mi hermanita.

Don Fernando recibió el paquete de la niña, lo colocó bajo el brazo y dijo:

—Esta es importante bucólica espiritual. Gabino toma la maleta... —y todos se encaminaron hacia el coche del tren, donde iban a viajar por primera vez las mujeres de esta comitiva.

XXVI

No obstante las recargadas tareas que tenía para sí Manuel, lo que podía ser fuente de distracción, la tristeza invadió su semblante y el silencio selló sus labios, antes expansivos, sin dar paso más que a suspiros de honda pena.

En su corazón se levantaban olas de sangre, para él desconocidas, que el de una mujer habría interpretado como presagio de desgracia.

Manuel comenzaba a desconfiar del porvenir, dudaba de la posibilidad de volver a ver a Margarita; pero perseguía su propósito de arreglar los asuntos de don Sebastián y de Isidro, y salir después a cualquier costa.

Sus entrevistas con el juez de primera instancia, con el nuevo subprefecto y con el señor Guzmán, tuvieron, al fin, un resultado, agregándose a esto los diversos empeños que corrían las familias de Estéfano, Verdejo y Escobedo.

Un día volvió a la casa y dijo a doña Petronila:

—¡Madre! he conseguido que se acepte la fianza de haz, y hoy saldrá don Sebastián.

—¿Ha decretado ya el juez? —preguntó ella con interés.

—Sí, madre, están todas las diligencias corridas, y a las doce lo tendremos en casa.

—Bendito seas, hijo de mi corazón. ¿Y los otros?

—No sé nada de los otros; no me cuido de ellos; sólo he hecho algo por Isidro, que también saldrá pronto. Ya lo hubiese sacado sin ese auto de prisión y de embargo, que hay que allanar y requiere paciencia.

Doña Petronila, que sumida en dolor contemplaba la actitud diaria de su hijo, después de recibir la noticia de la próxima libertad de don Sebastián, lo atrajo hacia sí y le dijo:

—Aparte de estas cosas del juzgado, ¡tú sufres, Manuelito; tu corazón está roído por un gusano que te llevará al amartelo y a la muerte! ... —y gruesas lágrimas resbalaron por sus mejillas.

—¡Madre! ¡Madre mía! ¿por qué lloras?

—¡Porque callas! ... mi corazón es el corazón de tu madre ... ¡acuérdate bien, Manuelito: mi vida es para ti! ...

Manuel no pudo resistir. Estaba débil como una mujer. ¡Había sufrido tanto!

¡Se arrojó entre los brazos de su madre y escondió sus lágrimas de hombre, como en otra época ocultaba sus juguetes de niño en aquel mismo regazo!

—¡Madre! ¡madre del alma! ¡bendita seas! ... pero ... ¡yo me siento morir! ... —repuso entre sollozos el joven que, tímido para las escenas del hogar y del corazón, sabía mostrarse héroe en los momentos de combate.

—¡Manuelito, hijo mío, sí, yo sé, yo he adivinado qué gusano roe tu alma; sí, tú amas a Margarita y lloras porque te has separado, porque temes no verla más! ...

—¡Madre bendita! ... perdona si mi corazón no es hoy todo para ti; pero ese ángel cuyo nombre has pronunciado, es el ángel de mi vida ... yo la amo, sí, y tal vez ...

—¿Por qué te desesperas, Manuel? ¿porque no te casarás con ella? ¿porque no seré feliz teniendo dos hijos en lugar de uno? ...

—¡Madre mía! ¡tú eres mi Providencia; pero acuérdate que Margarita verá en mí al hijo del verdugo de sus padres, y me rehusará su mano, y me echará de su corazón!

—¡Qué herejía, Dios mío! ¿a ti? —repuso doña Petronila empalmando las manos al cielo y quedándose muda y cavilosa por unos momentos, contemplada por la cariñosa mirada de su hijo. Y como quien vuelve de un éxtasis de lucha, agregó—: Eso lo allanarás fácilmente; habla con don Fernando y... revélale el nombre de tu verdadero padre...

—¡Madre mía!

—Sí, y ¿qué culpa tenemos nosotros? Fue una desgracia, y ¿por qué no he de pasar yo un bochorno por la felicidad eterna de mi hijo querido, por tu felicidad, Manuelito?

Doña Petronila hacía en este momento el último sacrificio de una madre amante y de una mujer engañada.

—¡Anda! —continuó doña Petronila—. Alcánzalos en su viaje; ¿tienes cómo hacerlo? no te faltan caballos ni plata; arregla tu casamiento y regresa tranquilo, para que puedas atender con razón cabal los asuntos de nuestra casa y del otro viaje. Ahora estás fuera de juicio.

Manuel besó una y cien veces, ya la frente, ya las manos de doña Petronila, con tal emoción, que por muchos segundos no se oyó otro ruido que el producido por los labios de Manuel al contacto de su madre, por cuyas mejillas encendidas resbalaron gruesas lágrimas, como el agua lustral que bendecirá el próximo enlace de Manuel y Margarita.

Doña Petronila, rompiendo aquel silencio de sublime fruición, dijo:

—Basta, querido Manuelito.

El joven, alzando la cabeza con arrogancia viril, repuso:

—Hoy te juro, madre adorada, sacrificar el último aliento de mi vida por labrar tu felicidad y la de mi Margarita. Voy ahora a terminar todos los arreglos pendientes, y mañana, al rayar la aurora, tomaré el camino para alcanzar a don Fernando, cuyo escrito de desistimiento y perdón ya no es tan urgente, y pedirle la mano de su ahijada —dijo, y salió apresuradamente, dejando a su madre entregada a tiernas meditaciones, que interrumpió ella exclamando:

—¡Virgen misericordiosa, ruega tú por él, que es tan bueno, y pide perdón para mí! ... ¡Manuel! ... ¡Yo! ... ¿somos culpables, acaso, ni el uno ni el otro? ... ¿no fue el peso de la fatalidad negra, negra como la noche sin luna, que me condujo a los brazos vedados de un hombre sin fe? ...

Doña Petronila cayó de rodillas sumergida en llanto, repitiendo entre sus sollozos un nombre y tapándose la cara con ambas manos ...

Su corazón manaba sangre, sangre del alma, rememorando las escenas de veinte años atrás...

XXVII

Un elegante coche de la máquina bautizada con champagne bajo el nombre de Socabón, estaba listo a partir luego que sonase la señal dada por el silbato del tren.

Mientras tanto los pasajeros de primera recorrían las mercaderías colocadas a izquierda y derecha de la línea, cuyas vendedoras indias ofrecían guantes de vicuña, duraznos en conserva, mantequillas, quesos y chicharrones de las acreditadas ganaderías del interior o sierra del Perú.

Don Fernando, después de acomodar a Lucía y a las niñas, se arrellanó muellemente al lado de su esposa en una butaca de dos plazas, forrada con pana granate. Sacó un cigarro, lo armó en silencio, y después de encenderlo guardó la caja de fósforos, arrojó unas cuantas bocanadas de humo, colocó el cigarro en los labios y desató el paquete de libros; volvió a dor dos chupetones al cigarro y dijo a su esposa:

—¿Cuál quieres leer tú, querida Lucía?

—Dame las "Poesías" de Salaverry —respondió ella con sonrisa de satisfacción.

—Bien, yo gozaré con las "Tradiciones" de Palma; son relatos muy peruanos y me encantan —dijo don Fernando alargando al mismo tiempo un volumen a su esposa.

Y enseguida cruzó las piernas sostenidas en la tablilla del asiento inmediato, arrimó la espalda a la butaca y abrió su libro, que era la segunda serie en momentos en que el tren empezaba a caminar con la velocidad de quince millas por hora, tragando las distancias, dejando atrás llanuras, chozas, vaquerías y praderas con rapidez vertiginosa.

Los distintos pasajeros que ocupaban sus asientos y a quienes Lucía pasó revista con mirada curiosa, principiaron también a buscar entretenimiento.

Iba un militar flaco, trigueño y barbado, junto a dos paisanos entrados ya en años, antiguos comerciantes en cochinilla y azúcar, a quienes invitó el militar, diciendo:

—¿Vamos matando el tiempo con una manita de rocambor?

—No sería malo, mi capitán; pero aquí ¿de dónde diantres sacamos naipes? —contestó uno de los paisanos que estaba envuelto con una bufanda de vicuña.

El capitán, sacando un juego de barajas del bolsillo, dijo:

—Salte la liebre, don Prudencio: militar que no juega, bebe y enamora, que se meta a fraile.

Frente a éstos iba un mercedario que, teniéndose por aludido, retó con airados ojos a los jugadores, que sin parar mientes en ellos voltearon sobre la izquierda el espaldar del asiento inmediato, instalando así su mesa de rocambor.

El mercedario sacó a la vez un libro, y tres mujeres que estaban inmediatas se pusieron al habla con Margarita y Rosalía, convidándoles manzanas peladas con una cuchilla.

Media hora después las muchachas y las mujeres dormían como palomas acurrucadas en un mismo asiento, y el padre mercedario roncaba como un bendito, sin que las voces de —Más, solo, codillo y voltereta— repetidas con entusiasmo por los rocamboristas, interrumpiesen aquel dormir a pierna suelta; hasta que, abriéndose la portezuela del coche, se presentó un sujeto como de treinta años, alto, grueso, de tez tostada por el aire frío de las cordilleras, bigote atusado y lunar de carne en la oreja derecha.

Vestía pantalón y saco grises; cubríale la cabeza una cachucha de visera de hule negro y llevaba unas tenazas-tijeras en la mano.

—¿El boleto, mi reverendo? —dijo llegándose lo suficiente, y levantando su voz de contralto a lo que el padre abrió los ojos soñolientos, y sacando con aire perezoso de entre su libro el boleto amarillo lo alargó a su interlocutor sin despegar los labios.

El conductor del tren pegó su tijeretazo al cartoncillo y volvió a entregarlo, pasando donde los rocamboristas.

Los dos paisanos alcanzaron sus boletos respectivamente, y el militar desabrochándose el talismán sacó del bolsillo un papel que enseñó al conductor. Este, después de examinar las firmas, lo devolvió murmurando para sí:

—Estos siempre andan con papeletitas.

Cuando se llegó hacia don Fernando, y mientras picaba los boletos, le dijo Lucía:

—¿Puede usted hacerme el favor de decir cuánto hemos andado?

—Cuatro horas, señora, es decir, dieciséis leguas, y nos resta otro tanto —respondió el conductor, y pasó de largo.

—¿Qué prodigio de viaje, no? Y sin penurias ni molestias, pronto estaremos en la ciudad —dijo don Fernando a su esposa, cerrando su libro.

Lucía, que miraba a las chiquillas, repuso:

—¡Mucho prodigio, hijito! . . . mira, Fernando, ¡qué preciosas están dormidas! . . . ¡parecen dos ángeles de paz! . . .

—Cierto que son angelitos americanos, con toda la sangre peruana que colora sus mejillas.

—¿Margarita soñará con Manuel? . . . todavía no soñará . . .

Y en aquel momento, los grandes ojos de su ahijada levantaron sus arqueadas pestañas, fijando la mirada en su madrina.

En ese trecho del camino se alzaba un puente de madera y hierro, artísticamente colocado sobre un río vadeable.

El silbato dio la voz de alarma con repetidos resoplidos, pues al centro mismo del puente se encontraba una tropa de vacas, cuya presencia no fue notada por los maquinistas sino cuando ellas huían despavoridas, más no con la rapidez que la velocidad del tren exigía.

Las maniobras del primer maquinista, los esfuerzos de los palanqueros y el galope de la vacada, no fueron bastantes a impedir un choque, y el siniestro llegó a ser inevitable.

El animal rodado, exhalando bufidos como el resoplido de la fiera, llevó la confusión primero y a la consternación después a los pasajeros, cuya muerte era casi segura.

—¡Misericordia!

—¡Favor! ¡Dios mío!

—¡Esposo mío!

—¡Lucía! ¡hijas!

—¡Madrina!

—¡Padrino!

—¡Ay, qué va a ser!

—¡Bestias!

—¡Misericordia!

Tales fueron las palabras pronunciadas en distintos tonos enmedio de la confusión y gritería espantosa levantada en los coches.

—Mas ¿adónde huir embodegados?

Todo el convoy iba con la destructurada velocidad del rayo, y alcanzando a los ganados, pasó sobre ellos triturando sus huesos y abandonando su vía trazada por los rieles.

¡Iba a precipitarse al río!

Míster Smith, el valiente maquinista, prefirió el sacrificio de su vida al de tantas existencias confiadas a su vigilancia, y quiso reventar los calderos con los tiros de su revólver, más era tarde, y el coche de primera, desabracado por el brequero, fue a encallar en las arenas mojadas de la ribera izquierda del río.

XXVIII

La actividad de Manuel se había centuplicado durante el día.

Volvió a casa y dijo a su madre:

—Todo va bien, madre. Parece que Dios protege mis esperanzas. Don Sebastián y Champi ya están libres. Se acaba de pasar la orden al alcaide de la cárcel, y calculando el momento iré a traer personalmente a don Sebastián.

—Con que aceptó el juez . . . y ¿qué condiciones ha dictado? —preguntó doña Petronila.

—Nada más sino que esté a derecho y tenga por prisión el pueblo.

—¿De modo que no podemos salir de aquí?

—Ustedes no; pero yo me marcho mañana mismo, para tomar el tren del jueves y poder alcanzar a don Fernando y a mi Margarita.

—Pero hijo, si el juicio sigue todavía, y tu padre no podrá dirigirlo.

—Todo lo he prevenido para los pocos días de mi ausencia, y sobre esto, como a mi regreso he de traer el recurso de transacción, nada importaría —repuso Manuel dando paseos.

—¿O sería mejor que pidieses la mano de Margarita y esos papeles por carta? —dijo doña Petronila, como arrepentida de haber consentido en la partida inmediata de su hijo.

—¡Madre, madre! en otras circunstancias sería correcto el escribir una carta, pero recuerda que tengo que aclarar algo . . . —observó Manuel.

—Sí, sí, te entiendo, pero . . .

—¡Madre! el corazón de veinte años, fogoso y apasionado, no retrocede ante el peligro y la dilación le asesina. Yo marcho; ajustaré mi compromiso y volveré sin detenerme a tu lado.

—¡Qué he de hacer! . . . —repuso ella moviendo la cabeza.

—¡Madre! ¿confías en mí?

—Del todo, hijo; ¿por qué me preguntas eso?

—Porque te veo vacilante; porque tú debes comprender que aparte de mi amor a Margarita, está mi deber para contigo y mi interés respecto a don Sebastián, aun cuando él fue conmigo, en la niñez, un verdadero padrastro.

—¡Para qué recuerdas esas cosas! Ahora se maneja bien contigo... —decía doña Petronila, cuando se presentó don Sebastián acompañado de un sirviente de la casa.

—¡Chapaco! —dijo doña Petronila echándole sus brazos al esposo.

—Me ha ganado usted —exclamó Manuel.

—¿Petruca? —dijo don Sebastián, correspondiendo el abrazo a su mujer y dirigiéndose a Manuel, agregó—: ¿Con que no regresaste, no? Francamente, yo esperaba que fueras a traerme.

—Don Sebastián, usted me ha ganado, pues vine a dar la noticia a mi madre para que no se sorprendiese al verle de repente, y ya estaba para ir.

—Bueno, bueno; ¿qué convidas, Petruca? Francamente, que tengo una sé...

—Te haré una chabela; hay buena chicha y buen vino.

—Mas que sea.

—Ya que está usted en casa, le pediré su bendición y su permiso, don Sebastián.

—¿Cómo? no te entiendo, francamente.

—Es usted mi segundo padre. Pienso pedir la mano de Margarita, lo que cortará más de raíz estas desavenencias —dijo con estudiada intención Manuel.

—No desapruebo tus intenciones, Manuelito, francamente; la niña es una perla, pero todavía es muy huahua, y en estos tiempos... bonitos están los tiempos para casaca, francamente —repuso don Sebastián.

—No trato de casarme en el día, don Sebastián; quiero pedirla, y una vez comprometida, seguir mis estudios, recibirme de abogado, y cumplir...

—Ese es otro cuento, hijo; francamente me das gusto.

—Quiere ir en alcance de don Fernando —dijo doña Petronila desde un extremo de la sala, donde estaba preparando la chabela sobre la mesa.

—¡Qué disparates! francamente, te digo, Manuel, que esa es una... descabellada de colegial, ¿qué?...

—Don Sebastián, es una necesidad mi viaje. Mi presencia aquí no hace falta, y tengo que sacarle a don Fernando el recurso de transacción y desistimiento, para que este juicio quede fenecido y no nos vuelvan a molestar. De otro modo, estaremos pleiteando hasta el día del juicio.

—Esa es otra cosa; francamente, yo no me opongo a que marche

Manuel, y dale mi reloj de oro y mi poncho de vicuña con fajas azules —contestó don Sebastián dirigiéndose a doña Petronila, que se aproximaba con un vaso conteniendo un líquido mixto y curioso, con el fondo amarillo y la superficie roja.

—Está visto, Chapaco, que una cosa es hablar de uno y otra cosa hablar de otro —dijo doña Petronila alcanzando el vaso a su marido.

—¡Ajá! ¡ajá! ¡ajáa! Como que el dolor de barriga, francamente, no es lo mismo que el dolor de muelas —dijo tosiendo don Sebastián y recibiendo el vaso.

—¡Jesús! ¡qué tos! ¡te habrás constipado en la cárcel! ¡pobrecito! . . .

Don Sebastián consumió la última gota de la chabela, paladeándola con sonido parecido a un beso, limpió sus labios y dijo:

—¡Qué chabela tan rica! Petruca, con esto, francamente, engorda un ético —y después preguntó a Manuel—: ¿Y cómo, cuándo quieres marchar?

—Mañana temprano, señor.

—Bueno dale, pues, todo, Petruca, y que escoja caballos y demás, francamente, que en otras tierras como nos ven nos tratan.

—¡Gracias, señor! Usted me colma de favores —repuso Manuel, y salió a preparar su marcha.

Eran las nueve de la noche cuando volvió Manuel y entró en el cuarto de doña Petronila; encontró allí a don Sebastián platicando íntimamente con su madre.

—Buenas noches, don Sebastián; madre mía, vengo a despedirme; todo queda arreglado definitivamente con el auxilio de Dios —dijo Manuel.

—¡Hijo mío! que la Virgen te lleve con vida y salud y me devuelva mi hijo —contestó doña Petronila sacándose un escapulario del Carmen que llevaba puesto al cuello y colocándolo en el pecho de Manuel a quien abrazó enternecida.

—Don Sebastián, tenga usted mucha prudencia . . . solo . . . ¡en silencio! Nadie lo molestará. Ustedes no tengan cuidado por mí. A ver, un abrazo . . . ¡adiós!

—Que no tardes, que no tardes . . . francamente muchas esperanzas me da tu marcha . . . ¿Llèvas el reloj? —contestó don Sebastián despidiendo a Manuel, que salió para ir a descansar en su cuarto, pues al rayar la aurora, en alas de sus esperanzas y con el brío de su edad, iba a emprender el mismo camino por donde días antes vio partir a su gentil Margarita.

Isidro Champi, acompañado de su fiel Martina y seguido por Zambito y Desertor, llegó también aquel día a su casa pálido y triste.

Al verlo sus hijos corrieron hacia él, como la bandada de perdices que distingue a su madre.

El corazón del campanero, que estaba lóbrego como el boquerón de que hablan los cuentos de las brujas, recibió luz y calor al beso de sus hijos, a quienes acariciaba silencioso.

Martina penetró con paso lento en la choza, se arrodilló en el centro de la habitación levantando sus manos empalmadas al cielo.

—¡Allpa mama! —exclamó ahogando en su pecho, con una palabra, todos los cargos que su alma herida podía abrir a la humanidad injusta representada por los notables de Killac, y sus ojos vertieron copiosas lágrimas.

—¿Lloras, Martinuca? ¿aún no cesó la lluvia en tu corazón? —preguntó Isidro fijándose en su mujer.

—¡Ay, compañero! —repuso Martina levantándose—; el dolor nada en el llanto como la gaviota en el remanso de las lagunas, y como aquélla, moja las plumas, pero refresca el pecho; ¡ay! ¡ay!

Martina se había llegado junto a su marido, y deseando apartar de él la negra pena, le preguntó pasándole la mano por entre los cabellos:

—¿Volverás a subir a la torre?

—Tal vez —repuso el indio— mañana volveré a tocar esas malditas campanas que, desde ahora aborrezco.

XXIX

El primero que se lanzó en tierra, enfangándose hasta las rodillas, fue míster Smith, y gritó con toda la fuerza de sus pulmones:

—¿Eh? nadi se muve ¿eh? ¡Todos quieta, nomás!

Y al punto asomaron multitud de cabezas por las ventanillas del coche, que habían quedado sin un vidrio.

El choque que hizo salir de quicio el vagón ocasionó heridas felizmente leves.

—¡El susto ha helado toda nuestra sangre! Hijita, ¿tú te has asustado mucho? —dijo don Fernando a Lucía.

—Mucho, hijo; ¡sólo Dios nos ha salvado!

—Estás muy pálida. ¿Si se habrá roto la botellita de coca? —preguntó Marín buscando una maletita de mano.

—¡Dios mío!... —volvió a exclamar Lucía asomando la cabeza por la ventanilla del tren para ver en qué región se hallaban, sin atender a los gritos de Margarita, que levantaba a Rosalía bañada en sangre, ni a los comentarios de los demás.

—¡Caracoles, de lo que escapamos! —dijo el militar.

—¡Hemos vuelto a nacer! ¡Bendito sea Dios! —articuló el mercedario.

—¡Si estos gringos brutos son capaces de llevarnos a los profundos! —dijo uno de los rocamboristas; a lo que otro agregó:

—Me lo temía desde que vi subir al reverendo.

—¡Chist!... que hay señoras, ¿eh?... —observó aquél.

—¿A todo esto, cómo salimos?

—Pues ha salvado el elixir de coca; voy a darte un poquito, hija —dijo don Fernando buscando en su bolsillo una cuchilla con tirabuzón.

—Felizmente ha sido un descarrilamiento ya pasado el puente, que se remediará —dijo un brequero corriendo de un extremo al otro del coche con un rollo de piolas, y a quien interpelaron varias voces:

—Hombre, ¿qué hacemos?

—Na, mi patrón, no es na, que ya too ha pasao —respondió el brequero.

Mientras esto pasaba en el coche de primera, los pasajeros de segunda, quedaron al otro extremo desenganchados con oportunidad, corrían hacia el primero, encallado, dando voces:

—¡Paulino!

—¡Indalecio!

—Por acá, hombre.

—¡Con siete mil diablos!

—Calma, señora pasajera; el culpa no es mí, ¿entiende? Culpa los vacas, e fácilmente se remedio —dijo el maquinista Smith, ilustrando el habla de Castilla con el modismo del hijo de la América del Norte, cuya palabra llevó la confianza a los atribulados espíritus de los pasajeros de primera.

—Míster Smith, ¿cuándo llegaremos? Casi nos despachamos —dijo don Fernando dirigiéndose al maquinista, que era su conocido.

—¡Oh, señor Marín, mucho fatalidad el mí! Pero llegará tren a la mañana, tener paciense —repuso míster Smith dirigiendo la maniobra que había ordenado.

Y con la energía que distingue a la raza, se practicaron evoluciones de ruedas y chumaceras que, en constante trabajo de dos horas, sacaron el coche encallado, colocándolo sobre los rieles en disposición de continuar la marcha.

—Verdaderamente, hemos vuelto a nacer; ¡pobres hijas mías! —dijo Lucía limpiando con su pañuelo la sangre que brotaba de los labios de Rosalía a causa de un golpe recibido en la boca.

—¡Oh, por Dios! ¡calla, hija mía! . . . ¡pobrecita! . . . —agregó don Fernando llegándose a la chiquilla con un paquetito de galletas de Arturo Field, que puso en sus manos.

—Todavía tardaremos cinco horas —dijo el capitán de artillería.

—Estas cosas sólo en el Perú pasan; en otra parte lo desuellan al gringo —observó el comerciante en cochinilla.

—No me ha vuelto aún el alma al cuerpo.

—Ni a mí ¡Jesús —dijeron las dos mujeres.

Y el tren seguía su marcha rápida y acompasada, como antes de sufrir la catástrofe aquella.

El silbato se dejó oír otra vez con insistencia.

—¿Otro siniestro? —preguntaron varias personas sorprendidas.

—No, esta es la segunda estación de la ciudad; dan la señal de llegada —aclaró el militar.

—¡Jesús! ¡cómo se pone el cuerpo nervioso con los sustos —observó Lucía.

—Es que la cosa ha sido seria —contestó don Fernando.

Al poco momento los viajeros señalaban por las rotas ventanillas un punto blanco en medio de un panorama de verdor vivo y alegre.

—¡La ciudad! —exclamaron varios.

Y el silbato volvió a gritar, como el animal aguijoneado por una arma punzante.

—¡Qué hermosa campiña! ¡Qué linda ciudad! —dijo Lucía asomando más la cabeza a las ventanillas.

—Parece una paloma blanca reposando en su nido de sauces y moreras —agregó el señor Marín, a quien preguntó su esposa:

—Fernando, ¿es la segunda ciudad del Perú? ¿Qué tales serán sus habitantes?

—Sí, hija, la segunda; y su belleza sólo es comparable con la bondad de sus hijas; gozarás mucho durante los días que hemos de quedarnos —contestó don Fernando.

Y la campana, con su toque de esquilón, avisaba que entraba el convoy en la estación principal, donde aguardaba un gentío considerable, pues el alambre telegráfico ya había comunicado la noticia del siniestro, y la curiosidad sobre ellos en demanda de equipajes, confundiéndose los pasajeros del tren con los del ferrocarril de sangre, que recorriendo una línea conveniente condujo a don Fernando Marín y su familia hasta la puerta misma del "Gran Hotel Imperial", donde se apearon todos.

XXX

Entraron en una sala espaciosa, cuyas paredes estaban empapeladas con un papel color sangre de toro con dorados y grandes pilastras de oro, también formando esquinas; las puertas y ventanas, cubiertas con cortinajes blancos como el armiño, coronados por un sobrepuesto de brocatel grana y cenefa dorada, recogida por cordones de seda. El piso, cubierto con ricos alfombrados de Bruselas, formaba un contraste agradable con los muebles, estilo Luis XV, entapizados con borlón de seda azul opaco, multiplicados por dos enormes espejos que cubrían casi el total de la testera derecha.

—Esta es la sala de recibo; ¿agrada a la señora? —dijo monsieur Petit, inclinándose con reverencia exagerada.

—Sí, el azul es mi color favorito; yo estaré contenta acá —respondió Lucía al hotelero, que era monsieur Petit.

—¿Ese debe ser dormitorio? —preguntó don Fernando señalando una puerta de comunicación.

—Exactamente, mi señor; aquí hallan toda comodidad y buen servicio los pasajeros que hacen la gracia de honrar el "Hotel Imperial" —contestó monsieur Petit con toda la urbanidad de un francés, recomendando su hospedaje.

—Así lo esperamos.

—Si algo necesitan, mi señor, mi señorita, ese cordón es el llamador —advirtió el hotelero, se inclinó y salió.

Margarita, que escudriñaba cuanto veía, preguntó con candorosa sencillez:

—Madrina, ¿qué habría dicho de esto Manuel?

Lucía se sonrió con la sonrisa de la madre que goza con el ardor de los sentimientos, leyendo en esa pregunta todo el poema de los recuerdos del corazón virginal, y contestó:

—El mismo te lo dirá cuando llegue.

—¿Aquí lo esperamos?

—Sí, pues, hija —aseguró don Fernando tomando parte en las confidencias de la madrina y la ahijada.

Rosalía fue a abrazar las rodillas del señor Marín, diciendo:

—Dame, pues, otra galleta.

El sirviente apareció en la puerta conduciendo al carretero con los equipajes.

Ocho días fueron suficientes para que los viajeros conocieran la gran ciudad, observándolo todo, escudriñando sus tendencias y costumbres, con la prolijidad propia del que viaja con aquellos conocimientos rudimentarios, pero de propia convicción, que van a explayarse ante el libro abierto de la instrucción, adquirida en la escuela práctica del gran mundo.

Calles anchas y rectas mal empedradas; templos de construcción morisca y variada, de asfaltos y traquitas enfriadas o petrificadas por el transcurso de los años; mujeres bellas como una leyenda de oro; campesinas robustas con todo el candor de su alma pintado en el semblante; casas de judíos con anuncios de compra y venta; teatros en camino de su ensanche civilizador; todo vieron y juzgaron. Nada escapó a la microscópica observación de Lucía, ilustrada a cada paso por la autorizada palabra de don Fernando, a quien ésta dijo:

—Te declaro, Fernando mío, que esta sería mansión celestial sin los inconvenientes morales que he notado con mi simple experiencia.

—Lo sé, hijita; de antemano lo sabía, el inconveniente que presta en el espíritu para quedarse en cualquier parte, la ansiedad de llegar a Lima, a ese foco de luz que cautiva a todas las mariposas del Perú; verdad que es invencible.

—Me gusta tú lógica, Fernando, pero no has dado en la clave —repuso Lucía riendo y dándole una palmada en el hombro.

—¿No?... pues dime en tal caso, ¿qué es lo que más ha cautivado tu atención?

—A mí dos cosas me han llamado la atención —repuso Lucía con llaneza, llevándose el pañuelo para enjugar sus labios ligeramente húmedos por su risa.

—¡Ah!... ¡ya las sé... picarona!... —contestó don Fernando devolviendo la palmadita de afecto.

—¿Di cuáles?... y cuenta que... no adivinas.

—Será la cantidad de frailes de todos colores que transitan por las calles.

—Pues te fuiste a Roma, hijo.

—¿Y qué?...

Lucía se puso grave, reconcentró su espíritu como evocando algo lejano, lanzó un suspiro del fondo de su corazón, y dijo:

—¡Lo que más ha llamado mi atención es el número sorprendente de huérfanos en la casa de expósitos! ¡Ah! ¡Fernando mío!... yo sé que la mujer del pueblo no arroja así a los pedazos de sus entrañas... sé que no tiene necesidad de arrojarlos, porque esos miramientos sociales que ponen la careta de la virtud fingida, nada, nada de familiar tienen entre la madre del pueblo y el hijo nacido del acaso... o del crimen. ¡Fernando, perdone Dios mi mal pensamiento; pero esta idea ha sugerido en mí tristes, tristísimos pensamientos, recordando, sin quererlo yo, el secreto de Marcela!...

Don Fernando escuchaba sorprendido aquel razonamiento de moral filosófica. Estaba abismado por la lucidez de una alma grande, cuya superioridad acaso ignoraba hasta aquel momento; reinó el silencio junto a los esposos, hasta que él suspiró con igual pena que Lucía, diciendo:

—¡También la miseria abre a veces los buzones de las casas de expósitos! Se acercó a su esposa y besó la frente de la que pronto iba a ser madre de su primogénito.

XXXI

Manuel hizo un viaje de todo punto feliz. Parecía que los dioses alados del amor y el himeneo hubiesen soplado su aliento de ámbar sobre los nevados y los pajonales que recorrió en el ferrocarril, ignorando los peligros en que días antes se encontró la familia Marín y con ella su Margarita, ese poema de ternura entonado para él con las notas arrancadas a las fibras más delicadas de su corazón, como el arpa eólica pulsada por los ángeles de la felicidad al batir sus vaporosas alas en la inmensa llanura.

También él distinguió la deseada ciudad de los valles andinos, para él entonces la sultana del mundo, porque hospedaba a la reina de su corazón. Llegó; fue a tomar alojamiento en el "Casino Rosado", aligeró sus afeites indispensables, cambió de ropa, y se lanzó a la calle en dirección al "Imperial", diciéndose:

—¡Dios mío, gracias! ¡voy a verla! ¡Es tan cierto que a los veinte años la sangre quema y la tardanza exaspera! Yo no puedo retardar ni un día más la realidad de mi ventura... pero... hablaré enseguida a don Fernando... Esta exigida prudencia que refrena los ímpetus del alma. Ya los celos me han picado con su aguijón envenenado en los días de ausencia... ¡oh! ¿cómo no pensar que la hermosura peruana de Margarita, la belleza de su alma virgen de las frases del mundo, no la rodee de adoradores, que aturdiendo sus oídos manchen el corazón de la mujer que yo amo?

Manuel caminaba como un ebrio, sin fijarse en nada de las calles que transitaba por primera vez, obedeciendo maquinalmente a la dirección que le dio el portero del "Casino".

—Los celos son ruines y son nobles a la vez —tornó a decirse— en el fondo del amor supremo y satisfechos duermen enroscados como una víbora; en la superficie de un amor vulgar se arrastran y muerden con su veneno; ¡qué no despierten mis celos! ¡no, no! ¡Yo amo mucho a Margarita! . . .

Los pasos de Manuel resonaron en el patio del "Hotel Imperial", y aquel sonido hizo estremecer el alma de Margarita.

¿Por qué razón la mujer que ama conoce, no sólo el sonido de los pasos de su amante, sino que siente el perfume de su aliento a la distancia y el eco de su voz vibra sonoro entre multitud de otras voces?

¡Misterios de esa corriente magnética, que une las almas sacudiendo el organismo!

El portón de vidrios giró sobre sus bisagras; el viento agitó ligeramente los finos cortinajes, y Manuel apareció en la sala azul, con el porte más distinguido y simpático.

—¡Sí, era él! —se dijo Margarita, que estaba parada junto a una mesa con tablero de mármol, sobre la que se alzaba un enorme jarrón de porcelana de la China lleno de juncos y jazmines que perfumaban la atmósfera.

—¡Señora! Señor —dijo Manuel alargando la mano a quienes se dirigía.

—¡Margarita mía! . . .

—Manuel, ¿has llegado? . . .

Los dos jóvenes iban a abrazarse, y un algo los detuvo. Sin embargo, sus pupilas tradujeron el abrazo de dos almas que sueñan en confundirse para siempre.

—Siéntese, pues, y . . . ¿cómo quedan los de Kíllac? —preguntó Marín.

—Bien, señor.

—¿Se arregló el asunto de su padre? ¿salió Isidro, el pobre campanero?

—Don Sebastián ha salido libre sin muchos trabajos; sólo para Isidro necesité de otras diligencias por haber mediado auto de prisión, embargo y qué sé yo; así es que vengo con el corazón feliz después de dejar cumplido su encargo, don Fernando —contestó Manuel.

—¡Hombre! es usted un cumplido caballero. No pude mandarle la carta para Guzmán, por no haber encontrado ni un correo en las postas del tránsito. Y la autoridad política sigue...

—Mal, muy mal, don Fernando. Los primeros días como cedacito nuevo. Después, sé que para la libertad de Estéfano, de Escobedo y de Verdejo, ha recibido unas vaquillas.

—Está visto, amigo, no hay remedio —dijo don Fernando levantándose.

—¿Y qué le pareció mi perspicacia respecto al viaje fingido de Estéfano? —preguntó Lucía a Manuel.

—¡Ah! ¡señora! ustedes nos ganarán siempre la partida en tratándose de malicia y conocimiento de las gentes. Para mí se ha hecho insoportable el tal sujeto —repuso Manuel.

—Esos tinterillos, con ilustración a medias y aspiración no definida, son la verdadera plaga de aquellos pobres pueblos —dijo don Fernando.

—Son... Pilatos, como los bautizó la señora —agregó sonriendo Manuel.

—¡Jesús! es el primer día que me río desde el susto —observó Lucía, mirando a Margarita, que también se sonreía.

—¿Usted no sabe los percances que pasamos en el tren? —preguntó don Fernando a Manuel.

—No, señor, ¿qué hubo?

—Pues hemos salvado en un hilo de morir triturados.

—¿Cómo? —preguntó Manuel estremeciéndose y mirando a Margarita.

—Se descarriló el tren. ¿No le han dicho nada en el camino?

—Sí, ahora que recuerdo algo, oí a dos pasajeros que conversaban, pero creí que se referían a época muy anterior.

—¡Jesús, qué escena! —interrumpió Lucía.

—Rosalía salió herida —dijo Margarita.

—¿Y ustedes?

—No hubo más, felizmente, y todo pasó. No hablemos de esto, porque se le sublevan los nervios a Lucía —opinó don Fernando.

—No es para menos, señor Marín.

—¿Y qué dice usted que exigió el juez para la libertad de Isidro? —preguntó don Fernando.

—Para sobreseer la causa, se necesita que usted presente un escrito, manifestando que el asalto de su casa fue un error de concepto, persiguiendo a unos asaltadores que se creían refugiados, y que ha sido una poblada y demás. Yo volveré inmediatamente para arreglar todo, asegurar la tranquilidad de don Sebastián y mi viaje definitivo a Lima —instruyó Manuel.

—Pues voy a redactar el recurso claro y terminante, amigo mío. Yo no regreso a Kíllac y deseo asegurar al pobre del indio inocente, que algún día podía ser molestado con este pretexto. ¿Cree usted que se acabe todo con mi recurso? —dijo el señor Marín.

—Sí, don Fernando, aunque sin él la acción sería del ministerio fiscal, y. . . llamémosle cero.

—Así es que usted ha libertado a Isidro Champi, ¡oh! Y ¿quién libertará a toda su desheredada raza?

—¡Esta pregunta habría que hacerla a todos los hombres del Perú, querido amigo! . . .

—¿De modo que usted regresa a Kíllac? —preguntó Lucía.

—Sí, señora.

—¿Y no seguimos a Lima? —dijo a su vez Margarita, estrujando un jazmín que había arrancado del ramo.

—Sí, Margarita, yo voy y vuelvo; los viajes son muy sencillos para un hombre —repuso Manuel.

—¿Y doña Petronila, cómo está? —preguntó Lucía.

—¡Considere usted, señora, cómo habrá quedado con mi ausencia la pobre! . . .

—Bien, pues, mañana sale correo; luego estará listo el recurso que he de dirigirle a Guzmán para que llegue antes que usted; ahora tengo que hacer unas diligencias en la calle, y usted dispensará —dijo don Fernando poniéndose de pie.

—Perfectamente, señor Marín; me parece abreviar el tiempo mandando el pliego al señor Guzmán; pero . . . tengo también otro asunto muy importante de que hablar a usted. ¿Cuándo podrá atenderme? —preguntó Manuel, visiblemente emocionado, alcanzando su sombrero.

—Esta noche, amigo, de ocho para adelante estoy a su disposición.

—Véngase a tomar el chocolate con nosotros —invitó Lucía.

—Gracias, señora, no faltaré —contestó el joven despidiéndose cortésmente, y tras él se cerró el portón de vidrios que le separaba de la soberana de su existencia.

Una vez en la calle púsose a recorrer la ciudad, y al pasar por una joyería, vio una preciosa cruz de ágata, delicadamente engastada en oro y puesta en su caja de terciopelo morado.

—¡Qué bonita prenda! ¡cómo luciría en el pecho de Margarita!

—pensó Manuel; y se detuvo a examinarla—. ¡Pues la compro! —resolvió, entrando a la joyería, trató y pagó con tres gruesos billetes del "Banco de Arequipa" y guardando la cajita en el bolsillo siguió su camino, aborbido por pensamientos que revoloteaban en su mente, ora como lucientes aristas, ora como golondrinas que pasan rozando las veredas con sus negras alas.

XXXII

La luna, en sus primeras horas de menguante, suspendida en un cielo sin nubes, derramaba su plateada luz, que si no da calor ni hiere la pupila como los rayos solares, empapa la Naturaleza de una melancolía dulce y serena, y brinda una atmósfera tibia y olorosa en esas noches de diciembre, creadas para los coloquios del amor.

Manuel consultaba con frecuencia su reloj de oro, inquieto y pensativo.

Los punteros marcaban la hora, y tomando su sombrero salió con paso acelerado.

La sala azul del "Imperial", profusamente iluminada por elegantes arañas de cristal, tenían las mamparas de la puerta abiertas de par en par.

Margarita, recostada en uno de los asientos inmediatos a la mesa y las flores, jugaba con la orla de un pañuelo blanco, con el pensamiento transportado al cielo de sus ilusiones, y el silencio más imponente reinaba en su alrededor.

Cuando asomó Manuel a la puerta, ella cambió de posición con ligereza, y su primera mirada se dirigió a la alcoba, donde, sin duda, estaba Lucía.

—¡Margarita, alma de mi alma! yo vengo, yo he venido por ti —dijo Manuel tomando la mano de la niña y sentándose a su lado.

—¿De veras? pero tú te vuelves —replicó ella sin apartar su mano, que oprimía suavemente la de Manuel.

—¡No dudes ni un punto, querida Margarita; yo voy a pedirte por mi esposa a don Fernando!...

—¿Y sabrá mi madrina? —interrumpió la muchacha.

—A los dos; tú... vas a ser mía —dijo el joven clavando su mirada en los ojos de Margarita a la vez que llevaba la mano de ésta a sus labios.

—¿Y si no quieren ellos? —observó con inocencia Margarita bajando su mirada ruborosa.

—¿Pero tú me quieres? . . . ¡Margarita! . . . ¿tú me quieres? . . . ¡respóndeme por Dios! —insistió Manuel dominado por la ansiedad de los ojos, su mirada lo devoraba todo.

—Sí —dijo con tímido acento la hija de Marcela, y Manuel, en el vértigo de la dicha, acercó sus labios a los labios de su amada y recibió su aliento, y bebió la purísima gota del rocío de las almas en el cáliz de la ventura para quedar más sediento que antes.

Margarita dijo conmovida:

—¡Manuel! . . .

Por la mente de Manuel cruzó un recuerdo con oportunidad novelesca; llevó la mano al bolsillo, sacó la cajita de terciopelo, la abrió, y presentándole la joya, dijo:

—¡Margarita, por esta vez te juro que mi primer beso de amor no ha de mancharte! . . . ¡Guárdala, querida mía; la ágata tiene la virtud de fortificar el corazón! . . .

Margarita tomó casi maquinalmente la cruz, cerró la caja y la guardó en su seno con la ligereza del hurto, pues crujieron las mamparas de la alcoba y salieron Lucía y don Fernando.

Manuel apenas podía moderar sus impresiones.

Su semblante tenía el tinte de las flores del granado, y un ligero temblor agitó su organismo. Si hubiésemos podido tomarle la mano, la habríamos encontrado humedecida por un sudor frío; penetrando en su pensamiento, habríamos visto cien ideas agolparse como abejas, disputándose la primacía para brotar moduladas por la palabra.

Margarita, como aturdida por todo lo nuevo que pasaba en su corazón, mal podía disimular su estado.

—Algo grave pasa a usted, Manuel —dijo don Fernando fijándose en el joven.

—Señor Marín —repuso él con voz temblorosa y frase entrecortada—, ¡es . . . lo más grave que espero . . . en mi vida! . . . Amo a Margarita y he venido . . . a pedirle su mano . . . con . . . un plazo de . . . tres años.

—Manuel, tendría yo sumo placer, pero don Sebastián . . .

—Señor, ya sé su argumento, y es necesario que comience por destruirlo. Yo no soy hijo de don Sebastián Pancorbo. Una desgracia, el abuso de un hombre sobre la debilidad de mi madre, me dio el ser. Estoy ligado a don Sebastián por la gratitud, porque al casarse con mi madre estando yo en su seno, le dio a ella el honor y a mí . . . me prestó su apellido.

—¡Bendito seas! —dijo Margarita elevando las manos al cielo sin poder conservar su silencio.

—¡Hija mía! —articuló Lucía.

—La hidalguía de ustedes nos obliga a usar del derecho que legó Marcela, antes de su muerte, en el secreto que confió a Lucía —respondió don Fernando con gravedad.

—Me place don Fernando; el hijo no es responsable en estos casos, y debemos culpar a las leyes de los hombres, y en ningún caso a Dios.

—Así es.

Manuel, bajando algo la voz y aun la mirada avergonzada, dijo:

—Don Fernando, mi padre fue el obispo don Pedro Miranda y Claro, antiguo cura de Kíllac.

Don Fernando y Lucía palidecieron como sacudidos por una sola corriente eléctrica; la sorpresa anudó la palabra en la garganta de ambos, y reinó un silencio absoluto por algunos momentos, silencio que rompió Lucía exclamando:

—¡Dios mío! ... —y las coyunturas de sus manos entrelazadas crujieron bajo la forma con que la emoción las unió.

Por la mente de don Fernando pasó como una ráfaga el nombre y la vida del cura Pascual, y se dijo:

—¿La culpa del padre tronchará la dicha de dos ángeles de bondad? —Y como dudando aún de lo que había oído, preguntó de nuevo—: ¿Quién ha dicho usted?

Manuel se apresuró a decir menos turbado ya:

—El obispo Claro, señor.

Don Fernando, acercándose al joven y estrechándole contra su pecho, agregó:

—Usted lo ha dicho, don Manuel; ¡no culpemos a Dios, culpemos a las leyes inhumanas de los hombres que quitan el padre al hijo, el nido al ave, el tallo a la flor! ...

—¡Manuel! ¡Margarita! ... ¡aves sin nido! ... —interrumpió Lucía, pálida como la flor del almendro, sin poderse contener, y gruesas gotas de lágrimas resbalaron por sus mejillas.

Manuel no alcanzaba a explicarse aquel cuadro donde Margarita, muda, temblaba como la azucena juguete del vendaval.

La palabra de don Fernando debía finalizar aquella situación de agonía, pero su voz viril, siempre firme y franca, estaba temblorosa como la de un niño. El sudor invadía su frente noble y levantada, y sacudía la cabeza en ademán ya de duda, ya de asombro.

Por fin, señalando a Margarita con la acción, como recomendándola a los cuidados de su esposa, y dirigiéndose a Manuel, continuó:

—¡Hay cosas que anonadan en la vida!... ¡valor, joven!... ¡infortunado joven!... Marcela, en los bordes del sepulcro, confió a Lucía el secreto del nacimiento de Margarita, quien no es la hija del indio Juan Yupanqui, sino... del obispo Claro.

—¡Mi hermana!

—¡Mi hermano!

Dijeron a una voz Manuel y Margarita, cayendo ésta en los brazos de su madrina, cuyos sollozos acompañaban el dolor de aquellas tiernas AVES SIN NIDO.

Palabras que deben conocerse al leer este libro

Alpacho.—Alpaca.
Amartelo.—Nostalgia.
Ardí.—Ardid.
¡Ayalay!—Exclamación, como ¡ay! ¡ay!
Cacharpas.—Utiles o herramientas; a veces significa el equipaje ligero.
Ccapana y Capachica.—Nombres de lugares.
Chaco.—Burla con que se le quita a una persona lo que tiene entre las manos.
Chapaco.—Diminutivo de Sebastián.
Chupetes.—Zarcillos colgantes.
Chuspa.—Bolsón de lana tejido, que los indios llevan pendiente del cinturón y sirve para guardar la coca.
Chuze.—Frazada gruesa.
Corbatón.—Nombre dado a la moneda mala y a los cigarros ordinarios de papel blanco y grueso.
Ccoya.—Mujer de respeto y alta jerarquía.
Coyunta.—Modismo de coyunda.
Cuja.—Catre antiguo de madera.
Curay.—Mi cura, determina afecto.
Escorzonera.—Escorzonera hispánica.
Faenas.—Trabajos gratuitos y forzosos que las autoridades imponen a los indios.
Huaca.—Antigüedad extraída generalmente de los sepulcros de los incas.
Huachipairis.—Nombre de una tribu salvaje.
Huañuchiy.—Significa darle muerte.
Juanico, Marluca.—Diminutivos afectuosos de Juan y Marcela.
Kíllac.—Nombre de lugar, que significa alumbrado con luz de luna.
Liclla.—Manto pequeño, tejido con guardas de colores que usan las indias. También las fabrican de la bayeta afelpada, que es conocida con el nombre de castilla, eligen colores vivos.
Llipta.—Preparación estimulante de lejía y salitre que los indios mascan con la coca.
Lloqque.—Palo flexible; crece en varillas tan largas y rectas, que se fabrican de él puentes colgantes y se hacen bastones.
Lucre.—Nombre de un caserío donde existe la única fábrica de casimires en el Perú.
Majeños.—Naturales del valle de Majes que, por lo regular, comercian con licores.
Marineras.—Baile peruano, de pañuelo, llamado también moza mala.
Mita y mitani.—Servicio gratuito y forzoso que hacen las mujeres indias en casa de los párrocos y las autoridades.
Mi virgen.—Mi esposa primera.
Morito.—Aguardiente puro, sin adulteración.
Mote.—Maíz hervido.
Naturales.—Los peruanos de pura raza.
Niña.—Sinónimo de señorita de alta clase.

Niñay.—Idem, equivale a mi niña.

Picaña.—Pica.

Pongo.—Sirviente gratuito y forzoso de la casa parroquial y de autoridades, mitayo.

Propio.—Enviado o comisionado para ir de un lugar a otro llevando pliegos importantes.

Quico.—Flor amarilla.

Quiquijaneña.—Natural del pueblo llamado Quiquijana.

Roñona.—Roñosa.

Rosacha.—Diminutivo de Rosa y Rosalía, que expresa afecto.

Rufa.—Rufina.

Señoracha.—Modismo quechuisado, diminutivo de señora.

Suches.—Pescados muy grandes y estimados por su sabor exquisito. Se encuentran en los ríos y lagos del sur del Perú.

Suha.—Palabra quechua, que significa ladrón.

Tacarpus.—Palos o estacas.

Tata.—Padre.

Topos.—Prendedores cuyo mango tiene la forma de una cuchara y remata en alfiler.

Tranquita, raspada, puro, traguito, gorrito.—Nombres dados al aguardiente.

Wifalas.—Nombre de unos danzantes.

Wiracocha.—Caballero.

Zumbaillo y huarango.—Se llaman dos maderas del Perú valiosas y estimadas.

COLOFÓN / *ARTE*

- *PUNTO Y LINEA SOBRE EL PLANO*

Wassily Kandinsky

- *SOBRE LO ESPIRITUAL EN EL ARTE*

Wassily Kandinsky

COLOFÓN / *CIENCIAS*

- *EL CONCEPTO DE MATERIA*

M. Beuchot, A. Tomasini y otros

- *EL METODO EXPERIMENTAL*

Claude Bernard

- *EL ORIGEN DE LA VIDA*

Alexander Oparin

COLOFÓN / *DICCIONARIOS*

- *DICCIONARIO DE AZTEQUISMOS*

Carlos Rojas

- *DICCIONARIO DE SINONIMOS*

Roque Barcia

COLOFÓN / *FILOSOFÍA*

- *CRITICA DE LA RAZON PURA I*

Immanuel Kant

- *CRITICA DE LA RAZON PURA II*

Immanuel Kant

- *FILOSOFIA DE LA RELIGION*

Alejandro Tomasini Bassols

- *LA POSMODERNIDAD*

H. Foster, J. Habermas, J. Baudrillard...

- *LOGICA*

Wesley C. Salmon

- *POPPER*

Bryan Magee

COLOFÓN / *HISTORIA*

- *LA SUCESIÓN PRESIDENCIAL EN 1910*

Francisco I. Madero

COLOFÓN / *LITERATURA*

- *AVES SIN NIDO*

Clorinda Matto de Turner

- *CANEK*

Ermilo Abreu Gómez

- *CARTA AL PADRE*

Franz Kafka

- *CARTAS A UN JOVEN POETA*

Rainer Maria Rilke

- *CUENTOS DE LA SELVA*

Horacio Quiroga

- *DEMIAN*

Hermann Hesse

- *EL LOBO ESTEPARIO*

Hermann Hesse

- *LA MUERTE DE IVAN ILICH*

León Tolstoi

- *METAMORFOSIS*

Franz Kafka

- *MI MADRE YO MISMA*

Nancy Friday

- *MORFOLOGIA DEL CUENTO*

Vladimir Propp

- *POPOL VUH*

Ermilo Abreu Gómez

- *RAICES HISTORICAS DEL CUENTO*

Vladimir Propp

- *RETRATO DEL ARTISTA ADOLESCENTE*

James Joyce

- *SIDDHARTHA*

Hermann Hesse

- *ULISES*

James Joyce

- *UN CUARTO PROPIO*

Virginia Woolf

COLOFÓN / *ORIENTALISMO* / *NUEVAS ALTERNATIVAS*

- *ISIS SIN VELO (4 volúmenes)*

Helena Petrovna Blavatsky

- *OBRAS COMPLETAS*

Paracelso

- *PACHITA*

Jacobo Grinberg-Zylberbaum

- *PARA LEER A CARLOS CASTANEDA*

Guillermo Marín

- *TAO TE KING*

Lao Tsé

COLOFÓN / *PEDAGOGÍA*

- *AULAS DE EMERGENCIA*

Samuel Salinas Alvarez

- *LA PRENSA INFANTIL*

Teófilo Huerta

- *LA TELEVISIÓN Y EL NIÑO*

C. Fernández, P. Baptista, D. Elkes

- *SI YO VOLVIERA A SER NIÑO*

Janusz Korczak

COLOFÓN / *POLÍTICA*

- *DIALOGO EN EL INFIERNO ENTRE MAQUIAVELO Y MONTESQUIEU*

Maurice Joly

- *EL ARTE DE LA GUERRA*

Sun Tzu

- *EL PAPEL DEL TRABAJO EN LA TRANSFORMACION DEL MONO EN HOMBRE. MANIFIESTO DEL PARTIDO COMUNISTA. IDEOLOGIA ALEMANA*

Karl Marx

- *EL POLITICO Y EL CIENTIFICO*

Max Weber

- *EL PRINCIPE*

Nicolás Maquiavelo

COLOFÓN / *SOCIOLOGÍA*

- *EDUCACIÓN Y SOCIOLOGÍA*

Emile Durkheim

- *LA ETICA PROTESTANTE Y EL ESPIRITU DEL CAPITALISMO*

Max Weber

- *INTRODUCCION A LA SOCIOLOGIA DE MAX WEBER*

Jorge Sánchez Azcona

- *LA DIVISION DEL TRABAJO SOCIAL*

Emile Durkheim

- *LA EDUCACION MORAL*

Emile Durkheim

- *LA NOVELA INSTITUCIONAL DEL SOCIOANALISIS*

Roberto Manero Brito

- *LAS FORMAS ELEMENTALES DE LA VIDA RELIGIOSA*

Emile Durkheim

- *LAS REGLAS DEL METODO SOCIOLOGICO*

Emile Durkheim

- *SOCIOLOGIA DE LA RELIGION*

Max Weber

COLOFÓN. *BIBLIOTECA JURÍDICA*

- *ESENCIA Y EL VALOR DE LA DEMOCRACIA*

Hans Kelsen

- *¿QUE ES UNA CONSTITUCION?*

Ferdinand Lassalle

- *LA TEORIA PURA DEL DERECHO*

Hans Kelsen

- *INTRODUCCION A LA LOGICA JURIDICA*

Eduardo García Maynez

- *COMO SE HACE UN PROCESO*

Francesco Carnelutti

- *SOBRE LA UTILIDAD DEL ESTUDIO DE LA JURISPRUDENCIA*

John Austin

- *METODOLOGIA DEL DERECHO*

Francesco Carnelutti

- *LOGICA PARLAMENTARIA*

Guillermo Gerardo Hamilton

- *EL CONTRATO Y EL TRATADO*

Hans Kelsen

- *LA DEFINICION DEL DERECHO*

Hermann Kantorowicz

- *EL LENGUAJE JURIDICO*

Cesáreo Rodríguez Aguilera

- *JUSTICIA CONFORME A DERECHO*

Roscoe Pound

- *EL JUEZ DE PRIMERA INSTANCIA*

Bernard Botein

- *EL PROBLEMA DE LA CREACION DEL DERECHO*

Philipp Heck

- *TEORIA DE LA ACCION*

José Alberto Dos Reis

- *LOS AMBITOS DEL CONTRATO COMO NORMA JURIDICA*

Rafael Rojina Villegas

- *RETORICA Y LOGICA*

C. Perelman, L. Olbrechts-Tyteca y M. Dobrosielski

- *CONCEPCION NORMATIVA DE LA OBLIGACION Y DEL CONTRATO*

Pedro F. Entenza Escobar

- *LA TEORIA PURA DEL DERECHO*

Wiliam Ebenstein

- *COMPENDIO DE TEORIA GENERAL DEL ESTADO*

Hans Kelsen

Esta obra se imprimió al cuidado de
Factoría Ediciones SRL, en noviembre del 2001
El tiraje fue de 1000 ejemplares